Juan

en El Paraíso

destinolibro
63

Juan Goytisolo
Duelo en El Paraíso

Juan
Goytisolo

Duelo en El Paraíso

Edición definitiva
establecida
por el autor

Ediciones Destino
Colección
Destinolibro
Volumen 63

© Juan Goytisolo
© Ediciones Destino, S.A.
Consell de Cent, 425. 08009 Barcelona
Primera edición: abril 1955
Primera edición en Destinolibro: mayo 1979
Segunda edición en Destinolibro: agosto 1981
Tercera edición en Destinolibro: febrero 1985
Cuarta edición en Destinolibro: noviembre 1987
Quinta edición en Destinolibro: noviembre 1990
Sexta edición en Destinolibro: mayo 1993
Séptima edición en Destinolibro: noviembre 1994
ISBN: 84-233-0996-7
Depósito legal: B. 37.769-1994
Impreso por Limpergraf, S.A.
Carrer del Riu, l7. Ripollet del Vallès (Barcelona)
Impreso en España - Printed in Spain

A mis hermanos

Capítulo primero

En la ladera del bosque de alcornoques, el disparo de
un arma de fuego no podía augurar nada bueno. Al
oírlo, Elósegui despertó de su modorra y se incorporó
sobresaltado. Hacía sólo dos horas que acababa de dejar a sus compañeros y, por un momento, imaginó que
venían a buscarle. Aunque estaba en lo hondo de
una cueva, a cubierto de todas las miradas, tomó el
fusil por el cañón e introdujo un cartucho en la re-
cámara.

El disparo procedía del sur, en dirección a *El Paraíso*,
y no parecía, por el sonido, el de un fusil del ejército.
Se hubiera dicho más bien que un cazador desorientado
acababa de cobrar una pieza en medio de la zona de
combate. Pero ni en el fortín ni en la escuela había
quedado nadie. Aquella madrugada, antes de que ama-
neciera, los soldados de la batería habían engrosado el
alud de fugitivos que se encaminaba a la frontera en
la vieja camioneta de Intendencia, después de haber
inutilizado todas las armas.

La deserción —preciso era reconocerlo— había sido fácil. La anarquía que desde hacía cierto tiempo reinaba
entre la tropa se contagiaba poco a poco a la totalidad
de los mandos: nadie parecía preocuparse de lo que
hacía el prójimo; cada cual miraba por sí mismo. Aquella mañana, con los dos andaluces del servicio costero,
habían minado el fortín de la ensenada después de cubrir a pie el trayecto de cuatro kilómetros que separaba el mar de la escuela de niños refugiados, a través
de una rambla encharcada y arenosa. En el colegio
aguardaba la camioneta, cargada hasta los topes de ar-
mamento, víveres y uniformes. Encima, el sargento ha-

bía colocado ramas de pino y eucalipto: «Para que no nos localicen los aviones», explicó.

Hacía bastante tiempo que lo tenía todo dispuesto: en la mochila guardaba un paquete de provisiones y el papeleo necesario para el momento de la entrega. Desde el vestíbulo, dirigió una ojeada al antiguo dormitorio de Dora; allí estaban, intactos, el armario de luna en que guardaba sus maletas y sus trajes; el tocador, vacío de colonias y de peines; la cama de muelles, con sus columnas esmaltadas. En las mesitas había un florero antiguo con la rosa que ella había cortado un día. Martín alargó la mano y la estrujó: estaba lacia y reseca, y en torno a la jarra había sembrado una corona de sucios, marchitos pétalos. Martín la guardó en el bolsillo del capote. Era todo lo que quedaba de ella. El angelito de porcelana que Dora le había regalado estaba en el fortín y se olvidó de sacarlo con sus restantes efectos: debía de haber volado hacia el cielo, entre latas vacías, metralla y cascotes de cemento, liberado y feliz, con sus alitas rosas y azules.

El camión partió a las ocho con el sargento y los andaluces. Elósegui lo oyó traquetear por el camino de *El Paraíso* y no se sintió tranquilo hasta que desapareció tras el recodo. Desde entonces, habían transcurrido más de dos horas. Hasta la gruta llegaba el ruido de las bocinas de los automóviles y las imprecaciones de la gente que huía y se veía obligada a abandonar sus medios de transporte. El griterío, sin embargo, había disminuido, y los vehículos pasaban cada vez más distanciados. «Son las vanguardias que se acercan», pensó.

El día antes, la chiquillería de la escuela se entretuvo en pillar los carruajes que el río de fugitivos abandonaba al borde de la cuneta. Eran coches de todas clases, colores, edades y marcas: viejos «Renault» del año veinticinco, con los radios pintados de amarillo y la

10

capota de cuero desgarrada; otros, más modernos, detenidos a causa de un simple pinchazo y que sus dueños dejaban con todo su cargamento de sorpresa: colchones, mantas, cochecillos de niños, jaulas de pájaros con la puertecilla abierta («Volad, volad, palomas»), paquetes de provisiones (Darío había encontrado un pavo asado relleno de guindas y ciruelas), muñecas destripadas («que no se las queden sus hijas, que no se las queden»), etcétera.

Aquella mañana, en la escuela, había sido testigo de una escena extraordinaria: uno de los soldados andaluces se permitió insultar al teniente que intentaba requisar la camioneta. Era alto y robusto, y estalló en carcajadas cuando el oficial quiso recordarle las estrellas de la manga. «Sus estrellas me las paso por aquí —dijo—. Ahora es usted un tipo reventado como yo y hará bien en largarse antes que esto se dispare.» Llevaba un revólver en el cinto y lo acarició con el pulgar. El teniente comisario regresó a su automóvil y los soldados celebraron el incidente con risas.

Con la huida, todo perdía su valor: las cosas pequeñas y de transporte fácil sustituían a las de mayor tamaño, cuyo precio disminuía al ritmo de avance. Las gentes que habían abandonado en Barcelona sus pisos y sus villas, confiando la salvación al automóvil, lo dejaban luego junto a la frontera, para seguir el camino con su bolsita de joyas cosida a los pliegues de la chaqueta o de la falda. «Si se las apretase mucho —pensó Elósegui—, renunciarían también a eso.» Un saco de monedas por un lugar en la barca. Una mujer honesta entregándose a los conductores con tal que la llevaran. Todo era sorprendente y, al mismo tiempo, mágico. Los símbolos perdían su valor y no quedaba más que eso: el hombre, reducido a sus huesos y a su piel, sin nada extraño que lo valorizara.

Aunque el disparo había sonado cerca —trescientos metros a lo sumo—, Martín vaciló antes de salir. La carretera quedaba detrás, hacia el sur y, fuera de los límites del bosque, ofrecía blanco fácil. En aquellos momentos, además, resultaba imposible saber a ciencia cierta a quién pertenecían los automóviles que la enfilaban: si a los últimos refugiados que volaban los puentes con dinamita o a las avanzadillas de reconocimiento de las vanguardias nacionales.

Había traído consigo su equipo de soldado: el fusil, la cartuchera repleta de municiones y el uniforme de campaña. Desde la boca de la gruta dominaba el sector del bosque que bajaba hasta el barranco, pero ignoraba lo que podía ocurrir a su izquierda. Le parecía oír el rumor de unos pasos acolchados por la alfombra de musgo y de pinocha. Sin resolverse aún a abandonar el escondrijo, apartó con un movimiento de la mano las ramas de encina que ocultaban la entrada de la gruta, y arriesgó una mirada lateral.

El día prometía ser templado y suave. El sol estaba a punto de alcanzar su cenit y acurrucaba las sombras a los pies de los árboles. Las gotas de rocío que moteaban el mantillo del bosque habían desaparecido con el relente. Una mariposa blanca voló hasta su hombrera y agitó perezosamente las alas. Elósegui avanzó unos pasos por el camino, sin perder de vista la entrada de la gruta.

Había algo en todo aquello que no marchaba como era debido. Los soldados de retaguardia no habían volado aún el puente que conducía al pueblo y las avanzadas no podían, por tanto, haber alcanzado la escuela. En todo el valle, lo sabía, no quedaba un alma. Sin embargo, *el disparo había sonado* y, tras él, un rumor de pasos, incomprensible, desafiante.

Una extraña inquietud le hizo estremecer. Recorría el

sendero lentamente, procurando no hacer ruido, cuando el murmullo de las voces le puso de nuevo en guardia. Martín tuvo la impresión de que un rebaño de animales asustados acechaba en la espesura la proximidad del cazador.

Oculto entre unas matas de retama, abarcó la ladera con una ojeada circular. Pero no pudo descubrir sino el revoloteo de unos pájaros que huían, como temiendo la repetición de aquel disparo. Los vio volar, por grupos, con las alas desplegadas en lo alto, como pequeños acentos circumflejos.

Había dejado el fusil en la gruta y decidió ir a buscarlo. El silencio era demasiado profundo para ser natural: a Elósegui no le anunciaba nada bueno. Se disponía a volver sobre sus pasos, maldiciendo su imprudencia, cuando distinguió la cabeza de un chiquillo entre las ramas de una madroña.

La cabeza, tiznada de pintura de colores, se había ocultado otra vez en la espesura, pero Elósegui se aproximó allí de un salto.

—¡Eh, tú, pequeño!

Descubrió al niño, encogido como un feto, y lo contempló con asombro. Como en un acceso de locura, había distribuido una caja de colores sobre la piel de su rostro: el azul, el verde, el ocre y el naranja convertían sus mejillas en un verdadero mapamundi: un grueso trazo negro encuadraba sus asustados ojos. Los labios eran delgados y blancos.

—¿Puede saberse qué haces ahí escondido? —preguntó.

Estaba encogido a sus pies y temblaba como una hoja. Martín observó que llevaba una cartuchera sujeta a la cintura y, en el hombro, una mochila de soldado.

—¿No has oído un disparo hace un momento?

El niño hacía unas muecas horribles con su rostro pin-

13

tarrajeado y pareció erizarse cuando Martín le puso una mano sobre el cabello. A través del tizne que le circuía los ojos, se adivinaba el parpadeo de una lágrima.

—No he sido yo —balbuceó—. Se lo juro.

Parecía verdaderamente aterrorizado, y comenzó a debatirse lleno de furia.

—Yo no he hecho nada. Suélteme usted.

Elósegui le dejó escapar. Era uno de los niños de la escuela, no recordaba quién. Hubiera deseado preguntarle por qué no se había marchado con sus restantes camaradas, pero consideró imposible obtener de él informe alguno.

El niño huía gesticulando lo mismo que un diablo y, antes de sumergirse en la espesura, se detuvo y le arrojó un objeto negro. Elósegui se echó al suelo, sin respirar.

Conocía muy bien *aquello*: la tensión de los músculos que se agarrotan; el vacío que precede a la explosión del artefacto. Una marea blanda, pegajosa, impregnaba por completo sus sentidos.

Permaneció así, tumbado, sin atreverse a mover un dedo. Se había cubierto el cráneo con los brazos y el reloj deletreaba los segundos al lado de su oído. Contó ciento. Luego cincuenta. Al fin se incorporó, apoyándose en un codo, y dirigió al objeto oscuro una breve ojeada.

La granada, de fabricación checoslovaca, estaba a cinco metros escasos de distancia. El niño había olvidado quitarle la anilla y aquel descuido le había salvado.

Un sudor frío le cubrió instantáneamente el cuerpo. Se sentía yerto, atontado: era como si sus articulaciones y sus vísceras se hubiesen vuelto de goma.

—¡Condenado chiquillo!

Tenía las manos arañadas y la nariz le sangraba ligeramente. Contempló de nuevo la bomba inofensiva y

14

el lugar por donde el niño se había escapado: la escena era absurda, increíble. Carecía de toda lógica.

En primer lugar, los niños habían sido evacuados. En segundo lugar, ni el disparo ni la huida ni el ademán de arrojarle la granada tenían razón de ser. La totalidad de los chiquillos le conocían desde hacía mucho tiempo. Más de una vez los había llevado al pueblo, subidos en la trasera del camión, y algunas tardes repartía entre ellos los chuscos sobrantes del Cuerpo de Intendencia. Pero el clima de irrealidad que desde hacía unas horas flotaba en el ambiente parecía justificar por sí solo cualquier desatino.

A pocos metros de allí, descubrió una caja de cartuchos con el precinto levantado. Martín hincó una rodilla en el suelo y olfateó: el lugar despedía un tufillo de pólvora quemada. Un rectángulo de papel, escrito con lápiz, decía: «La ejecución será a las diez». Buscó en torno a él alguna aclaración a aquel billete, pero no reparó en nada.

Estaba aún de rodillas, con el mensaje sobre la palma de la mano, cuando le dispararon por detrás. Esta vez no cabía la menor duda: la bala había rebotado a escasos metros e, indudablemente, el tirador había fallado el blanco.

Al cabo de un segundo, y antes de que tuviese tiempo de comprender lo que pasaba, un silbido muy fuerte, repetido varias veces por el eco, desencadenó una tempestad de voces, clamores y pasos. El vendaval parecía desplegarse en forma de abanico. Los niños saltaban como colegiales a la salida de las aulas, imitaban aullidos de animales y ensordecían el bosque con sus gritos.

Martín creyó vivir un asalto de los indios pieles-rojas, como había visto algunas veces en el cine, pero ahora las voces parecían alejarse. Las oyó aún, lejanas y vergonzosas, dispersándose en todas direcciones. En seguida fue como si nada de aquello hubiese ocurrido y la tierra los hubiese devorado.

El bosque estaba tranquilo de nuevo. El sol, que se filtraba a través de la enramada, circundaba los objetos de luces y sombras. Los pájaros se posaban sobre la copa de los alcornoques y Elósegui les oyó cantar un buen trecho antes de incorporarse.

Eran las diez y media en punto cuando la explosión de dinamita le anunció que la retaguardia había volado el puente. Martín vio unas nubecillas de humo, que se elevaban en forma de copos amerengados, diluirse en el firmamento azul y luminoso. Luego, el tableteo de las ametralladoras al otro lado del barranco señaló la llegada de las avanzadillas. Estaba, por lo tanto, en tierra de nadie.

De nuevo adivinaba en el terreno los signos manifiestos de una huida: hierba pisoteada, huellas de talones, y otro papel con la consigna: «La ejecución será a las diez». Su llegada había desbaratado algo y, a causa de ello, le habían disparado por la espalda.

«Dentro de poco —pensó—, habré perdido mi libertad. Me habré constituido prisionero.» Se acordó de Dora: «El día que acabe la guerra...» Como siempre, haciendo planes para el futuro, proyectándolo todo a distancia. Él sólo sabía pensar en el presente: ni siquiera lograba imaginar la llegada de las tropas nacionales. De haberla tenido junto a sí, le hubiera dicho: «Mira, lo importante es que esto acabe. Un poco de paz...» Pero Dora había muerto y, fatalmente, acabaría por olvidarla.

Fue entonces cuando descubrió la mancha oscura de un traje y apenas pudo evitar un respingo. El cuerpo estaba allí, a veinte metros escasos de distancia, y le pareció incomprensible no haberlo visto antes. Desde el primer momento lo había reconocido por el cabello inconfundible y, por un instante, creyó que el corazón se le paraba. Abel estaba boca arriba, tendido cuan largo era, lo mismo que si se hallara sumido en profundo sueño. Tenía los brazos extendidos, siguiendo la línea del cuerpo, y alguien le había colocado un ramo de amapolas encima del jersey. En la sien derecha tenía un agujero del tamaño de un garbanzo, por el que brotaba aún la sangre.

Elósegui le tomó por los hombros y lo incorporó para auscultarle. Sabía que estaba muerto, pero no comprendía aún. Veinticuatro horas antes le había visto lleno de vida. Correteaba con los chiquillos refugiados por las cercanías del cañizal, y le acompañó rambla arriba. Ahora, por alguna causa que ignoraba, Abel había muerto. Alguien le había asesinado.

«¡Gran Dios, si apenas tiene doce años!» Quería comprender a toda costa y le estrujaba la mano entre las suyas. Espiaba los rastros de la muerte en su semblante y apenas lograba convencerse. La cara no presentaba señales de crispación. Únicamente la herida de la sien.

A su alrededor, los asesinos habían arrojado bolitas de papel, con la sentencia escrita con lápiz. Elósegui recogió el ramo de amapolas y volvió a colocarlo igual que estaba antes. ¡Canallas! ¡Partida de canallas! En la mano izquierda le habían puesto una flor roja, que el muerto sostenía en actitud angelical. En la otra había un mensaje: DIOS NUNCA MUERE, escrito también con lápiz, aunque con letra diferente a la del autor de la sentencia. Sobre el improvisado lecho de hojas secas, Abel parecía un muñeco frío y delicado. A excepción de la sangre que brotaba de la sien, ni siquiera presentaba señal de estar herido. Tenía el semblante pálido, muy pálido, y el cabello desmelenado y rubio.

El bosque estaba ahora más tranquilo que nunca. Los combatientes se habían olvidado en apariencia del torrente de *El Paraíso*. Una calma mágica, tejida por mil hilos diferentes, anudaba a Martín, al muerto, a los niños verdugos ocultos en la sombra y a aquel apretado haz de pruebas delictivas que iba desde el rostro pintarrajeado del chiquillo al antifaz de seda que yacía olvidado al pie del árbol, en una trama más fina que cualquier tela de araña. El menor movimiento —el simple hecho de ocultarse el sol tras una nube— habría bastado para romper el frágil mecanismo y provocar el horror de la catástrofe. Martín se detuvo a pesar suyo, fascinado por el ademán de desamparo de los viejos alcornoques. Despojados del corcho, retorcidos, elevaban sus ramas a lo alto y parecían clamar contra aquel crimen. Le asaltó la impresión de hallarse en medio de un bosque encantado y tuvo que frotarse los ojos. Era como si las cosas se hubieran puesto a vivir por sí solas: el sol tamizaba la superficie del bosque de dardos dorados. Las cigarras habían detenido su canto monótono. Todo callaba: animales, árboles y seres humanos; y aquel silencio se le antojó a Martín más contundente que la pública confesión del crimen, cuyo peso asumía el bosque entero.

Las ametralladoras volvieron a actuar junto a la carretera. Por el sonido, Elósegui calculó que habían llegado al puente y tiraban sobre los últimos rezagados, a los que la voladura había impedido huir. El tableteo duró escasamente dos minutos. Después, las explosiones se repitieron en la aldea abandonada. Los republicanos destruían el Centro de Intendencia antes de emprender la huida, y Martín imaginó a los vecinos, agazapados en el interior de sus viviendas: por las mirillas observaban la caravana de fugitivos y de presos, cuyo paso se anunciaba por una estela de excrementos, piojos, miseria, calderos de lentejas y escudillas de rancho abandonadas; tal vez preparaban en los sótanos improvisadas banderas nacionales y se disponían a celebrar ruidosamente el cese de la lucha.

Los niños vivían a su manera la atmósfera de fiesta que flotaba en el ambiente y se entregaban a lo sangriento de sus juegos en medio de lo más duro del combate. La carretera dejaba a sus orillas un reguero de muerte: soldados ametrallados por los aviones, presos fusilados al borde del camino, desertores con una bala en la nuca. Los niños se movían entre ellos como peces en el agua, dando gritos y órdenes guturales, absorbiendo los modos de los mayores, vistiéndose con los despojos de los muertos y acumulando en sus escondrijos los frutos de su juego.

También la guerra sembraba en su cortejo algunas flores: los chiquillos que robaban el camión de la Intendencia jugaban a la nieve con los sacos de azúcar; el gorro de un coronel, salpicado aún de sangre, cubría inmediatamente el cráneo del cabecilla. Los niños aspiraban a las condecoraciones más elevadas. Pasaban de contrabando a través de las líneas de combate, se adornaban con banderas de uno y otro ejército. Diminutos Gullivéres en el país de los gigantes, aprendían el mecanismo de las granadas, y mataban a los pájaros con cargas de dinamita.

Aquella mañana, pensó Martín, habían llegado a asesinar a un compañero. El cadáver del niño estaba allí y nadie llegaría a saber nunca la causa de su muerte. Consultó el reloj: las once menos diez. Acababa de pararse hacía unos segundos y le dio cuerda. Quería marcharse de allí y no quería. Inspeccionó en torno, desorientado.

Otra descarga. Cerca, mucho más cerca. Un kilómetro. Tal vez ochocientos metros. La zona del valle, sin embargo, estaba al margen de la línea de avance y era improbable que disparasen contra ella. La retaguardia,

19

después de volar el puente, debía ultimar sus preparativos de evacuación de la aldea. Una avioneta color ocre la hostigaba con sus disparos y la señalaba al fuego de los carros que marchaban en vanguardia.

Tenía entre sus manos el mensaje DIOS NUNCA MUERE y lo leyó tratando de descifrar su sentido. Los dedos de Abel lo oprimían con gran fuerza, como si hubiese sido el recurso al que, en el momento de su muerte, había intentado aferrarse. ¿Quién lo había escrito? ¿El asesino? ¿Un alma caritativa? ¿El mismo Abel?... Elósegui expulsó los fantasmas fuera de su mente. Una lasitud inmensa oprimía su cráneo como un casquete de acero. Se sentía incapaz de pensar, de decidir algo por su cuenta. «Si estuviese Dora...», murmuró. La vida se le antojó, de pronto, insípida y carente de sentido.

Tomó el cuerpo del niño entre los brazos y bajó por el sendero que llevaba a la escuela. Era una pendiente suave y Martín aceleró la velocidad de sus pisadas. En el bosque reinaba de nuevo el silencio. Los niños habían abandonado el lugar, asustados por lo irreparable de su crimen. Su griterío de hacía unos minutos había sido, tal vez, una forma de combatir el pánico que se instalaba en ellos, y, al gesticular como diablos, lo habían hecho con la esperanza de metamorfosearse en otros seres.

Al llegar a un recodo donde el atajo desembocaba en un camino de carro, Elósegui se detuvo en seco detrás de unos arbustos de madroños.

Dos mujeres de avanzada edad, vestidas de modo grotesco, se encaminaban en dirección a la carretera envueltas en una gigantesca bandera roja y gualda.

Martín descubrió, lleno de asombro, que caminaban dándose empellones, forcejeando tozudamente en poseerla.

—Te repito que la entrego yo —decía la de la izquierda—. La bandera es únicamente mía y no tienes siquiera el derecho de tocarla.

Vestía un abrigo de lentejuelas color lila, que le llegaba hasta los tobillos y que parecía no haber sido usado desde hacía muchos años.

—¿Tuya? —exclamó la otra—. ¿Desde cuándo este retal ha sido tuyo? Es mío y bien mío, y tú lo sacaste del armario.

—Pero yo tuve la idea de hacer una bandera —gritó la primera—. Cuando te pedí la tela, no sabías siquiera para qué la necesitaba.

—Lo pregunté y no quisiste decírmelo.

—Mientes. Te lo dije, pero no me oíste. Con tu sordera...

—Una egoísta. Eso es lo que eres. Una egoísta. El trabajo para los otros y los laureles para ti...

Estaba a punto de estallar en sollozos y avanzaba a saltitos, tropezando, como una avecilla caída de su nido.

—Óyeme bien, Lucía. Ésta es la última vez que te lo pido. Déjame llevar esa bandera...

—Te repito que la bandera es mía —repuso su hermana—. Yo puse la idea y el trabajo. Deberías darme las gracias por permitirte que vayas detrás de mí, en lugar de lloriquear como ahora haces. Otra persona menos tonta que yo te hubiese obligado a quedarte en casa.

La mujer del abrigo color lila se aferró a la bandera con aire dramático.

—Pues no lo conseguirás. Te juro que no lo conseguirás. Hace treinta años que soy esclava tuya, pero estoy harta de que me trates igual que a una sirvienta. Me manifestaré. Hablaré con el general hasta conseguir que se haga justicia. Le contaré todo: tus ideas políticas, la forma en que siempre me has tratado...

Lucía, con el rostro lívido, se había detenido en medio del camino, a escasos metros de Elóseguí, envuelta en los pliegues de la bandera.

—Mientes —exclamó—. Todo cuanto dices es absolutamente falso. Eres mi hermana: te prohíbo que hables de ese modo.

—Pues hablaré —percibió Martín—, hablaré, hablaré y hablaré. Iré directa al general y le contaré lo egoísta que has sido y lo amiga que fuiste de los radicales. Le diré que cantaste para ellos y lograré que te detengan. Te enviarán a la cárcel. ¿Me oyes? Te expulsarán del país como a un perro...

Estaba congestionada por el esfuerzo y las últimas palabras se le escaparon en un hilillo de voz. Encasquetada bajo un inmenso sombrero de ala ancha, parecía un pájaro oscuro, un grajo extraño.

—¡Embustera! —dijo Lucía—. Todo lo que dices es absolutamente falso. Me defenderé si es preciso. Pagaré los mejores abogados...

Comenzaron a forcejear como chiquillas, tirando cada una por su lado.

—Suelta.

—No quiero.

—Te digo que la dejes.

—Nunca.

La hermana de Lucía estaba llorando y concluyó la respuesta como un hipo. Ante la enérgica actitud de su rival, todo su aplomo se había desvanecido y se deshizo en un mar de lágrimas. Mientras Lucía proseguía su camino, corrió tras ella sollozante:

—Te lo suplico, Lucía. Por una vez en la vida trata de ser buena. Déjame llevarla por uno de los lados. Tú la llevarás por el otro y hablarás al general. Yo estaré allí sin decir absolutamente nada. El éxito será sólo tuyo...

La escena había durado apenas dos minutos, pero a

Elósegui le hizo el efecto de que se prolongaba casi años. Era como si, milagrosamente, el tiempo se hubiera detenido para facilitar la contemplación de algún detalle cuyo valor se le ocultaba, inmovilizando el bosque entero, mientras las mujeres discutían.

Martín apresuró el paso. Empezaba a creer que el alcornocal estaba embrujado, maldito. El silencio, hecho de la reunión de mil sonidos, le obsesionaba, y sintió deseos de reír para apagarlo. Luego, mientras tomaba el camino de la escuela, aminoró la marcha. Temía que alguno de los chiquillos se hubiera ocultado allí; podían dispararle desde cualquier ventana y, en el camino, con el niño a cuestas, ofrecía blanco fácil. Conocía, sin embargo, otro sendero por el que había paseado a menudo con Dora y decidió seguirlo antes de llegar al jardín. En la cocina había una entrada excusada por la que podría fácilmente pasar inadvertido.

El bosque perdía espesura a medida que se aproximaba a la escuela y, a través de los claros, podía distinguirse la fachada, oculta bajo un manto de hiedra. En la entrada del llano donde aparcaban los vehículos, campeaba el rótulo del Socorro Rojo y la bandera de la República ondeaba en el balcón del centro. Martín acechó desde el camino el semblante dormido de la casa; las mimosas estallaban amarillas bajo el pórtico y el sol arrancaba guiños malignos a los vidrios esparcidos en el sendero de cascajo. La puerta de roble continuaba entreabierta, tal como la habían dejado los soldados horas antes, y el grifo de la pila manaba a pleno chorro, sin que nadie se preocupase de cerrarlo.

Nunca, como en aquel momento, había experimentado tanta sensación de soledad. La escuela estaba vacía, muerta. Ningún ser viviente, aparte los pájaros, parecía habitar a muchos kilómetros de distancia. Elósegui se desvió por el sendero de la izquierda, que llevaba al palomar y a las cocheras. Empujó la puerta de tela metálica, sin encontrar resistencia, y, con el cuerpo de Abel acurrucado contra el pecho, atravesó la cocina y el pasillo.

De nuevo, Dora le perseguía con sus recuerdos de fantasma. Su silueta se esculpía, encantadora, en todos los rincones, surgía bajo el dintel de las puertas y poblaba su ausencia de sonrisas. A través de oleadas de luz rubia que se filtraban por la puerta delantera, alcanzó la sala de visitas. Allí, extendió el cuerpo del niño encima del sofá. Sus miembros comenzaban a ponerse rígidos y tuvo que hacer un esfuerzo para estirarle las piernas y los brazos. Volvió a colocarle el ramo de amapolas del mismo modo que lo había encontrado y le enlazó las manos sobre el pecho, en actitud de plegaria.

La casa olía a humedad. La ausencia de los gritos a que el bullicio de los niños le había acostumbrado, sonaba en sus oídos peor que una descarga. Fuera, el sol brillaba con entera indiferencia. Martín contempló sus rayos, cebrados, a través de las persianas, la alfombra llena de peladuras. Las paredes estaban cubiertas de propaganda política. En el perchero colgaba una máscara antigás. El día anterior, los chiquillos habían pillado un alijo abandonado y habían corrido por el bosque disfrazados de tapires y de elefantes, inventando juegos terribles, con los rostros cubiertos con las máscaras de caucho y empleando sus trompas como arma de combate.

Sobre la mesa había una cajetilla de tabaco, olvidada por algún soldado. Martín vació un puñadito sobre la palma de la mano y lió cuidadosamente un cigarrillo. Aguardaba. Todo su cuerpo estaba tenso por la espera. Oía el tictac del reloj en el vestíbulo y miraba por reflejo el suyo propio: las once y media tan sólo. La vanguardia debía de haber rebasado ya el puente, bordeando las colinas de algarrobos. El pueblo distaba en línea recta poco más de seis kilómetros y caería tal vez a primera hora de la tarde.

Permanecía entregado a estas reflexiones cuando el zumbido de un motor en el camino le llenó de sobresalto. Instantáneamente se puso de pie y miró por entre las tablillas de la persiana; un coche descubierto, con ametralladoras y soldados, avanzaba con lentitud hacia la escuela. Era un modelo alemán anticuado, cubierto de polvo, con una abolladura en el guardabarro. Al pasar junto al cartel anunciador del Socorro, uno de los soldados, riendo, vació los cartuchos de su cargador.

—Como una espumadera —le oyó decir.

Elósegui se separó de la ventana y de puntillas alcanzó el vestíbulo. Allí, escondido detrás de la puerta, aguardó que el coche frenara. Oía hablar a los soldados, hacer chistes, reír. El automóvil había amenguado la marcha; el motor trepidaba a escasos metros de distancia. Después percibió el crujido de las botas de campaña al saltar sobre la grava.

«Ahora», pensó.

Atravesó el vestíbulo desierto y salió afuera, a la luz, con los brazos en alto.

La súbita irrupción de Elósegui bajo el dintel de la puerta produjo un instante de confusión. El soldado que iba delante, temiéndose una emboscada, se pegó a la pared del edificio. Los otros saltaron del automóvil con la celeridad del rayo y se desplegaron en forma de abanico después de amartillar sus armas.

—No teman —dijo Martín—. No hay ningún otro.

Hablaba con voz tranquila, sin bajar las manos, y sus palabras tuvieron el efecto de devolver la calma a todos.

—La escuela está vacía —repitió—. Hace más de seis horas que sus habitantes la evacuaron.

Se oía el zumbido de un motor. Los ojos de todos, como si fuesen dispositivos graduables a voluntad, se volvieron hacia el camino por donde el sargento llegaba en motocicleta.

Martín le contempló con atención mientras frenaba; el suboficial era un hombre pequeño, de piel como de terracota, con un bigote rubio cortado en forma de cepillo y unos ojos brillantes y taimados. Al descender de la motocicleta dirigió una mirada al balcón en que ondeaba la bandera republicana, y se sacó del bolsillo un mechero de campaña con el que prendió la colilla extinguida que sostenía entre los labios.

—¿Han encontrado a los chavales? —preguntó.

Hablaba con voz átona, inexpresiva, con el rostro envuelto entre las delgadas volutas del cigarrillo que humeaba entre sus dedos.

—Están por ahí, sueltos —repuso Martín—. Esta mañana el suboficial de la batería me dijo que esperaba un camión para llevárselos; pero, por lo visto, no se ha presentado.

El sol le daba en plena cara y le obligaba a parpadear. El sargento se aproximó con desgana y comenzó a cachearle.

—No llevo nada —dijo Elósegui.

Se dejó registrar pacientemente, sin apartar la mirada del sargento.

—Está bien. Baja las manos.

Martín las hundió en lo hondo de los bolsillos con ademán de estudiada tranquilidad.

El pequeño grupo se había apretado en torno a él, excepto el chófer, que continuaba todavía al volante.

—Mis compañeros salieron a las ocho —explicó Elósegui—. Hemos pasado la noche en vela. El suboficial quería llevarnos a todos, pero yo me aparté de ellos al amanecer. Me quedé en el bosque, camuflado...

—¿Cuántos eran? —preguntó el sargento.

—Siete. Ocho con el suboficial. Todos pertenecíamos a la misma batería.

—¿Y los otros? ¿Se fueron?

—Eso creo. A menos que se hayan escondido también. En este caso, no creo que anden lejos.

El sargento restregaba nerviosamente las guías de su bigote.

—¿Estabais encargados de la vigilancia de los niños?

Martín vaciló antes de hablar: la mayoría de los chiquillos refugiados procedían de Irún, de Fuenterrabía o de San Sebastián; con su acento vascongado, el sargento podía muy bien ser familiar de alguno de ellos.

—No —dijo al fin—. Yo era el primer tirador de la guarnición. Hace más de año y medio que me mandaron aquí, para instruir a los reclutas, y no me he movido del valle.

—¿Quién vigilaba a los chiquillos? —preguntó entonces.

—Los del Socorro pusieron un profesor al frente de la escuela —repuso Martín—. Pero no sé dónde diablos puede estar metido.

—¿Dices que los niños andan sueltos?

—Sí, mi sargento. No hace aún una hora los vi correr por ahí.

—¿En qué dirección marchaban?

Martín se orientó con ayuda de la veleta que remataba el frontón del edificio.

—Hacia el norte.

—Deberían enviar una patrulla —dijo un cabo—. El terreno está sembrado de granadas y podría ocurrir una desgracia.

—Ve tú mismo a pedir instrucciones al teniente —repuso el sargento—. Vosotros, entretanto —ordenó a los soldados—, registrad a fondo los rincones de la casa. Puesto que los mandos pasarán la noche acá, será mejor que empecéis a hacer las habitaciones. En cuanto a ti —dijo a Elósegui—, acompáñame: tengo que hablarte.

Le tomó por el brazo y lo llevó a un banco de madera. A escasos metros de ellos, el grifo de la pila continuaba abierto a chorro y salpicaba la acera de ladrillos con un velillo de gotas luminosas que parpadeaban al sol igual que lágrimas.

El sargento sacó de su camisa una petaca de cuero y ofreció tabaco a Elósegui.

—¿Quieres?

—Muchas gracias.

Le tendió el fuego, que el otro protegió con las manos. Durante unos segundos los dos hombres fumaron en silencio.

—Hay un niño muerto ahí dentro —dijo Martín de pronto—. Yo mismo lo encontré en el bosque, esta mañana.

Se había vuelto para mirar a su compañero y descubrió que tenía las venas hinchadas.

—¿Un niño... muerto? —preguntó.

Martín dejó caer sobre el pantalón la ceniza del cigarrillo.

—Sí, asesinado, ejecutado... No sé encontrar el término. Tal vez lo explique el diccionario...

Le miraba a los ojos en demanda de ayuda, pero el hombre parecía no escucharle.

—¿Le conoces? —dijo con voz ronca.

Elósegui echó atrás con un movimiento de cabeza el mechón de cabellos que le caía por la frente.

—Se llamaba Abel —repuso— y era amigo de los niños refugiados. Vivía en la finca de ahí enfrente, con una tía suya.

El otro permaneció unos segundos en silencio, respirando.

—Yo —balbuceó— soy el padre de uno de ellos; de Santos, Emilio Santos...

Había desviado la cabeza hacia los macizos de geranios, como si temiera mirarle a la cara.

—Un niño rubio, de ojos castaños, con una gran cicatriz en la pierna. Al andar cojea un poco... Su madre recibió una postal de la Cruz Roja diciendo que estaba aquí, en la escuela.

Martín hizo un infructuoso esfuerzo de memoria: un niño rubio, con una cicatriz en la pierna... Había un niño inválido, pero éste era moreno.

—No logro recordar en este momento —dijo—; pero no tiene nada de particular. Conozco a algunos de ellos por el nombre, pero no a todos.

—Es de Eibar —dijo el sargento— y tiene ahora cerca de once años. Ocho tenía cuando se escapó de casa; habían muerto los padres de un amigo suyo y se fue con él, fingiendo que eran hermanos...

—En el despacho debe de haber una lista con los nombres de todos. Si usted quiere, puedo indicarle el sitio en que la maestra solía guardarla.

Se disponía a levantarse, pero el otro continuó inmóvil, como clavado en el banco.

—Luego nos enteramos de que al amigo lo habían llevado a Francia. Mi mujer tenía una comunicación de la Cruz Roja diciendo que Emilio vivía en esta escuela, pero estaba fechada dos meses antes que la anterior y a veces creo que el niño también debe de estar fuera...

Por la puerta acababa de aparecer la rapada cabeza de uno de los soldados, que se precipitó al encuentro de ellos, pálido y sin aliento.

—Mi sargento, mi sargento —exclamó—. Hay un niño muerto en la sala, con una herida en la sien.

29

Lo dijo de modo dramático, acompañándose de ademanes con los brazos, y pareció muy sorprendido ante el semblante tranquilo de los dos hombres.

—Lo sabemos, muchacho, lo sabemos —dijo Santos—. Ve adentro y continúa registrando.

El soldado le miró como alelado y regresó a regañadientes a la escuela.

Hubo un instante de silencio. El sargento contemplaba los reflejos del sol sobre las gotas de agua, mientras sacudía la ceniza del cigarro con los dedos.

—Está bien —dijo de pronto—. Si conoces dónde está esa lista, ve a buscarla. Cuando llegue el alférez, ya tendremos ocasión de ocuparnos del niño.

Martín arrojó a la pila la colilla del cigarro y, antes de entrar en la casa, dirigió una mirada al banco, donde el sargento, con la mano apoyada en la barbilla, le aguardaba.

«Me llamo Elósegui —pensaba—, soy proveedor de batería, y hace veinte minutos acabo de constituirme prisionero.» Sintió que una gran carcajada ascendía dentro de él.

Hacia la carretera, cada vez más lejano, se oía el tableteo de las ametralladoras.

El alférez Fenosa llevaba gorra de plato y una estrella reluciente en las hombreras. Se había sentado delante de él, en la silla de madera giratoria y tabaleaba en el cartapacio con frecuencia obsesiva. A menudo cambiaba la dirección de la butaca, a derecha o a izquierda; tenía una cicatriz rosada a todo lo largo del cuello y a Elósegui le asaltó la sospecha de que el movimiento estaba destinado a atraer la atención sobre la misma.

El alférez Fenosa, le había dicho un soldado, estaba

aquella mañana de humor excelente. Recién obtenida la estrella a los diecinueve años, hacía tan sólo unas semanas que participaba en la lucha a las órdenes del capitán Bermúdez y, como a todos los jóvenes de esa edad dotados de temperamento entusiasta, le asaltaba el temor de que la guerra acabase en seguida. La huida desordenada de los republicanos y la falta de combatividad de que daban muestra le había producido verdadero desencanto. La victoria, que para los otros había sido el resultado de una lucha y de un esfuerzo constante mantenido a lo largo de más de treinta meses de campaña, le parecía a él un donativo servido en bandeja de plata.

Su egoísmo le hacía soñar en contraofensivas, luchas cuerpo a cuerpo, victorias difícilmente conseguidas a través de barrancos batidos por morteros, cráteres de obuses, alambradas. Su afán de hacerse perdonar por los otros, los veteranos, su juventud e inexperiencia, le llevaba a reclamar para sí los servicios difíciles y los puestos de peligro. Era el hombre de los golpes de mano. Según le había dicho su asistente, no vacilaba en adelantarse a la retaguardia fugitiva para hostigarla con su fuego de sorpresa desde todos los puntos imaginables.

Aquella mañana, el alférez Fenosa había puesto en fuga a toda una compañía, sin otra ayuda que la de su pequeño grupo de combate. «Fue algo nunca visto —le explicó el soldado—. Yo estaba unos pasos detrás y le veía avanzar con la pistola ametralladora debajo del brazo. Hacía rato que habíamos localizado el nido detrás de un algarrobo y atravesábamos una zona de descampado. Las balas silbaban alrededor, pero él continuaba, ¡pim, pam!, tan tranquilo, adelante. Fue entonces cuando los tipos quisieron huir. Primero uno y luego los demás: el tirador y los proveedores. Yo que-

31

ría apuntar contra ellos, pero el alférez nos gritaba:
"¡Eh, dejádmelos, de esos me encargo yo!" Y, ¡paf!,
se carga al primero. Las balas se hundían en los tipos
sin que se notara... Se quedaban tiesos como muñecos
y el alférez se los cepillaba uno tras otro.»

La acción, tan arriesgada, había merecido los plácemes
del teniente: desde la carretera había seguido su curso
con ayuda de los gemelos de campaña y felicitó cordialmente al alférez: «Estuviste espléndido, chico. Después
de eso, nadie te libra de una cita en el parte». También
Fenosa se sentía satisfecho, aunque lamentaba que el
capitán Bermúdez no hubiese sido testigo de la hazaña.
El capitán era algo escéptico y acogía con sorna las
proezas de sus subordinados. El alférez tenía la impresión de que Bermúdez le trataba como a un colegial:
la idea de no ser tomado en serio le quitaba el escaso
sueño y daba fuerzas al insomnio que desde niño le
había atormentado. Aquella vez, sin embargo, necesi-
taría estar ciego para no rendirse a la evidencia de un
hecho que los otros oficiales estarían dispuestos a atestiguar.

Por desgracia, el teniente le había mandado al valle en
misión de limpieza y vigilancia, con el encargo de dar
con un grupo de chiquillos refugiados que correteaban
por el bosque, imposibilitándole de ese modo rematar
dignamente aquel día, con tan buenos augurios comenzado. Mientras avanzaba por el camino de la escuela
con el cuatro plazas «recuperado» el día antes, pensó
en las avanzadillas que a esas horas convergían hacia
el pueblo, batiendo con sus ametralladoras la desorga-
nizada retaguardia enemiga. Se acordó, de pronto, de la
monja bajita, de mejillas redondas como una pelota
de goma, que había saludado su tristeza de niño ante
el cadáver de su padre, con una sonrisa de estampa
piadosa: «¡Feliz él, que está en la Gloria! ¡Feliz él!»

La monjita elevaba los brazos a lo alto y los bajaba salmodiando: «Feliz él». El alférez recordó que el manto le descendía de los brazos como el patagio de un murciélago, y que había posado en él sus ojos, cómplices y como arrebatados. Ahora Fenosa creía comprenderla y, embriagado con la idea de la lucha, se decía: «¡Felices ellos!»

Vació contra el asiento la ceniza de la pipa que su madrina de guerra le había enviado y ordenó al asistente que acelerase. Le habían dado el encargo de acomodar la escuela para la noche. El coronel y su séquito habían de pernoctar en ella y no tenía más remedio que resignarse. «A mal tiempo, buena cara», pensaba. Había llegado al llano de la escuela y contempló el ametrallado cartel del Socorro. Los soldados destacados a las órdenes del sargento estaban sentados en un banco de madera, al pie de la fachada, tomando el sol como lagartos.

Al divisarle, se pusieron en pie. Uno de ellos se llevó la mano a la sien en un simulacro de saludo y el alférez le espetó con voz seca: «¿Desde cuándo le autoriza el Reglamento a saludar sin el gorro?», con el mismo acento de desprecio con que el capitán Villarrubia decía a los reclutas que caían del caballo: «¿Quién le ha dado a usted permiso para apearse?» En uno y otro caso, la confusión era la misma y el efecto logrado, irreprochable.

Con la mirada dura de sus ojos miopes, recorrió el jardín ornado de geranios y de adelfas. Una atmósfera quieta, mágica, parecía suspender milagrosamente todo el valle por encima de la desolación y de la guerra. El sol bañaba el jardín en que estaban aparcados los automóviles, la hiedra que cubría la fachada y la pila de la fuente. En el horizonte se elevaban unas nubecillas quietas y algodonosas, como barbas de azúcar hilado.

El alférez se detuvo unos momentos, poseído también del ambiente de pereza que, con la complicidad de todos los elementos, se fraguaba. Pero se detuvo a tiempo; apoyado en la ventana, con las manos hundidas en los bolsillos, Elósegui fumaba con gesto indolente. Fenosa se volvió hacia uno de los soldados y apuntó a Martín con el dedo:

—¿Pueden decirme quién es ése?

El sargento se adelantó a la respuesta del soldado a quien el alférez había dirigido la pregunta.

—Se llama Martín Elósegui, mi alférez. Era proveedor de la batería de costa y no siguió a los demás en la retirada. Nos esperaba en la puerta cuando llegamos.

El alférez se volvió hacia Elósegui y lo analizó con aire crítico.

—¿Prisionero?

—Sí, mi alférez.

La carencia de gorro le dispensaba de la obligación de saludar. Fenosa se volvió hacia Santos lleno de ira:

—¿Puede decirme qué hace ese prisionero charland con ustedes?

Bajo las espesas cejas rubias, los ojos del sargento br llaban, azules y mansos.

—Estábamos justamente interrogándole cuando uste llegó, mi alférez. Era el encargado del abastecimient de la escuela de niños refugiados y nos estaba infor mando acerca de ella.

El alférez Fenosa había respondido con citas de las O denanzas que, según le dijo el soldado, constituían s libro de cabecera. Luego envió a Elósegui a una ha bitación del piso alto. Su asistente iba detrás de él, co la bayoneta calada y la obligación de mantenerse metro y medio de distancia. Fue allí donde el soldad le informó más largamente acerca del alférez; durant la media hora que duró aquel encierro, no dejó d

34

charlar. Tenía los bolsillos llenos de paquetes de tabaco y regaló uno a Elósegui.

La guerra, dijo en síntesis, no había estado del todo mal: gracias a ella, él, un simple labriego, había adquirido experiencia, mundo y tampoco podía decirse que no hubiera pasado durante su transcurso algunos buenos, inolvidables ratos. Claro está, había muchas cosas fastidiosas, como esa de las pulgas, pero si uno no tenía remilgos y le tocaba en suerte un hombre bueno, como el alférez Fenosa, todo se hacía soportable. Ahora, sin embargo, deseaba que la guerra terminase para volver a la choza con su mujer, y hacerle un precioso niño: «¿No es ridículo eso de llevar más de dos años de casado y no tener ninguno?» Luego, cuando el alférez mandó a buscarle, volvió a calarse la bayoneta y lo escoltó hasta el despacho.

Hacía veinte minutos que Elósegui estaba allí, intentando responder a las preguntas de modo coherente. Aquella mañana, en virtud de un azar extraño, la empresa resultaba extraordinariamente difícil. Se sentía aturdido, inerte. Le costaba aferrar sus pensamientos, que se escurrían como gotitas de mercurio entre los dedos apenas trataba de asirlos. Desde la muerte de Dora, el mundo había perdido su faz verosímil. La vecindad del frente, los fugitivos —¿huir de qué, de quién?—, la voladura de los fortines, la noche en blanco, su ocultamiento y su entrega se encadenaban obedeciendo a las reglas de una lógica que aún no comprendía. La muerte de Abel, el disparo, la huida de los niños, el mensaje escrito con lápiz y el ramo de amapolas eran otras tantas fórmulas, conjuros y ademanes faunescos por los que un mundo de magia y de crueldad, de poesía y de miseria, acababa de imponerse al ordinario, cubriéndolo con un tapiz de ensueño.

Por la abierta ventana, el sol daba de cara y Elósegui

sentía un cosquilleo cálido en el rostro. El alférez estaba sentado frente a él y le hacía preguntas con voz tranquila. Nombre. Edad. Profesión civil. Regimiento a que pertenecía. Lugares donde había luchado. Martín respondía mecánicamente: Elósegui, veintiséis años, soltero, estudiante. Regimiento cuarto, Aragón, Andalucía, Albacete, ninguna herida, un año de retaguardia en aquel valle. Miraba la hoja del calendario que colgaba de la pared, a unos palmos escasos de la cabeza del alférez: seis de febrero. El reflejo del sol le quemaba las mejillas y sintió las gotas de sudor amontonársele en las cejas. Fenosa cambiaba a cada instante la orientación de la silla y las preguntas brotaban de sus labios como impactos: organización de la escuela, alumnos con que contaba, edades, regiones de donde provenían, detalles.

Martín le había contado en pocas palabras lo sucedido aquella mañana, pero el alférez se mostraba deseoso de saber. Preguntó cómo los niños se habían hecho cargo del arma, le interrogó acerca de Abel y de su parentesco con la dama propietaria. Elósegui dijo que era su tía abuela y que andaba algo mal de la cabeza. Entonces quiso saber si los niños habían manifestado alguna vez su propósito de matarle. Martín dijo: «No, mi alférez». Explicaciones. Ninguna; no se lo explicaba en absoluto. Lo conocía desde... El alférez tabaleaba sobre el cartapacio forrado de seda y Elósegui tuvo que hacer un esfuerzo para no cerrar los ojos: el reverbero del sol sobre el vidrio que cubría la mesa le cegaba. Miró por la ventana al jardín quieto, como dormido a la sombra de los árboles, que tatuaban el suelo de arabescos, de luces y sombras.

Fue una mañana como aquella, templada, suave y luminosa. Lo recordaba bien. Era a mediados de marzo y los prados comenzaban a engalanarse con florecillas de colores. Habían detenido el camión junto a un bosque de pinos y se tumbaron en la hierba, boca arriba, sirviéndose de los sacos de Intendencia a modo de almohadas. Los árboles de la carretera, esquemáticos, radiografiados, desplegaban en el cielo, azul e inmóvil, su armazón de troncos y ramillas, tan complicado y frágil como el sistema de arterias que reproducen las láminas de los libros de Ciencias. Frente a ellos, un cartel de propaganda que el Gobierno distribuía por las ciudades, aldeas y caminos, con un individuo durmiendo a pierna suelta, ornado con la leyenda: UN VAGO ES UN FACCIOSO. Martín lo contemplaba con aire adormilado. A su derecha, Jordi jugaba con un puñado de arena, dejando escurrir los granos entre los dedos.

—¿No crees que es tarde ya?

Martín le vio agitarse con inquietud, como siempre que algo le impacientaba, pero no sintió ningún deseo de moverse: el sol le lamía los párpados entornados y un sopor suave se adueñaba de todos sus miembros.

—Son más de las once.

Pero Elósegui pensaba: «El descanso es el lujo de los pobres». Allí, en el ejército, todos eran pobres, miserables soldados. Se llevó la mano a la boca y ahogó un bostezo ruidoso.

—La vida debería ser siempre así: el sol, un buen lecho de hierbas y un tiempo infinito de descanso. ¡Ah! Y una mujer al lado, también. No para nada, entiéndeme. Sino sentirla ahí, acurrucada contra uno y saber que basta alargar la mano para tocarla y que tiene pereza y se duerme... Entonces es maravilloso ver cómo los otros trabajan y se afanan. Los imagino por las calles, apresurándose, con sus grandes carteras bajo el brazo y unas gafas de lente gruesa para ver mejor. Tienen miedo de todo: de los relojes, del calendario, de que las puertas de los metros se les cierren delante de las narices... Pensar en ellos me ayuda a descansar. Me hace apreciar el valor de momentos como éste: el sol llenándote de estrellitas los ojos, saber que otros trabajan y tú sentirte echar raíces en el suelo; alargar la mano y tocar a tu mujercita. Saber que continúa allí y que te da besos de pereza y que también tiene sueño y...

Entreabrió el ojo izquierdo y arriesgó una mirada lateral en dirección a su compañero: Jordi continuaba jugando al reloj de arena con las manos y removió el cuerpo con impaciencia mal oculta.

—¡Valiente abogado vas a ser tú! —dijo con aire de reproche—. Oye, si tienes ganas de hablar, cuéntale todo eso a Dora cuando volvamos. Ahora son más de las once y nos esperan en Intendencia.

Elósegui se limitó a cambiar de lado. Su flanco, de ese modo, recibía el impacto del sol.

—¡Bah! Ya sé que nada de eso te interesa —dijo simulando irritación—. Pero, ¡qué demonio!, déjame hablar si tengo ganas. Tampoco te he pedido que me escuches.

Le miró de hito en hito mientras se hacía cosquillas en el párpado con una brizna de hierba. Curioso tipo Jordi, pensó, extraordinariamente curioso. Desde que los destinaron al fortín, dos meses antes, no había hecho otra cosa que quejarse, comer, trabajar como una bestia, despotricar y comer de nuevo. ¡Qué pena, qué vida malgastada!, se decía; pero se sentía cómodo con él. Su ambición, su diligencia, su gula eran un contrapunto adecuado y necesario; fortalecían su propia identidad. «Me saca de quicio —pensaba Elósegui—, lo insulto; pero no sabría arreglármelas sin él.» Jordi era

grueso, antipoético, se pasaba todo el día mordisquean-
do algo y englobaba en su desprecio a la totalidad de
las mujeres. «Lo que es yo —decía—, no me casaré
nunca.» Pero Martín había descubierto en él algunos
aislados, deslumbrantes momentos de grandeza.

Un día que el cielo estaba agitado y se mascaba en el
aire un clima de tormenta, Jordi había corrido con sus
piernas gordezuelas hasta el borde del barranco que
dominaba la rambla de *El Paraíso* y desafió a la naturaleza entera y a todo el bosque de pinos y alcornoques,
trocados mágicamente en hombres, con su repertorio de
frases célebres, extraídas de algún manual de Historia.
Las nubes se agolpaban sobre ellos, siniestras y amenazantes; la atmósfera estaba electrizada y tensa, como
al acecho del rayo que desgarra el velo de las nubes y
Jordi, el apacible y eunuco Jordi, había clamado al
valle con su voz más aguda: «Desde estas pirámides
milenarias, cuarenta siglos de historia nos contemplan».
«Más vale honra sin barcos, que barcos sin honra.»
«Yo envié mis buques a luchar contra los hombres, no
contra los elementos.» Un ramalazo de pánico sacudía
el lecho entero de la rambla y Jordi continuaba allí,
gordo como una peonza, con el cabello revuelto por
el viento, liberando, con sus gestos de fauno, los demonios almacenados en su infancia.

Aunque Elósegui fue testigo de la escena, nunca le
había dicho nada. En silencio regresaron al camión,
mientras el cielo se derramaba anchamente sobre sus
cuerpos y convertía el paisaje entero en una inmensa
charca crepitante. Ahora, Jordi, olvidado su momento
de esplendor, volvía a ser el mismo tipo asustado y
pacífico de siempre: consultaba su reloj de pulsera y le
contemplaba con gesto de reproche.

—Son casi las once y media.

—Ya voy, ya voy...

Le parecía revivir sus tiempos de chico, cuando su madre acudía a despertarle para obligarle a ir a la escuela. También entonces decía «ya voy», pero era tan sólo un expediente para prolongar su instante de reposo y saborearlo con más calma. Otras veces fingía levantarse hasta que ella salía del cuarto: seguidamente volvía a ocultarse entre las sábanas y se ovillaba en su propio calor.

El sol le acariciaba las mejillas y tachonaba sus párpados cerrados de estrellas de colores. Se desperezó. Unas piedrecillas afiladas se le habían clavado en la espalda y el brazo sobre el que apoyaba el peso del cuerpo se le había dormido.

—Está dormido —dijo a Jordi.

—¿Dormido?

—El brazo...

Lo agitó durante unos segundos en torno a una asustada mariposa. Luego se incorporó hasta quedar en cuclillas: la manga del capote estaba llena de polvo y Elósegui la contempló con satisfacción.

—A veces creo que si permaneciésemos tumbados varios días sobre una tierra fértil y alguien se entretuviese en regarnos, acabaríamos echando raíces, lo mismo que una pala de chumbera.

—Las once y media y tú aún sentado —dijo Jordi—. Hace lo menos media hora que deberíamos estar en el pueblo y un día, te lo aviso, nos encontraremos con un jaleo de los gordos. Entonces podrás inventar, si quieres, la historia del pinchazo.

—¡Oh, calla! —dijo Martín—. No sé cómo te las arreglas para ser tan inoportuno. Estaba pensando en algo importante y tú...

—Ya tendrás tiempo de pensarlo más tarde —repuso Jordi—. Ahora son las once y media y tenemos que marcharnos.

—¡Oh! —exclamó Martín con desaliento—. Era aquí, precisamente aquí: con ese sol, esa temperatura y el pequeño rincón de mar entre los pinos...

—Pues ven con Dora esta tarde. Ahora no tienes tiempo de divagar. Nos esperan en Intendencia desde hace rato.

—¡Bah, te conozco! Lo que ocurre es que estás muerto de hambre y deseas comerte los chuscos. A primera hora, por la mañana, están todavía calentitos y crujen cuando se les hunde el diente, ¿no es eso?

Le miraba con aire de burla, aguardando la explosión de cólera que no tardó en producirse: Jordi agitó sus puños regordetes y le contempló con ojos llameantes.

—Pues bien, sí, tengo hambre. ¿Puedes decirme qué tiene eso de particular?

—Nada —dijo Martín con voz tranquila—. Absolutamente nada.

—Es algo humano, me parece. Todos los hombres tienen necesidad de algo. Tú la tienes de descansar e ir con mujeres. Pero a mí me tienen sin cuidado tu sol, la luz, el mar y la temperatura. Lo que quiero es almorzar. Tengo un cuerpo grande que necesita ser alimentado.

—Está bien, está bien, no te excites. Todo eso está muy bien y no tengo nada que objetar. Lo que me gustaría saber es por qué no me lo has dicho desde el principio en lugar de hablarme de Intendencia y otras monsergas. Habría bastado con que al comienzo hubieras dicho que tenías hambre para que yo me pusiera en marcha. Ya ves qué fácil resulta. Sabes de sobra. lo paternal que soy contigo y lo mucho que me agrada complacerte para...

Una semana antes. en la batería, estando presentes sus otros camaradas, Elósegui le había ofrecido un flan, regalo de Dora, según le dijo, pero que en realidad, con ayuda de los otros soldados, había rellenado de mostaza.

La sorpresa de Jordi al hincar el diente había sido mayúscula y los ojos se le llenaron de lágrimas. «Yo... (risas) creía que... (gritos) habías dicho... (pellizcos mutuos. Carcajadas).» No lo pudo evitar: lloró de rabia. Pero Elósegui se hizo perdonar en seguida, dándole palmadas cariñosas en la espalda: «Vamos, sinvergüencilla, que no ha sido nada; te digo que es una broma entre compañeros, entiéndeme...».

—¡Bah! Déjame en paz —dijo Jordi ahora—. Me revienta esta costumbre tuya de meterte conmigo a cada paso. Entérate bien, me revienta.

—Vamos, Jordi, no seas rencoroso. Ya sabes que tengo la manía de guasearme de todos. Pero es inofensiva. Entre amigos...

Le quiso poner la mano en el capote, pero Jordi se desprendió como un chiquillo. Balbuceaba al hablar y tenía los ojos brillantes, próximos al llanto.

—Pues me molesta esa manía tuya. Me hiere y me molesta. Si soy gordo y tengo aspecto ridículo, no es culpa mía y no me gusta que me tomen por el pito del sereno.

Se interrumpió como en un hipo y Elósegui aprovechó la pausa para abrazarle por el hombro:

—Está bien, está bien, tienes razón. Soy un canalla, me meto con todo el mundo, ofendo los corazones nobles y estoy avergonzadísimo ahora. No volveré a hacerlo jamás y no seré malo nunca.

Jordi callaba, sollozante. Una gota en forma de lágrima le colgaba de la nariz. Elósegui sacó el pañuelo del bolsillo y la enjugó torpemente.

—Vamos, vamos, no es nada. Estoy aquí y soy amigo tuyo. Sonríe, hombre, que no voy a comerte. Mira, hace un día espléndido, eres joven y dentro de poco podrás comerte un chusco. O dos. O tres. Los que tú quieras.

Se encaminaron hacia la carretera. A pesar de su gordura, Jordi tenía los huesos muy frágiles, como de saúco, y se torcía los tobillos continuamente. Elósegui, que iba delante, con las manos en los bolsillos, se volvía de vez en cuando para mirarle mientras corría por el campo, a pequeños brincos, con su semblante de globo hinchado, rojo por el esfuerzo. «Esas dichosas botas», decía. Aguardó a que se acomodara en el asiento y puso en marcha el motor.

Así eran todas las mañanas, iguales unas a otras y jalonadas de pequeños incidentes que, a fuerza de repetirse, aceptaban los dos como costumbre. Lo restante era conocido también: bosques de alcornoques, con sus troncos desnudos por la pela, descendiendo en tropel por la montaña; campos sembrados, cercanos a la aldea, salpicados de blancos almendros; parcelas de distintos colores, según la variedad del cultivo, labrados por mujeres oscuras y entecas, famélicas niñas y borrosos, como resucitados, ancianos.

La aldea estaba despoblada de hombres jóvenes: la guerra se los llevaba a todos y devolvía algunos huesos. Apretando la bocina de goma negra, se internaba en las calles blanqueadas y desiertas hasta el edificio de Intendencia. Allí, recogía los chuscos del ejército para la batería y la escuela de los niños. Jordi era el encargado de contarlos y de pasar algunos de matute cuando el furriel no miraba. Él, entretanto, se encaminaba a la fonda en que paraban los autocares de Palamós y de Gerona, con los escasos viajeros de costumbre y el saco de la correspondencia.

Martín se dirigió allí, silbando, a través de la pequeña rambla, poblada de mercerías y tiendecitas de ultramarinos. Su surtido se reducía a jabones, escobas, estropa-

43

jos, botellas de lejía, pastillas de azulete y algún que otro tonel de aceitunas. El escuálido gato que reposaba junto a la puerta de una de ellas parecía considerar con tristeza su perdido esplendor: «¡Quién te ha visto y quién te ve!», pensó Martín. No tenía demasiado interés en llegar pronto y por ello se detuvo en un banco soleado.

En la fonda le aguardaba una tarea molesta: escoger las cartas; había, en primer lugar, las destinadas a sus compañeros de batería, las cuales guardaba en el bolsillo izquierdo; luego las de los profesores y niños de la escuela, que ponía en el bolsillo derecho; y hasta, a veces, las dirigidas a alguno de los vecinos (éstas las guardaba en cualquier otro bolsillo). Los propietarios de *El Paraíso* recibían de vez en cuando algunas con matasellos extranjeros y Filomena, la sirvienta, solía dejar sus respuestas en la escuela, con el importe exacto del sello de correos.

Un día se habían olvidado de pegar el sobre, y Elósegui no resistió la tentación de leer la carta. Estaba dirigida a una muchacha llamada Wencke por un tal Román o Romano, y contenía afirmaciones tan peregrinas como ésta, que se la había grabado en la memoria:

Me hablas del bloqueo y de la guerra, pero, por mucho que me esfuerce, no logro comprender tu extrañeza. ¿Qué importa que los hombres luchen y mueran cuando se lleva una vida interior rica? Yo continúo aquí, con mi madre, y nada de lo que no nos atañe a nosotros me interesa. Por la noche, cuando titilan las estrellas, le oigo tocar el piano y siento ascender en mí como un inmenso amor hacia los seres.

Al llegar a la fonda, la encargada, que hacía las veces de cartero, le entregó, ya ordenado, el montón de cartas y, tomándole familiarmente del brazo, sonrió con gesto de misterio.

—Tiene usted un pasajero —dijo—. Todo un personaje...

Le arrastró hasta la sala de visitas y señaló una mecedora con el dedo. La mecedora estaba ocupada por un niño de diez u once años, de cabello rubio y rostro agraciado, vestido con una ridícula bata de colegio. Una caja de zapatos, sujeta con una cinta de colores, constituía todo su equipaje. Al oír hablar a la mujer, se puso de pie de un salto y contempló a Elósegui con ojos asustados y azules.

—Ven, chico —dijo la mujer.

Hablaba con su voz más dulce, para infundirle confianza, y lo atrajo hacia sí con suavidad.

—¿Quieres decirle cómo te llamas?

—Me llamo Sorzano —repuso el niño—. Abel Sorzano, para servirle.

—Es huérfano —sopló la mujer a su oído—. A la madre la ametrallaron en Barcelona al principio de la guerra y su padre murió cuando el «Baleares».

—La señora me ha dicho que vive usted cerca de la finca *El Paraíso* y como es allí donde me dirijo, he pensado que tal vez podría hacerme un hueco...

—Claro que sí, chaval, claro que sí —exclamó Martín—. Puedes ir en el camión siempre que lo desees. Y puesto que vamos a ser vecinos, lo mejor que podemos hacer desde un principio es darnos la mano, ¿no te parece?

Oprimió una mano pequeña, helada. «Como la de un renacuajillo —pensó—, como la de una salamandra.»

—Encantado de conocerle, señor —dijo Abel.

—El gusto es mío, hombre; y oye bien una cosa: no soy ningún señor. Llámame Martín. Martín a secas.

—También traigo conmigo un poco de equipaje —dijo

señalando la caja de zapatos que, al incorporarse de la mecedora, había dejado en el suelo—, pero es pequeño y puedo llevarlo perfectamente encima de las rodillas.

—No te preocupes. Lo pondremos detrás. Tú irás conmigo en la cabina y hablaremos durante el trayecto.

Recogió el paquete de cartas que la mujer había dejado sobre la mesa y apoyó la mano en el hombro del niño.

—Bien, cuando quieras... La camioneta está ahí, en la esquina, aguardándonos.

El niño cogió la caja de zapatos por un extremo de la cinta y tendió cordialmente la mano a la encargada.

—Muchas gracias por todo, señora. Ha sido usted muy amable conmigo.

Ella se inclinó hacia el muchacho y le estampó un beso sonoro en la mejilla.

—Adiós, rey. Espero que el señor Elósegui cumplirá su promesa y te traerá en el camión alguna vez, por las mañanas.

—Así lo espero yo también.

Bajaron la escalera de la fonda, cada uno con su paquete y atravesaron la rambla en dirección a la calle, donde aguardaba Jordi.

Desde la esquina, Abel se volvió hacia la encargada de Correos y le saludó con la mano. «Adiós. Adiós.»

Elósegui le observó intrigado.

—¿Cómo sabías que estaba allí?

Abel hizo ademán de rechazar el rizo dorado que le caía sobre las cejas.

—La señora de la fonda es de esas personas a quienes suelen gustar los niños huérfanos —dijo con gran aplomo.

Jordi estaba instalado en la cabina, al otro lado del volante, comiendo a doble carrillo. Martín ayudó a subir al muchacho e hizo las presentaciones.

—Abel, que va con nosotros a *El Paraíso*. Jordi, un camarada.

—Mucho gusto, señor.

Jordi se sacó de la boca un pedazo del chusco y miró al niño con asombro. Le tendió la mano al fin.

Elósegui los contemplaba divertido.

—¡Qué contrariedad! —dijo volviéndose hacia Jordi—. Creo que tendrás que largarte atrás. Somos tres y en el asiento no cabemos.

—¡Oh, no; no se molesten, por favor! —exclamó Abel—. Yo mismo iré detrás, con mi maleta. Puedo sentarme allí perfectamente.

—En modo alguno —dijo Elósegui—. Será Jordi el que viaje atrás. Le gusta mucho el paisaje y accederá encantado. Tú te quedarás conmigo.

Jordi lanzó un gruñido de protesta y descendió sumisamente a la acera. Desde allí, haciendo un gran esfuerzo, logró encaramarse y durante buen rato permaneció de pie, agotado.

—Está bien. Cierra la portezuela —dijo Elósegui—. Así. Ahora acomódate. —Puso en marcha el motor.— No sabes el gusto que da viajar con una persona delgada. Verdaderamente, con un tipo como Jordi no se puede ir por el mundo.

El camión dejó atrás la última casa del pueblo y subió la carretera a buena marcha. El niño había asomado la cabeza por la ventanilla y el viento agitó los rizos de su cabello. El vehículo daba frecuentes sacudidas a causa de los baches y la caja de zapatos le resbaló del regazo.

—Vigila —dijo Martín—. No vayas a enfriarte.

Abel volvió a acomodarse en el asiento, pero no se preocupó de recoger la caja de zapatos.

—¿Es largo el trayecto?

Elósegui había sacado la pipa del bolsillo y llenó de tabaco la cazoleta.

—¡Psé! Nueve o diez kilómetros.

Encendió su mechero de campaña y aguardó a que ardiese la picadura.

—¿Vienes de muy lejos?

—De Barcelona —dijo Abel—. Vivía allí con mi abuela y unos tíos desde el principio de la guerra; pero mi abuela murió el mes pasado y mis tíos no tienen medios suficientes. De modo que decidí venir aquí. Al menos, en el campo, la vida no es tan difícil y como, por otra parte, el aire es más sano...

La carretera carecía de peralte y Elósegui frenaba antes de tomar las curvas.

—¿Piensas quedarte mucho tiempo?

—No lo sé. No tengo planes precisos. Mis tíos son gente muy amable, pero viven de modo difícil... Ahora, con la guerra, los rentistas están muy ahogados y aunque mi tía siempre dice que donde comen dos, comen tres, he considerado oportuno librarlos de mi carga.

No parecía deseoso de proporcionarle más detalles y Elósegui no se atrevió a hacerle más preguntas.

Abel miraba el paisaje por la ventanilla: los alcornoques habían reemplazado a los campos de cultivo, con su cortejo de encinas, arbustos y retama. Al borde de la cuneta abundaban las chumberas y las pitas. El camión levantaba en las curvas inmensas nubes de polvo que blanqueaban las orillas del camino.

Al llegar al lugar donde comenzaba el sendero de la escuela, siguieron adelante. La casa que iba a habitar se alzaba cuatrocientos metros más allá, siguiendo la carretera, y se llegaba a través de un camino similar al de la otra, cuya entrada cerraba una cadena. Una tupida bóveda de pinos, encinas y alcornoques sombreaba el trayecto hasta la antigua edificación de gusto indiano, asolada y ruinosa, que era en la actualidad *El Paraíso*.

—Bien, hemos llegado —dijo Elósegui—. No tienes

más que subir esta escalera para alcanzar la galería. No creo que haya timbre, pero puedes entrar sin llamar. Si lo deseas, tocaré la bocina.

—¡Oh, por favor, no se moleste! —exclamó Abel—. Puedo valérmelas perfectamente yo solo.

Había abierto la puerta con la mano izquierda y estrechó con la otra la de Elósegui.

—Ya sabe usted donde tiene su casa —dijo al descender—. Espero que cuando tenga un rato libre, volvamos a vernos.

Saludó también a Jordi y les volvió la espalda. Se encaminaba por la terraza hacia el jardín que cercaba la galería. Elósegui le llamó por el nombre:

—¡Eh, el equipaje!

Abel retrocedió lo andado y, al divisar la caja de zapatos, estalló en una carcajada.

—Está vacía. Es decir, llena de piedras. Pero temía que me detuvieran en el tren si no llevaba alguna maleta. La encontré en el cubo de la basura y se me ocurrió la idea de traérmela.

Sus pupilas, redondas y metálicas, parecían girar como dos ventiladores, en rápidos movimientos; una risa tranquila, luminosa, le embelleció toda la cara.

Desde la camioneta, Elósegui le vio abrirse paso a través del sendero de alfalfa que el viento doblaba y abatía, como una doble fila de sirvientes que se inclinaban a su paso.

La segunda vez que vio a Abel fue al cabo de unos meses, al término de uno de sus paseos estivales. Bajaba por la rambla, en compañía de Dora, cuando el tintineo de unas campanillas y el ruido familiar de unos cascos les hizo volver la cabeza: una tartana antigua, que parecía no haber sido usada desde hacía mucho tiempo, venía por el sendero conducida por una mujer oculta tras un delicado velo de tul y lentejuelas. Martín y Dora la habían contemplado con asombro; la aparición de una comitiva circense, con payasos, atletas y bailarinas, no les hubiera causado mayor sorpresa. La mujer llevaba un chal de seda sobre los hombros y un traje de exquisito organdí blanco. Unos guantes de piel negra, ceñidos hasta el codo, y un ramo de jazmines en el escote, completaban el fantástico atuendo. La yegua, un animal apolillado y renqueante, arrastraba la tartana dando tumbos. Poco antes de llegar a su altura, Elósegui había descubierto, acurrucado en el fondo, al niño, quien, al verle, le saludó silenciosamente. Luego, la tartana pasó y se perdió en el recodo de encinas y de cañas.

El día siguiente, lo recordaba, hizo un calor insoportable. El sol había lucido desde el principio de la mañana y los hombres de la batería sudaban cuanto puede sudarse un día de verano. Terminados los ejercicios, Martín había intentado dormir la siesta, pero el sueño, en lugar de aliviarle, desencadenó toda su tristeza y cansancio. La noche última, en el prado, la muchacha le había preguntado, medio en broma, si deseaba casarse con ella y Elósegui tuvo la ocurrencia de reírse a carcajadas: «¿Casarnos? ¿Por qué casarnos? ¿Acaso no somos felices así? ¿Qué necesidad tenemos de estropear todo esto?»; pero algo, una resistencia imprecisa del cuerpo de ella, que adivinaba inerte bajo su brazo, le hizo arrepentirse de inmediato. Durante el resto del tiempo que permanecieron juntos, Martín se empleó a fondo en su intento de restablecer la calma, pero al cabo de un rato concluyó por desistir. Dora parecía aburrida, como ausente. Sin efusión verdadera, el apretón de su mano, al partir, tenía los caracteres de una ruptura.

Elósegui estaba tumbado en la playa, a cien metros escasos del fortín, cuando descubrió al niño junto a un repliegue de las rocas.

—¡Eh, pequeño...!

Un perro esquelético corría delante, en pos de una libélula a la que trataba de atrapar con sus mordiscos y saltos. Al verle, se había detenido a contemplarlo y olfateó desde lejos un segundo, antes de volver la cabeza para interrogar al amo.

—¡Quieto, «Lucero»...!

Abel se aproximó sin timidez: despojado del uniforme de colegial parecía más alto y espigado que antes. Su cabello le caía anillado encima de la frente y, al acercarse al soldado, hizo ademán de rechazarlo con los dedos.

—¿Qué tal está usted?

Le tendió la mano y se sentó a su lado con lentitud. Estaban en una zona arenosa, sembrada de macizos de retama y de arbustos diminutos. Los soldados de la batería arrojaban en ella las basuras y las latas, y oleadas de moscas tornasoladas y perezosas paseaban su zumbido entre aquellos despojos, como si debieran su nacimiento a la corrupción del aire, al olor dulzón de las basuras o a la presencia obsesionante del sol. En la arena, un bote abandonado exhibía su vientre escamoso y oscuro, como el caparazón de algún molusco. Unas gaviotas indolentes remolineaban en lo alto.

A sus preguntas, el niño respondió con una detallada exposición de sus proyectos. El anticuado receptor de la tía Águeda le informaba de la marcha cotidiana de la guerra y le había infundido el deseo de participar en la lucha. Todas las noches escuchaba la radio de Madrid y la de Sevilla: los combates, según los locutores, eran difíciles y arduos, había miles y miles de muertos y cada vez se hacía sentir más la falta de soldados. En Extremadura, los nacionales habían cogido prisioneros de dieciséis años y, si aquello se prolongaba todavía algún tiempo, acabarían por reclutar a los chicos de quince, luego a los de catorce y a los de trece, y él podría pasar muy bien por un chico de trece. Filomena, la sirvienta, aseguraba que, según como, aparentaba catorce.

Durante unos días había puesto en práctica un régimen alemán, ilustrado con abundantes fotografías, para desarrollar el perímetro torácico y aumentar la estatura en veinte centímetros. Pero, la verdad, los resultados eran muy lentos y, como no se apreciaban a simple vista, terminó por cansarse. Sin embargo, sus esperanzas de tomar parte en la lucha no se habían desvanecido. Estaba harto de permanecer allí, en *El Paraíso,* sin hacer nada práctico; en aquella zona no había nunca guerra y, por lo tanto, resultaba imposible manifestarse. En cambio, en Belchite se luchaba de verdad. Había fosos, trincheras, alambradas, cráteres de obuses, y hacían falta soldados. Sabía que los niños de su edad eran difícilmente admitidos en el ejército, pero era preciso compensar este defecto con una preparación superior.

En la buhardilla de su casa había descubierto una gramática francesa, sin tapas, que perteneció a doña Estanislaa en sus buenos tiempos, y cuyo estudio inició concienzudamente. Saber idiomas en una guerra como aquella era algo muy útil, y presentarse dominando el francés constituía la garantía más sólida de su admisión. Los dos ejércitos contaban en sus filas con soldados extranjeros y él podría ir de un lado a otro haciendo de intérprete y disparando en los casos de apuro, vestido como indicaba el reglamento de Enlace y Telecomunicaciones (cuyo ejemplar en rústica había adquirido en la librería del pueblo): con su uniforme azul de campaña, las iniciales del Cuerpo y un pequeño casco de acero, especial contra las balas.

En último caso, podía ser empleado como espía. Nadie sospecharía de un niño de doce años, y el general podría tomarle de asistente. Entonces, durante la noche, Abel robaría los planos y los cosería al forro de su chaqueta. Al llegar al otro lado, le darían una medalla de guerra y su nombre, con la historia de su hazaña, saldría en los periódicos. Había escrito una carta al Gobernador Militar de Cataluña y le mostró el borrador a Elósegui. Pergeñada en tinta verde, en una hoja del cuaderno de deberes, decía así:

Mi querido general;
Acabo de enterarme por la radio de lo necesitados que andan ustedes de soldados y he creído oportuno decirle que yo podría serlo, aunque sólo tengo catorce años, pero sé francés y esgrima y he seguido un curso técnico de enlace.
Sin más que decirle, y en espera de su atenta respuesta, se despide de usted s. m. a.

Abel Sorzano

—La envié hace tres días —dijo cuando Martín la hubo leído—. Es decir, dos días, pero como puse sello urgente, tal vez mañana mismo tenga la respuesta. Por si acaso, he preparado un hatillo con algo de ropa y he escrito una carta para mi tía abuela, explicándole por qué me marcho. «Lucero», el perro, también irá conmigo, aunque no haya hablado con el general al respecto. Realmente, es el animal más inteligente que conozco y, bien enseñado, puede ser un magnífico perro policía.

«Lucero», al oír su nombre, abrió los ojos, que tenía entornados, y batió débilmente la cola.

—¿Lo ve? —exclamó Abel—. Es más listo que muchas personas y si se le habla, no pierde detalle. «Lucero» —dijo—, salta. —El perro se incorporó vacilante.— Salta —ordenó—, te digo que saltes. —«Lucero» hizo una cabriola y permaneció erguido frente a él moviendo el rabo.— Ladra —dijo Abel—. Ladra. —El perro ladró.— Está bien. Siéntate, ahora.

Luego, en pocas palabras, le puso al corriente de su proyecto: en cuanto recibiera la respuesta del general, Martín debía informarle en seguida, de forma que tuviese tiempo de tomar el autobús en el pueblo. Una vez allí, en posesión de la carta, podría dormir tranquilo. Era el mejor salvoconducto en época de guerra y los soldados, al leerla, se cuadrarían y le harían el saludo militar reglamentario.

El sol estaba a punto de hundirse en la escollera y un asomo de brisa aligeraba el cálido bochorno de la tarde. Se olía fuertemente a brea, a podrido y a mar. Uno al lado de otro, como dos viejos amigos, subieron por la rambla, bordeando el cañizal. «Lucero» iba delante, se volvía para mirarlos, los aguardaba y volvía a avanzar. Al llegar a las ruinas del viejo molino, Martín regresó a la batería, volviendo a desandar lo caminado, y Abel continuó rambla arriba.

A partir de aquella tarde, continuaron viéndose con mucha frecuencia. Abel había elegido al soldado por amigo y le hacía partícipe de sus planes. La radio hablaba de bombardeos, de ciudades en llamas y de luchas cuerpo a cuerpo. Cada uno de los bandos pretendía que la guerra iba a durar sólo unos meses y Abel temía que sus proyectos no llegaran a realizarse. Se imaginaba grumete, subido a lo alto de un buque de guerra; pilotando un avión en una calada difícil; oficial en el ejército de tierra.

La respuesta del general se hacía esperar mucho y el niño sufrió un rudo desengaño. Desde entonces, sus esfuerzos se orientaron hacia el lado nacional, entre cuyas filas había muerto su padre, y al que decidió ofrecerse de espía. Sus cartas, cada vez más extensas, a medida que perdía su fe en ellas, las sometía a su censura antes de enviarlas.

Eran los comienzos del otoño, la época en que se había hecho patente el embarazo de la muchacha, y Elósegui permanecía aletargado, como muerto. Con la mirada ausente, seguía las pláticas inacabables del pequeño y se dejaba adormecer por sus palabras, que se colaban en sus oídos a hurtadillas y sin dejar ninguna huella.

Un día, sintiéndose aislado, más triste y perdido que un náufrago en pleno océano, Abel redactó un mensaje con su nombre y señas, y lo confió a una botella convenientemente taponada, que arrojó al mar desde un saliente de la costa. Elósegui estaba a su lado y presenció la operación sin decir nada. Desde las rocas la vieron alejarse muy erguida, impulsada por la brisa, que la arrastraba más adentro, hasta perderse en lontananza.

«Tal vez —pensó Martín ahora— continúe flotando aún. Y a través de los estrechos, las islas y los buques, solicite la ayuda de los hombres, con su solo, angustioso y jamás escuchado mensaje.»

La última vez que vio al niño fue el día veintiocho, la tarde misma en que se divulgó por el pueblo la noticia de la entrada de las tropas nacionales en Barcelona y la huida hacia el norte del Gobierno fantasma.

Elósegui había permanecido dos semanas en Gerona como asistente del capitán Rivera y, al llegar a la escuela, el profesor Quintana le había comunicado de sopetón la muerte de Dora en el bombardeo, así como la desaparición de Pablo Márquez.

Un mazazo en el cráneo no le habría causado mayor efecto. El profesor estaba sentado frente a él, y aunque

Martín le veía mover los labios no percibía ninguna palabra, sino un prolongado y monótono zu-zu-zu, lo mismo que si le hubiesen sumergido en una campana de vidrio y se hubiese vuelto repentinamente sordo.

La habitación giraba alrededor de él. A duras penas distinguía la taza de café desportillada que Quintana acababa de servirle. Como obedeciendo a una intención distinta, la mano que empuñaba la cucharilla daba vueltas y más vueltas, atrapada en el círculo de su nada, más torpe e inútil que un pez de colores en la esfera de cristal de su propia impotencia.

Poco a poco, los objetos dejaron de oscilar y volvieron a su lugar acostumbrado, en el techo, en las paredes, en el suelo. Luego oyó el puntuar de la gota que caía del grifo mal cerrado y la voz del profesor, que verosímilmente había seguido hablando:

—...anteayer por la tarde, con todos los niños de la escuela.

—¿Decía usted?

Había tenido que dominar el loco impulso de correr al cuarto de Dora y abrir, como hizo luego, los armarios vacíos y los cajones desiertos, inclinarse sobre su lecho y olfatear como un perro para convencerse de que el profesor no le engañaba.

Muerta. También la escuela estaba vacía y como muerta. Se oía tan sólo el monótono golpear del agua en el fregadero y el chillido siniestro y lejano de un ave.

—¿Y los niños? —preguntó—. ¿Dónde están los niños?

Quintana se encogió de hombros con indiferencia: el rostro se le había poblado de arrugas tortuosas y las pupilas giraban como dormidas en la estrecha hendidura de sus párpados.

—¡Ah, los niños! —dijo—. ¿Cree usted que en este momento sé dónde están? Hace tiempo que son los

56

amos del colegio, Elósegui, y ni yo ni nadie podría dominarlos, desenfrenados como andan. Desde la muerte de Dora han perdido toda la vergüenza y se dedican a correr por ahí, como bandidos, ingeniando Dios sabe qué maldades. Se desayunan, almuerzan y cenan cuando les da la real gana y si alguno no viene a dormir, no hay nadie que pueda controlarle. A esto le llaman una escuela y para esto me enviaron a mí... Para formarlos... —Al reír, la fina red de sus arrugas, que se enmarañaba en torno a los párpados, parecía cobrar vida independientemente: le palpitaba—. ¿Sabe usted que me han perdido todo el respeto? Créame, soy menos que un criado para ellos. Me llaman viejo chocho y se ríen en mis narices de todo cuanto hago. El otro día, uno de los pequeños me amenazó con una caña. ¡Oh!, ya sé que usted dirá que eso no puede continuar así, pero ¿qué quiere usted que haga? Soy viejo, tengo setenta años y he bregado mucho a lo largo de mi vida para ignorar que la situación no tiene remedio. Compréndalo, Elósegui. Hace más de tres años que se han acostumbrado a oír estadísticas de muertos, de asesinatos, de casas destruidas y ciudades bombardeadas. La metralla y las balas han sido sus juguetes. Aquí, en la escuela, han creado un verdadero reino de terror, con sus jefes, lugartenientes, espías y soplones. Ya sé que es difícil creerme viéndoles la cara infantil y las mejillas aún sin bozo. Pero es la pura verdad. Sé perfectamente que tienen un código para castigar los «delitos» y un sistema coactivo para obtener la obediencia. Durante la noche, el dormitorio se convierte en una guarida de serpientes y leopardos, en una verdadera celda de tortura. A veces he descubierto a algunos de los pequeños con las uñas quemadas y el brazo cosido a alfilerazos, pero por mucho que haya interrogado jamás he obtenido informe alguno. Incluso los más dóciles y buenos evitan mostrarse amables conmigo por temor de despertar las iras de los otros. Pedro, el vigilante, quiso averiguar el significado de sus tatuajes: los dragones, centauros, martillos y flechas grabados en los brazos, según un escalafón riguroso. Aquella misma noche, mientras hacía una ronda por el jardín, estuvo a punto de recibir un golpe en la cabeza. Cuando subió al dormitorio, los niños estaban dormidos y no hubo forma de despertarlos: fingían soñar en voz alta y roncaban abrazados a las almohadas y a las sábanas, sonrientes como arcángeles. En cuanto a su educación, Elósegui, será mejor que no le hable. Esas criaturas han perdido totalmente el sentido del decoro y se entienden entre ellos por medio del lenguaje más abyecto. Sus únicos pasatiempos parecen ser los naipes y el juego de navajas. Ayer, sin ir más lejos, se presentó en mi dormitorio un pequeño para que le desinfectase una herida de cuchillo en la cadera, de más de dos centímetros de hondo. No hubo forma de hacerle confesar. Cada vez que le preguntaba se entretenía respondiendo de un modo distinto, sin preocuparse de ocultar el embuste. Le curé y se fue sin darme las gracias. Sería para ellos una debilidad inconfesable mostrarse agradecidos. Los viejos, a cerrar el pico y a trabajar. Puede maltratárseles un poco, siempre que no mueran. —Se detuvo un momento para sorber el café, que se enfriaba—. ¡Oh!, no crea que facilitan las cosas; en absoluto. Les agrada romper y destrozar, orinarse en los pasillos; en fin, hacer cuanto les pasa por la cabeza. Y desde la muerte de Dora se aplican a hacer el mal a conciencia. Han olfateado algo insólito en el ambiente y han perdido los últimos residuos de temor. Hemos recibido quejas de algunos automovilistas apedreados, pero no podemos poner remedio. Continuamos aquí, dándoles de comer, porque tenemos la obligación de hacerlo; pero, tal como están las cosas, no veo ninguna salida a todo esto. Intentar una gestión cerca de las autoridades es, a estas alturas, un proyecto bien intencionado, pero utópico. Por esta razón, en tanto no recibamos orden alguna o lleguen los nacionales, no tenemos otro recurso que aguantar lo que venga, sea lo que sea. —Acabó de beber el café y dijo—: Créame, Elósegui, su amiga hizo muy bien en abandonarnos...

Martín abandonó la escuela tambaleándose. En el jardín, como en la casa, la calma era completa. El silencio anormal de la tarde estaba puntuado por el hipar de los sapos. Como un autómata, se dirigió al lugar donde había estacionado el camión y puso el motor en marcha.

Los párpados le pesaban a causa de algo más fuerte que el sueño y sentía un extraño amargor en la boca. La noticia le había dejado inerte, hueco. Pensaba en Dora, de cuyo fantasma acababa de convertirse en castillo, y apenas lograba coordinar el hilo de sus ideas.

—¡Eh!... Vigile...

Había estado a punto de atropellar a un carro después de una curva muy cerrada y prosiguió la ruta polvorienta a través de una doble hilera de árboles que, con respeto, y, como si participasen de su duelo, se apartaban, veloces, a su paso.

Fue entonces cuando vio a Abel. El niño caminaba a lo largo de la carretera en dirección a su casa y, al oír la bocina, se volvió para mirar. Martín detuvo el camión y abrió la portezuela.

—¡Oh!, ¿es usted?

El niño le había contemplado como si se tratara de un fantasma, sin dar apenas crédito.

—¿Desde cuándo...?

Estaba más pálido y demacrado que nunca y subió al camión sin decir una palabra. Cuando reanudó la marcha, tampoco le preguntó adónde iba. Durante el trayecto había guardado silencio y se contentó con mirarle a través del espejuelo.

El cementerio estaba en la cima de una colina ondulada, en las afueras del pueblo. Pocos metros antes de su entrada, en un estanque circular donde flotaban algas verdes, se oía el monótono croar de las ranas. La puerta de hierro estaba cerrada, pero Martín escaló sobre los barrotes cuidando de no herirse con las puntas y ayudó a encaramarse al niño.

Se acercaba la hora del crepúsculo y un aire azulino resaltaba con nitidez los senderos bordeados de adelfas y tuyas, la espada desenvainada de los cipreses, los parterres repletos de hierbajos, rosales silvestres y zarzas.

—Por aquí —murmuró Abel.

Se habían puesto de acuerdo sin decir una sola palabra y caminaba delante de él, tratando de orientarse por las inscripciones de las tumbas.

Cercado por un muro de más de cinco metros, el paisaje se reducía a un cuadrado de cielo azul pálido, pincelado de nubes transparentes, como de gasa. El sol, aunque ausente de los límites del recinto, anunciaba su presencia por medio de una luz indefinible y tamizada que bañaba las flores, las tumbas y los senderos. Mientras caminaba, Elósegui no había apartado los ojos del suelo; el terreno estaba sembrado de huesos bruñidos por el sol y la intemperie, que parecían haber brotado por sí solos de las tumbas.

El recuerdo de las familias había adornado los panteones y las fosas con imágenes, dedicatorias, oraciones, fotografías, versos, coronas y ramos de flores. La sepultura de Dora estaba en el rincón más pobre: una modesta placa de metal con su nombre y sus fechas señalaba el lugar de la tierra reciente, desnuda de flores.

—Si lo hubiese sabido... —sollozó Elósegui. Pero no pudo continuar.

Permaneció allí hasta que el aire se fue espesando como el agua, y el agua se fue tornando oscura y densa, como si, desde la costa, hubieran descendido hasta las profundidades abismales.

Al salir tomó la mano de Abel y la oprimió con la suya. El muchacho estaba pálido como la cera y cuando el soldado se volvió para mirarle, inclinó, sumiso, la cabeza.

—¿Y Pablo? —preguntó.

No obtuvo respuesta.

—Sí, fue la última vez que hablé con él. Es decir, no. Hace dos días, mientras conducía el camión por el valle, me acompañó hasta el cruce. Iba con los otros chiquillos y me pareció que estaba enfermo. Luego no recuerdo más. Los niños le acompañaban, mi alférez. No, no advertí nada extraño. Tampoco tengo idea de dónde pueda estar Quintana...

La luz espejeaba sobre el vidrio de la mesa y le cegaba con sus rayos diamantinos, afilados como carámbanos. Por un momento Elósegui creyó que todo se disolvía en la blancura, y estuvo a punto de perder el equilibrio. Las preguntas brotaban en forma de impactos y era preciso continuar con los ojos abiertos. No sabía cuánto tiempo llevaba allí: el alférez interrogándole y él respondiendo a sus preguntas. Le veía mover los labios, pero a duras penas lograba comprender.

—Puede usted retirarse.

Pensaba en Dora, en Abel. Se daba cuenta de que los dos habían muerto y se sentía incapaz de reaccionar. Si lo hubiera sabido...

—Le he dicho que puede usted retirarse.

Elósegui hizo un esfuerzo para comprender. Tenía los ojos ciegos detrás de una cortina de sal.

—¿No me oye usted?

—La puerta —logró balbucear.

Avanzaba a tientas y asió la manija de un modo mecánico. Luego se hundió en la penumbra refrescante del pasillo, escoltado por el asistente, que, con la bayoneta calada, se mantenía, conforme el Reglamento, a metro y medio escaso de distancia.

Capítulo II

El chiquillo descendió por el atajo a toda la velocidad que le permitían sus piernas. Esperaba de un momento a otro la terrible explosión de la granada y, con las manos en los oídos, corría en dirección a la ladera por donde, momentos antes, habían huido sus compañeros.

«Aguardad, aguardad.»

El sendero, lleno de hierbajos, se perdía entre una espesura de encinas, alcornoques y madroños. La mochila, repleta de cartuchos, golpeaba sordamente sus riñones y el niño la arrojó a mitad de camino, para correr más aprisa. Creía oír detrás el jadeo de una respiración entrecortada, pero no osaba siquiera volver la cabeza.

Antes de llegar a la vaguada, la repetición del disparo en el bosque le devolvió la perdida calma. Conocía el ruido familiar de la carabina y dedujo que alguno de sus amigos debía haberle alcanzado. Aguardó.

A pocos pasos, la fuente manaba como dormida bajo la bóveda entrelazada de los árboles. El *Arcángel* se dejó caer de rodillas y se inclinó sobre el hontanar. Su imagen, aterrorizada aún bajo la parcelación de los colores, se estremecía como un espejo ondulante, y un renacuajo gris y negro la atravesó de parte a parte, orillándola de un halo de burbujas.

El niño la destrozó de un manotazo: se odiaba. Hubiera deseado cubrir los espejos y olvidarse para siempre de sí mismo. Permaneció apoyado en el borde de la pila, agitando incesantemente la superficie con la mano, mientras un código secreto de silbidos entretejía en torno a él, a través del bosque, una telaraña sutil de complicidades.

Sólo entonces se percató de que había fallado el blanco. Debía huir. Alejarse de allí. Tal vez, en aquellos momentos, el *Arquero* y los suyos anduviesen buscándole.

En tanto forjaba un plan de huida, se reanudaron las detonaciones: las ametralladoras fustigaban a los fugitivos que seguían la carretera y una bandada de palomas que surcaban entre los madroños se alejó en dirección a *El Paraíso,* con un revuelo de alas asustadas.

El *Arcángel* se puso de pie. El bosque se había poblado de un sordo rumor de pasos. Una cacería extraña se desarrollaba a lo largo de la ladera y acaso iba a ser él la víctima propicia.

Al correr, le parecía que las ramas de los árboles se oponían a su marcha, como si todo el bosque hubiera cobrado vida: las raíces culebreaban por el sendero; unas ráfagas de viento malhumorado lanzaban contra su rostro las ramas de las encinas; las zarzas se aferraban a los faldones de su camisa, le arañaban.

Tenía miedo. Miedo del *Arquero* y de Elósegui, de los niños y de los soldados.

—Corre, *Arcángel,* corre.

Lo decía en voz alta, para animarse, acechado por la turbia conspiración de los elementos, por la acumulación encarnizada de los síntomas. Oía tras sí las voces de los chiquillos, llamándole, pero no les hacía ningún caso. Los latidos de su corazón, cada vez más fuertes, ahogaban cualquier otro sonido.

Cuando el *Arquero* surgió en el castañar, *Arcángel* creyó ser víctima de un mal sueño. No lo pudo impedir: la misma inercia se encargó de llevarlo a su lado. Desesperadamente trató de hurtar el contacto, pero ya el *Arquero* había caído sobre él. El fugitivo sintió la vaharada de su aliento.

—Conque ocultándote, ¿eh?

Los dedos del cabecilla se aferraban a su antebrazo como garfios y el *Arcángel* sintió que los ojos se le llenaban de lágrimas.

—Yo... yo...

El *Arquero* le golpeó con el puño en plena cara.

—Cabrón, cobarde...

Había saltado encima y se entretuvo en pegarle con saña. Si le mataba, mejor. Así escarmentarían los otros. En el grupo no se admitían los cobardes.

Estaba sentado sobre su pecho y con las rodillas le sujetaba los brazos contra el suelo. En contraste con su rostro acalorado, su chirlo resaltaba sinuoso, blanquísimo.

Tendido boca arriba, el *Arcángel* resollaba con los labios manchados de sangre y de pintura. Sus ojos, cercados de un negro azabache, le observaban llenos de espanto.

—Le arrojé la granada —balbuceó.

—Sí. Y te olvidaste de sacarle la anilla. Ahora el tipo sabe ya todo lo sucedido y, por tu culpa, pagaremos el pato nosotros.

Por un momento el niño creyó que volvería a golpearle, pero no lo hizo. Media docena de compañeros, vestidos con camisas de soldado, habían formado un anillo en torno a ambos. El *Arquero* se volvió para mirarlos.

—Me había cansado de deciros que nadie debía tocar al burguesito después de muerto, me parece... Pues bien, ya ha tenido que ir ese imbécil con sus florecitas y sus maricadas.

—¡Bah!, déjale. ¿No ves que está sangrando?

—No le pegues más, *Arquero*.

—La culpa no ha sido suya.

El cabecilla se incorporó refunfuñando:

—Faldas. Eso es lo que deberían haberte puesto tus padres. Unas faldas.

Se agachó para recoger la carabina y sacudió por el hombro al *Arcángel.*

—Anda, calla. Cualquiera diría que no tienes nada entre las piernas.

El niño se incorporó sollozante.

—Yo no le había visto —tartajeó.

El *Arquero* le cortó con un ademán del brazo.

—Te digo que calles.

Daba por liquidado el incidente y se dirigió hacia los otros camaradas:

—Me gustaría saber quién ha sido el cabrón que ha disparado sin que yo lo ordenara.

En el pequeño grupo de niños hubo un instante de silencio.

—Desde luego no he sido yo —dijo uno—. Estaba justamente detrás de ti y no pude ver absolutamente nada.

—También yo estaba a tu lado —dijo el de la cabeza rapada.

«Y yo. Y yo...: el *Arquero* los englobó a todos en una sola mirada.

—Sí. Aún resultará que el disparo salió por sí solo.

—Me parece que ha sido *Durruti* —observó uno.

—Sí. Él era el último que llevaba el arma.

—Callaos —dijo el *Arquero*—. Si no habéis sido vosotros, no tenéis por qué echar las culpas a nadie.

Su cerebro había elaborado, con gran rapidez, un plan de combate: adivinaba el recelo y la desconfianza en el semblante de los chicuelos y deseaba recuperar su ascendiente a cualquier precio.

—La culpa no es de ninguno y es de todos —dijo con voz ronca—. Lo pasado, pasado está. Lo único que debe ahora importarnos es la manera de zanjar el asunto.

—¿Zanjarlo? —dijo el de la cabeza rapada—. ¿De qué modo?

—Liquidando a Elósegui —repuso el *Arquero*—. El

tipo no debe entregarse vivo a los facciosos. Y si ninguno de vosotros quiere ayudarme, me encargaré de hacerlo por mi cuenta.

—Nadie dice que queremos dejarte solo, *Arquero* —dijo el más pequeño.

—De sobra sabes que iremos adonde tú vayas, pero...

El cabecilla elevó el mentón.

—Pero ¿qué?

Los rapaces volvieron a callar, taciturnos, desconfiados.

—Mira —dijo uno—. No imagines que intento descubrirte, pero creo que lo mejor que podemos hacer es largarnos.

El *Arquero* se acarició la cicatriz blanca de la cara.

—¿Largarnos, dices? Eso sí que tiene gracia.

Hubo un momento de calma durante el cual se hizo perceptible el tableteo de las ametralladoras.

El *Arquero* reía silenciosamente con risa inmóvil, como pincelada sobre sus rasgos de tunante y que interrumpió con la misma brusquedad con que había comenzado: entonces fue como si no hubiese reído nunca y su rostro se convirtiera en un mascarón de trapo.

—¡Imbéciles! —exclamó—. ¿No os dais cuenta de que si el tipo se entrega no podemos ocultarnos en ningún lado? Los facciosos nos perseguirán como a perros. Organizarán una batida por el bosque y, en menos de lo que canta un gallo, nos habrán atrapado a todos.

Recorrió el pequeño grupo con la mirada para comprobar el efecto de su discurso. El rostro de sus camaradas reflejaba la ansiedad y el terror. Ninguno se atrevía a alzar la mirada.

—Hemos matado a un faccioso y nos castigarán. Nos utilizarán como blanco en los ejercicios de tiro. Si no se deciden a colgarnos de cualquier rama. —Señaló el bosque con un amplio ademán.— Aquí no faltan.

—¿Tú crees? —balbució el más pequeño.

El *Arquero* tuvo una risa sarcástica.

—Pues ¿qué imaginabas? ¿Que iban a regalarnos pan con chocolate?

La irritación que sentía hacía unos instantes se había desvanecido: el terror de los niños le devolvía, por contraste, su aplomo.

—Y no imaginéis que por ser niños saldréis mejor librados. Los moros se encargan de ese asunto y no suelen tener muchos escrúpulos. —Sonrió.— ¡Oh!, no creáis que es agradable ver espectáculos de éstos. Los presos se pasan horas y horas dando chillidos antes de estirar la pata y los niños son los que más resisten.

El chiquillo de la cabeza rapada temblaba como una hoja y la voz le brotó frágil al preguntar:

—¿Has visto tú cómo lo hacen, *Arquero?*

El otro lanzó una carcajada.

—¿Que si lo he visto, dices? Pues no una, sino docenas de veces. En Oquendo, donde yo vivía, ejecutaban diariamente en la plaza. Primero ahorcaban a las mujeres, luego a los hombres, y por fin a los niños. Los llevaban a todos en una carreta, atados de pies y manos; delante, un oficial tocaba el tambor, para que todo el mundo acudiese. Entonces los bajaban de la carreta y empezaban a colgarlos de los árboles; a los mayores, de las ramas gruesas, y a los niños de las más delgadas. Al terminar, cuando habían estirado la pata, los desataban y preparaban las cuerdas para el día siguiente. Que me parta un rayo si me invento una palabra.

Había contado la historia sin respirar y se sintió satisfecho. En el desencajado semblante de los chiquillos adivinaba los estragos del relato, y escupió despectivamente al suelo.

—¡Eh, tú, Paño de Lágrimas! —dijo volviéndose hacia el *Arcángel*—. ¿En qué dirección iba el soldado?

El niño se restregó los ojos con el faldón de la camisa.

—No sé —balbució—. Cuando le vi, iba hacia *El Paraíso.* —Al concluir, prorrumpió de nuevo en sollozos—: Yo no he hecho nada.

—¿Quieres cerrar el pico? —exclamó el de la cabeza rapada.

También él parecía próximo al llanto y sólo mediante un gran esfuerzo lograba dominarse.

Dando por terminada su maniobra, el *Arquero* quitó el seguro del arma y se encaminó, sin decir palabra, por el sendero de la derecha. Asustados, los niños corrieron detrás. El relato del cabecilla los había llenado de terror: cuerdas pequeñitas, a la medida, según el diámetro de la garganta; algo espantoso. El *Arquero* se volvió para mirarlos.

—¿Puede saberse qué os pasa?

Los niños inclinaron humildemente la cabeza.

—Vamos contigo, *Arquero.*

—Sí, te acompañamos...

—Pues si venís para llorar y hacer pucheros, ¡qué diablo!, lo mejor que podéis hacer es quedaros en el torrente, a esperar a los soldados.

Se sentía seguro de su fuerza y experimentaba una intensa satisfacción en humillarlos.

—¿Oís bien? El que tenga miedo, que se largue.

Conocía un atajo bien oculto que llegaba hasta el jardín de *El Paraíso* y abrió la marcha a través de la espesura, con el índice crispado en el gatillo del arma. Unicamente junto a la finca de las hermanas Rossi había unas zonas de descampado, formadas por media docena de bancales en barbecho, tapizados de tomillo y retama. Lo restante no ofrecía ninguna dificultad.

Antes de abandonar el alcornocal, el *Arquero* inspeccionó el sendero por donde debían encaminarse. La carretera, hacia el norte, registraba gran movimiento de vehículos. Los disparos, cada vez más distanciados, convergían en dirección a la aldea. Tan sólo la zona de *El Paraíso* mantenía su atenta calma; ni en los alcores poblados de algarrobos ni en el lecho arenoso de la rambla se advertía la presencia de los soldados.

Escaqueándose por entre los arbustos, los chiquillos alcanzaron el bosque de la vertiente opuesta. Si Elósegui había ido a *El Paraíso,* debía cruzar forzosamente aquel paraje. Por medio de un silbido, el *Arquero* indicó que se ocultaran.

El zumbido de un motor en el camino les había señalado lo que estaba ocurriendo a trescientos metros: un cuatro plazas, repleto de soldados, avanzaba con gran cautela en dirección a la casa.

Aunque empequeñecidos por la distancia, los hombres eran perfectamente visibles. Armados con fusiles ametralladores, se apearon silenciosamente del vehículo y se desplegaron en forma de abanico en torno del edificio acerrojado. Entonces el *Arquero* lanzó un nuevo silbido y, a la cabeza de los suyos, marchó torrente abajo, para avisar al grupo de chiquillos encargados de la liquidación de Quintana.

El cuatro plazas subía con lentitud el sendero arenoso que conducía a la carretera. A través de la bóveda de encinas y alcornoques, el sol se filtraba como un polvo de oro e inscribía en el suelo del camino un minucioso diseño de luces y de sombras. El cabo se había sentado sobre el faro del guardabarros y observaba con fatiga el vuelo agitado de las libélulas. A medida que avanzaban, el rumor de los camiones del ejército se hacía cada vez más perceptible y, al llegar a la confluencia de caminos, tuvieron que aguardar unos segundos antes de conseguir abrirse paso.

La carretera producía el efecto de un lugar recién sacudido por un vendaval. La ruta estaba sembrada de macutos, perolas, vainas de machetes, anillas de granada, vasos de aluminio y una serie de objetos heteróclitos que iba desde los propiamente militares hasta los cachivaches más absurdos: fichas de dominó, muñecos de trapo, un acordeón de juguete, un receptor de radio destrozado. Un estremecimiento de pánico parecía haber sacudido el paisaje entero. Las hierbas de la cuneta estaban despeinadas, polvorientas, y la tolvanera había cubierto los árboles vecinos de un velo nupcial.

A lo largo del trayecto, pero en sentido opuesto, un grupo de soldados con el fusil en bandolera cantaban tonadillas militares, con el rostro encendido por el calor y la fatiga. A su cabeza, un teniente de la Legión, con la camisa abierta hasta la cintura, exhibía su pecho velludo y musculoso.

—¡Eh, vosotros! ¿Adónde carajo vais? ¿No os dais cuenta de que interrumpís el tráfico?

El cuatro plazas detuvo su marcha en seco. El cabo saltó del guardabarros y saludó militarmente.

—El alférez nos ha enviado a la finca de al lado, para avisar a la familia de un pequeño muerto de un balazo.

El oficial sacó un cigarrillo de su cartuchera. Tenía el rostro curtido, igual que cuero, y unos ojos azules, como lagunas de agua helada. De la cadena de plata pendían media docena de medallas y el cabo observó que una cicatriz enorme le señalaba el brazo izquierdo.

—Está bien; continuad.

Siguieron la carretera en sentido inverso al de los soldados, mientras el teniente y los legionarios continuaban su canto, con el rostro inflamado y los labios resecos:

> *La cucaracha, la cucaracha*
> *ya no puede caminar...*

—¡Caray! —dijo el cabo—. Eso sí que tiene gracia.

Acababa de descubrir un estuche de violín entre los matorrales de la orilla e hizo señal al que conducía para que aguardara unos instantes.

—Mi mujer ha deseado uno toda la vida —exclamó.

Había abierto la caja con la punta del machete y lo contempló lleno de desencanto: se trataba de un violín rudimentario, obra indudable de alguna criatura, con cintas de colores en lugar de las cuerdas y una trenza rubia de niña a modo de arco. En el interior del estuche, escrito en tinta roja, se leía: «*Para mademoiselle Cordier, de su amiguita Sonia*».

—¡Valiente saldo! —dijo el cabo—. Lo que es eso, no vale ni dos reales.

Los soldados se echaron a reír.

—Pues ¿qué creías? ¿Que ibas a encontrar un Stradivarius?

Se disponía a arrojar el violín a la cuneta, pero uno de los soldados le sujetó por la manga.

—¡Eh, mirad!

Señalaba la foto, pegada en la parte inferior de la caja, de una muchacha de diecisiete a veinte años, extraordinariamente bella, sentada ante un piano, con el cabello suelto y vestida de largo.

—Pues no está mal la niña —silbó el soldado.

Todos se habían inclinado para mirarla y el cabo tuvo que aguardar unos segundos antes de verla. Al tocarle el turno, colocó el violín entre sus rodillas y contempló la foto en silencio.

—Parece que te gusta —dijo el que guiaba.

—No irás a decirnos que prefieres también a tu mujer.

—Vedle: está como embobado.

El cabo no se dignó siquiera mirarlos.

—En boca cerrada no entran moscas.

El soldado que iba delante se echó a reír.

—¿Os dais cuenta? Le ofende, incluso, que hablemos de ella.

—Se ha puesto colorado —dijo el que guiaba—. Creo que la chica va a quitarle el sueño.

—No estaría mal dar el cambiazo, ¿eh, Alfonso? Tu mujer al cuerno, y tú con la pequeña.

El cabo hizo una mueca displicente con los labios.

—¿Queréis que os diga una cosa? Me tiene sin cuidado la chica esta.

Hubo una risa general.

—Vamos, vamos, que ya será menos...

—Ya me lo dejarás más barato...

Habían llegado a la encrucijada y el cabo fue el único en darse cuenta.

—¡Eh! Allí hay un camino.

Se detuvieron frente a una carretera privada, cortada por una cadena herrumbrosa que unía los postes indicativos. El cabo deletreó la borrosa inscripción de uno de ellos:

—*El Paraíso*. Es aquí.

Bajaron la cadena para permitir el paso del vehículo y avanzaron con lentitud por el sendero de cascajo.

A medida que se adentraban, en virtud de un efecto inverso al de antes, el estruendo de la carretera se amortiguaba poco a poco. A sus oídos llegaba de nuevo el grito de los pájaros y el zumbido de las abejas atareadas sobre las flores de los almendros.

La pendiente del camino era suave y dejaron que el automóvil se deslizara por sí solo. La silueta conventual de la casa apareció, tras uno de los recodos, ajustadamente ceñida de hiedra. En el ángulo sur, mirando al mar, se extendía lo que una treintena de años antes debió de ser una magnífica terraza, cubierta ahora de hierbas y arbustos. La baranda tenía un ruinoso soporte de columnas y una glorieta romántica, peraltada sobre troncos de pino, albergaba dos sillas playeras. En una docena de vasijas en forma de ánfora, pintadas de un verde descolorido y escamoso, crecían unas hortensias enfermizas, con pétalos como de confeti. En el extremo, cuatro eucaliptos de gran tamaño proyectaban sobre la casa una sombra fresca y susurrante.

La puerta de la galería estaba cerrada y las persianas de la fachada corridas: de no ser por la columna de humo que se elevaba de la chimenea, la casa ofrecía el aspecto de estar deshabitada desde hacía muchos años. Como si el tiempo pasara para ella a distinto ritmo, su silueta traía a la memoria el recuerdo de épocas pasadas y esplendores muertos, de los que la escalinata de mármol resquebrajada y el roto soporte de las columnas constituían otras tantas pruebas. Una parálisis progresiva inmovilizaba cada objeto en su propio gesto, convirtiéndolo, desmoronado ya y maltrecho, en testigo atormentado de su tránsito.

El reloj de sol marcaba la una y cuarto: la atmósfera estaba estancada, quieta. Los cuatro soldados bajaron del vehículo y, siguiendo la indicación silenciosa del cabo, bordearon el sendero que llevaba a la parte trasera de la casa. La forzada quietud del edificio les hacía temer una emboscada y avanzaron en hilera con las armas preparadas.

En el patio había un pozo de piedra, cuyo motor trepidaba sordamente. La cocina tenía una entrada de tela metálica y madera, cubierta con una ruinosa marquesina de uralita. Al acercarse a ella, un gato pardo había emprendido la huida y se ocultó en los inmóviles macizos de adelfas.

—Por aquí —dijo el cabo.

La puerta estaba cerrada con llave y no cedió a la presión de sus dedos. Dentro de la cocina, un perro había olfateado su presencia y lanzaba impacientes aullidos.

Alguien le obligó a callar con un sonoro «¡chist!». Entonces, el cabo golpeó la puerta con el puño y aguardó, con el cuerpo pegado al muro, a que los moradores se decidieran a contestarle.

Los pasos, al otro lado, se hicieron vacilantes y todos oyeron el roce de unas uñas contra la hoja de la puerta.

—Abel —susurró la voz—. ¿Eres tú?

El cabo hizo a sus hombres señas de que callaran y repitió la llamada con el puño.

—¿Quieres abrir de una vez?

Hubo otro largo silencio y el perro emitió un ladrido de impaciencia.

—¿Quién hay?

—Le digo que nos abra.

De nuevo silencio.

—¿Quién es usted?

Ahora golpeó con los dos puños.

—Abra. Le advierto que vamos armados.

Otra pausa aún. Luego, el crujir de un cerrojo.

Encuadrada en la puerta de la cocina apareció una muchacha de edad indefinida, vestida como una colegiala y peinada con una sola trenza. Al ver el uniforme de los soldados, retrocedió aterrorizada y se llevó a los labios un pañuelo de encaje.

—Tranquilícese —dijo el cabo—. No va a ocurrirle nada.

Penetró en el interior de la cocina y se apartó para dejar paso a los hombres.

—¿Es usted la propietaria de la casa?

La muchacha se había apoyado en la alacena y contemplaba a los intrusos con el semblante lleno de miedo.

—No —balbuceó—. Es mi madre.

—¿Tendrá usted, entonces, la bondad de avisarla?

—Está enferma —dijo ella—. Ha pasado una noche

75

muy mala a causa de la jaqueca, y tiene palpitaciones. —Había llevado las manos al cuello de su uniforme, como si se ahogara, y añadió casi a gritos—: ¡Oh!, se lo ruego, no traten de ir a verla. Tiene un dolor terrible en la frente y...

—Está bien, está bien —le cortó el cabo—. Si ella está enferma, arreglaremos el asunto con usted. —Se aclaró la garganta.— Se trata del niño que vive con ustedes.

Los ojos de la muchacha parecían dos canicas azules en medio de su rostro de porcelana.

Se llevó otra vez el pañuelo a la boca y los contempló indecisa.

—¿Abel?

—Sí, Abel Sorzano.

—¿Le ha ocurrido algo?

Había adelantado su rostro crispado, todo piel y huesos, y ninguno se atrevió a contestar.

—Verá —dijo el cabo, al fin—. El niño estaba en la escuela de los refugiados y ha ocurrido un terrible accidente.

Ella tragó saliva antes de preguntar:

—¿Está... herido?

Los soldados fijaron la mirada en el suelo; la muchacha llevaba unos zapatos blancos, de tacón, y medias del mismo color, semejantes a las de las enfermeras de los hospitales.

—Sí —repuso el cabo—. Es decir, no... Había salido con los niños de la escuela y, antes de la llegada de nuestro ejército, quisieron jugar con armas y...

—¿Estaba con los niños? —preguntó la muchacha. El cabo afirmó con la cabeza: vacilaba en la elección de las palabras y no se atrevía a explicarlo todo.

—¡Oh, qué vergüenza, qué vergüenza! —dijo ella.

El pañuelo se le había caído de las manos y se adelantó a todos para recogerlo.

76

—Son ustedes muy amables y les agradezco mucho su interés, pero creo que lo mejor será dejarlo en libertad. Que venga él. Por sí solo. De otro modo no aprenderá nunca la lección.

Los soldados cambiaron entre sí una mirada de desconcierto: la muchacha estaba pálida como el mármol y los contemplaba con aire arrebatado.

—Abel es tan sensible —dijo—, que ha de procederse con él con sumo tacto. A su edad, las heridas son tan difíciles de cicatrizar...

—De eso se trata —repuso el cabo, asiendo la mano que le tendía—. De sus heridas. El alférez desea que alguno de ustedes nos acompañe a reconocerlo.

La palabra muerte le rondaba la lengua como una polilla obsesionada por la llama y tuvo que hacer un esfuerzo para no pronunciarla.

—No tendrá que ir mi madre, ¿verdad? —dijo la muchacha.

—No. Es decir, no creo. Bastará que venga alguien, me parece.

Los ojos de la chica brillaron con malicia.

—¿Cualquiera?

—Sí, lo mismo da.

Ella tuvo un ademán desenvuelto.

—Entonces enviaré a Filomena.

Se alisó cuidadosamente los pliegues de la falda y añadió:

—¿Tendrán ustedes la amabilidad de aguardar unos instantes?

La sirvienta se ocultaba en el sótano por temor a los bombardeos y sólo a regañadientes se avino a acompañar a los intrusos.

—¿No hay entre ellos ningún moro?

—No, ninguno.

—¿Y dice usted que son de los otros?

—Sí, mujer.

Tranquilizada por sus respuestas, empezó a ponerse el abrigo.

—Entonces, ¿ha terminado ya la guerra, señorita Águeda?

La muchacha se retiró sin contestar. A consecuencia de su conversación con los soldados, el corazón le latía con fuerza. Por la escalera alfombrada de rojo subió al piso alto a comunicar la nueva a su madre.

Doña Estanislaa ocupaba la parte sur del edificio y no había querido abandonarla ni ante la cercanía del peligro.

—Una señora como yo se sabe hacer respetar siempre —repetía.

Aunque Águeda sabía que la llegada de los nacionales no iba a impresionarla demasiado, no pudo resistir la tentación de comunicárselo. La paz significaba la normalidad, las cuatro comidas al día; tal vez, la llegada imprevista de un hombre. Al lado de ello, cualquier percance sufrido por el niño carecía necesariamente de importancia.

—Mamá...

El dormitorio estaba vacío. Águeda fue abriendo, una tras otra, las puertas del piso alto: tampoco nadie. Levemente perpleja, volvió a bajar la escalera. Desde el vestíbulo descubrió que la puerta principal estaba abierta: un tenue asomo de brisa hacía estremecer las cuentas de vidrio de la lámpara.

Doña Estanislaa subía en aquel momento de puntillas la escalinata de mármol, con un violín de juguete en una mano y el arco de trenza en la otra, y acogió, sin inmutarse, la noticia de la entrada de las fuerzas nacionales.

—¿Has visto? —dijo señalando el violín que acababa de sustraer del cuatro plazas—. Parece el de Romano.

El alférez se entretenía revolviendo los documentos del fichero. El oficial adjunto acababa de traerle una calurosa felicitación del comandante del Regimiento por su heroica actuación de la mañana, y una agradable sensación de bienestar le iluminaba toda la cara.

—Mi alférez...

Era el soldado encargado de la custodia de Elósegui, y Fenosa le contempló con la expresión paternal que, en los ratos de ocio, acostumbraba a emplear con los soldados.

—¿Decía algo?

—La mujer ha llegado ya, mi alférez.

Fenosa vació la ceniza de la pipa y asintió con un movimiento de cabeza. Lo sucedido con aquel niño le intrigaba. Había indicado al soldado que podía retirarse; pero, inesperadamente, cambió de opinión.

—¿Le han dado ya la noticia? —preguntó, con aire despreocupado.

Sin saber por qué, experimentaba un terror enfermizo a la vista de las lágrimas. Ante una mujer llorando se sentía inerme, desnudo como un gusano.

—Sí, mi alférez.

Fenosa contemplaba abstraído la foto de una mujer, retratada entre un grupo de chiquillos. En el dorso de la cartulina una sola palabra: Dora.

—Está bien. Dile que ahora voy.

Continuó revolviendo los ficheros y el soldado bajó a la planta baja.

Filomena acababa de llegar a la escuela y sollozaba con el rostro oculto tras un pañuelo.

Cuando se apeó del automóvil, un avión de alas de plata atravesaba el valle a escasa altura, pintado con los colores nacionales. En el balcón, la bandera republicana había sido sustituida por otra roja y gualda. Un grupo de soldados que tomaban el sol sentados en el poyo interrumpieron su charla mientras la mujer pasaba por su lado, y la miraron con ojos curiosos.

—¿Es la madre? —preguntó uno en voz alta.

El zaguán, con sus macetas de geranios y el colgador astillado, estaba vacío y silencioso. La casa daba la impresión de algo destartalado y hueco. Mientras un soldado subía al piso alto a notificar su llegada, Filomena fue introducida en el antiguo despacho por el asistente.

La estancia no había variado gran cosa desde la última vez que fue a la escuela a buscar la correspondencia de Romano: era una sala anticuada y estrecha, decorada por sus anteriores propietarios de acuerdo con el gusto de la época.

Filomena apenas le dirigió una ojeada. Se sentía atontada, enferma.

—¡Oh, Abel!

Le habían dado la noticia de la muerte a mitad de trayecto, y cuando su voz brotó de la garganta le hizo el efecto de que salía de un fonógrafo. Su lengua se había vuelto de trapo y sintió que la sangre afluía a su cabeza. Rompió a llorar.

Los soldados le habían explicado la historia varias veces, pero ella no comprendía. Se la hizo repetir.

—¿Muerto?

—Sí, lo encontró en el bosque con un balazo en la sien.

—¿Quién lo encontró?

—El soldado, mujer. Ya se lo hemos dicho antes.

No. Ella no había oído nada. Las lágrimas afluían mansamente a sus párpados y un ligero estrabismo ponía una nota de irrealidad a su mirada.

—¿Quién le mató?

—Alguno de los chiquillos.

Imposible comprender. Todo era absurdo. La historia daba vueltas y más vueltas en su cabeza. Se sentía mareada.

—Paren.

Se asomó por la puertecilla y trató de vomitar. No pudo. Los hombres estaban acurrucados junto a ella y la contemplaban con lástima.

—Ya se sabe —decían—. En una guerra...

Todo acababa de ocurrir aquella misma mañana, pero a Filomena le hacía el efecto de que, desde entonces, habían transcurrido muchos años.

Ahora, el soldado, de regreso ya del piso alto, le informó que el alférez bajaría al cabo de un segundo. Entretanto la condujo a la habitación donde estaba el cadáver del pequeño y Filomena se abismó en un mar de lágrimas.

—Abel, Abel —dijo. La cara de él, las de todos, subían y bajaban lo mismo que un columpio del techo hasta la alfombra, sus caras, la de él y las de los otros, abajo y arriba, abajo y arriba, haciendo muecas—. Abel, Abel. —La voz no le salía de la garganta aunque se llevase la mano al cuello, y la sangre se le agolpaba en los ojos, mezclada con las lágrimas hasta formar una cortina que le impedía ver el cuerpo, el rostro y la herida sangrienta—. Abel, Abel de mi alma y de mi corazón, mi Abel bienamado, tesoro y rey de la casa, ¿qué te han hecho, di, qué te han hecho?; ¿quién ha sido el canalla que ha disparado contra él? A mi niño, que no hizo jamás mal a nadie y que era incapaz de matar una mosca, lo han asesinado, criminales, ladrones, canallas, lo han asesinado. Corazón mío, pedazo de mi alma, ¿quién te quería como yo, mi Abel? Dime quién ha sido y yo lo mato, por mi madre santa, al puerco y sucio asesino lo mato por mi madre santa, porque es más malo que el veneno... Hacerle daño a él, que era un ángel, mi cordero, mi pobre Abel, mi chato, mi rey, mi tesoro, mi joya, el niño más bueno y más guapo del mundo. Dejadme, dejadme con él; contigo, pequeño, tesoro mío, luz de mi alma; dejadme, sí, dejadme con esa pobre criaturita, muerta por un sucio que me las pagará, muerta tan joven y llena de porvenir. Abogado, embajador, presidente, todo lo habrías sido, Abel, mi niño, mi pobre tesoro; no, no, dejadme, dejadme estar con él, con ese niño tan bueno que se hacía querer por todo el mundo. ¡Querido, querido Abel de mi alma! Suéltenme, suéltenme les digo: lo conocía desde hace más de un año y éramos como madre e hijo. ¡Pobre angelito, que había perdido a sus padres en la guerra y no tenía nada que comer! ¡Castañas para el almuerzo, la comida y la cena comía la pobre criatura, que ha muerto tan delgada y con tanta hambre dentro, ahora que iba a terminar la guerra y podría comer en abundancia, ahora que hubiera podido ir a Barcelona a estudiar y a ser un hombre de provecho...! Ahora... Que me digan, sí, que me expliquen quién es el asesino, que lo mato; por mi madre bendita que le doy muerte, sí, que le doy muerte.

El alférez se presentó media hora más tarde y, antes de hacerle ninguna pregunta, le indicó que se sentara. Filomena tenía el rostro hinchado por las lágrimas y se dejó caer en la silla igual que un autómata. Como en sueños, oyó que le preguntaba:

—¿Vivía con ustedes ese niño?

Pues claro que vivía...

La historia de Abel en aquella casa se remontaba a una mañana apacible y soleada del último invierno. El reloj de pared del vestíbulo señalaba las once y media cuando el niño empujó la puerta, silbando y, como quien penetra en un territorio recién conquistado, se introdujo en lo que, en adelante, debía ser su hogar. Aquí estoy y aquí me quedo, parecía decir. El perro estaba junto a él, lamiéndole las manos, y Filomena descubrió, llena de asombro, que, por vez primera, no había ladrado a un intruso. También él comprendía que Abel pertenecía por derecho a aquella casa y, al mover la cola, se limitaba a reconocer lo que, a sus ojos, constituía un hecho irrebatible.

—¿Tendría usted la amabilidad de avisar a doña Estanislaa Lizarzaburu?

El pelo le caía sobre la frente, rubio y anillado, e hizo además de rechazarlo con los dedos.

—Entréguele usted esto de mi parte.

Le tendió una tarjeta rectangular, con la indicación ABEL SORZANO, ESTUDIANTE, cuidadosamente pergeñada en tinta china.

—Dígale que si se siente fatigada acudiré a verla cualquier otro momento.

Hablaba con una desenvoltura impropia de un niño de sus años y Filomena le contemplaba boquiabierta. Como una sonámbula, subió con la tarjeta en la mano y, desde el primer descansillo, le analizó furtivamente: Abel continuaba erguido junto a la puerta del vestíbulo y, perfilándose en lo oscuro del zócalo, parecía beneficiar de algún privilegio luminoso. «Lo mismo que un santo de hornacina», se dijo entre sí.

El piso alto permanecía, como siempre, oscuro y silencioso. Las ventanas, con las cortinas corridas, inventaban sombras fugaces en los espejos deslustrados. Y un solo rayo de luz, que excavaba un túnel blanco desde lo alto del portillo, reverberaba en la alfombra, como teñido de cloro.

—Adelante.

La inconfundible atmósfera del dormitorio le hizo estornudar: doña Estanislaa estaba tendida en el sofá, con un quimono de seda japonesa, y un pañuelo empapado de colonia, humedeciéndole la frente. Sentada en un taburete, Águeda se esmaltaba las uñas de las manos. Ninguna hizo ademán de volverse.

—Hay un niño ahí abajo, esperando —dijo Filomena—. Me ha dicho que le entregue a usted esto.

Doña Estanislaa tomó la tarjeta con ademán fatigado. La habitación estaba sumida en la penumbra y la aproximó a sus ojos para ver mejor. Luego se dio aire con el abanico y pasó la tarjeta a Águeda.

—¡Caramba! —dijo—. ¡Qué sorpresa!

Pero su expresión no denotaba ningún asombro: cualquier observación acerca del tiempo no hubiese alterado en mayor medida sus músculos faciales. Águeda, entretanto, contemplaba la cartulina como embobada y se volvió hacia su madre con una interrogación en los ojos.

—¿Se ha fijado usted si trae equipaje?

—No, no señora —repuso Filomena.

Doña Estanislaa lanzó un suspiro.

—Está bien. Acompáñele a la habitación que ocupaba la señorita Claude. Indíquele también dónde está el baño. Hay tanto polvo en las carreteras...

Nada más. (Mientras se alejaba por el pasillo, el agrio rumor de una disputa se había filtrado desde la habitación de las mujeres: «Cuán inconsiderado por tu parte y cuán ridículo por añadidura. Cualquiera diría que nuestra situación es trágica. En la época de tu abuelo...». «El abuelo, el abuelo, siempre el abuelo. Me

gustaría saber qué ayuda puede darnos. Mira. Toca:
no hay un centímetro de carne ahí dentro. Sólo piel. Piel
y huesos. Lo restante son ropas, postizos y boatas. Y aún
dices —hipó—, aún dices que no debo preocuparme si
viene aquí el chiquillo... Cuando todos, tú, Filomena
y yo, reventamos de hambre y hace meses que no co-
memos nada sólido, aún pretendes...».)

El niño aguardaba en el vestíbulo, absorto en la contemplación de los grabados y la saludó con confiada
sonrisa. La ausencia del uniforme de colegio, que ahora
llevaba bajo el brazo, le hacía menor de lo que era, y
acentuaba, por contraste, la sorprendente precocidad de
sus palabras.

—Doña Estanislaa se encuentra algo indispuesta —dijo
la sirvienta—. Pero me ha dicho que te acompañe a la
habitación donde debes alojarte.

El dormitorio estaba cerrado desde hacía varios años y
Filomena tuvo que ir a la cocina en busca del llavero.
Mientras le guiaba por la casa, Abel había guardado silencio: con expresión atenta, analizaba la marchita sun-
tuosidad del mobiliario, sin evidenciar ningún asombro.

—Bien. Ya hemos llegado.

Filomena abrió la ventana de par en par y corrió las
pesadas cortinas de damasco. Abel la seguía a corta
distancia y se detuvo bajo el dintel de la puerta. El dormitorio, pese a su extensión poco común, estaba mate-
rialmente abarrotado de objetos de todas clases: espejos, grabados, miniaturas, cornucopias, distribuidos por
las paredes al azar, unos al lado de otros, como brota-
dos de una misma pesadilla. En el techo, media docena de barcos de juguete parecían sostenerse por sí solos. La cama era de columnas y estaba esmaltada de
rosetones. En la ventana la hierba había trepado hasta
el pretil, asfixiando las macetas de geranios que, algunos años antes, había traído Claude.

—Habrá que quitar todo este polvo —se excusó Filomena. Con la mano deshizo una telaraña que atravesaba la habitación de parte a parte y añadió—: Hacía tanto tiempo que estaba cerrada...

Abel vació los bolsillos de todos sus enseres personales: un paquete de papel de cartas, dos sobres, una pluma estilográfica, un plano de la provincia de Gerona, una certificación escolar del Instituto donde había comenzado el bachillerato, una jabonera de aluminio, una navaja abrelotodo, así como un prospecto informativo de la vida en los frentes.

—¿Reciben a menudo los periódicos? —preguntó, cuando hubo concluido su trabajo.

Filomena esbozó un ademán vago.

—Hace unos años, la señorita estaba suscrita al *Blanco y Negro* —dijo—, pero ahora...

Abel hundió las manos en los bolsillos.

—Entonces, ¿cómo se enteran de las noticias?

La mujer se encogió de hombros: simplemente, no se enteraban. Pese a la vecindad de los soldados de la batería y de los niños refugiados de la escuela, los habitantes de *El Paraíso* vivían al margen de la guerra: doña Estanislaa evocando tiempos mejores y Águeda soñando en algún príncipe de cuento.

Sus efectos se hacían notar tan sólo en lo referente a la penuria alimenticia, pero, salvado esto, su decurso les tenía sin cuidado.

—Pues a mí, me importa mucho —dijo Abel—. En Barcelona todas las tardes escuchábamos la radio. Mi tío tenía un mapa de España clavado en la pared y yo señalaba con alfileres de colores el límite de los avances.

Abrió uno de los sobres que había sacado del bolsillo y extrajo un mapa de la Península doblado en cuatro.

—Mire —dijo, señalando con el dedo la región aragonesa—. Los últimos combates se han librado en esta zona. Los nacionales estaban ahí la semana pasada y ahora han ocupado todo este terreno.

Parecía muy orgulloso de sus conocimientos y volvió a doblar el plano, lleno de satisfacción.

Luego tomó la jabonera de aluminio y pidió que le acompañara hasta el cuarto de baño. Una vez allí, abrió el grifo de la ducha, aseguró la puerta con la aldaba y, durante largo rato, Filomena le oyó cantar y saltar, alegre y ligero como un pájaro.

A la hora de la comida, ni doña Estanislaa ni Águeda bajaron de sus habitaciones y Abel no tuvo otro remedio que refugiarse en la cocina. Filomena había puesto, en su honor, el mantel de hule y se acodó al otro lado de la mesa, observándole mientras comía.

—Tendrás que contentarte con lo que hay, tesoro —dijo al servirle la escudilla de harina de maíz y un cuenco pequeño de garbanzos—. Estamos en época de guerra y no es posible encontrar otra cosa.

Inclinado sobre el plato humeante, Abel la obsequió con una sonrisa encantadora.

—¡Oh, no se preocupe por eso! Si quiere que le diga la verdad, también en casa comíamos harinas y garbanzos, y no tan bien guisados.

Luego, sin necesidad de hacerle preguntas, Abel la puso al corriente de todas sus andanzas; el niño procedía de Barcelona, donde, hasta el comienzo de la guerra, había vivido con sus padres y era nieto de la hermana mayor de doña Estanislaa, en cuyo piso se había alojado los últimos meses. Doña María, así se llamaba la buena señora, había fallecido quince días antes. La pobre estaba muy atropellada a causa de la guerra y el corazón le falló durante una de las alarmas. Como sus padres habían muerto también, y no se llevaba bien con sus tíos, había decidido acogerse a la hospitalidad con que, en más de una ocasión, le había brindado doña Estanislaa. Y allí estaba.

—¿Y tus tíos? ¿Qué dijeron al saber que te marchabas?

—Naturalmente, no les informé de mi partida. Les dije que iba a pasar la tarde en el cine y me fui en tranvía hasta la estación. Para que no se alarmaran, les dejé una nota escrita debajo de la almohada.

Contemplaba, divertido, a Filomena y prosiguió con voz pausada:

—Había averiguado de antemano el horario de los trenes y me colé en la estación con un billete de andén. El trayecto, desde luego, lo hice sin pagar. Saqué de la hucha mis quince pesetas y, al llegar a Gerona, alquilé un dormitorio en una fonda. Esta mañana, a las ocho, he tomado el coche de línea que lleva hasta el pueblo. Aún me sobraban dos pesetas y me he comprado una gaseosa.

Increíble. Verdaderamente asombroso. Filomena se sentía atónita, estupefacta: aquel niño le causaba admiración, respeto, casi pánico.

—¿Y tú? ¿No tuviste miedo de que pudieran atraparte?

Abel negó con la cabeza: había concluido la sopa de maíz y vació el cuenco de garbanzos en el plato.

—En absoluto —repuso—. Lo tenía todo muy bien planeado. Además, en tiempos como éstos, nadie se preocupa de lo que hace el prójimo. La gente sólo mira por sí misma.

Hacía únicamente dos meses, en la estación del Norte, había asistido a la llegada de una expedición de refugiados. Sus tíos hacían frecuentes incursiones por el campo, en busca de alimentos y, como cada semana, había ido con su abuela a esperarlos, cuando la charanga surgida de uno de los andenes le hizo correr al encuentro del tren que llegaba.

Veloz como el diablo, Abel se abrió paso a codazos: el tren estaba adornado de gallardetes y banderas y varios centenares de chiquillos se asomaban a las ventanas de sus vagones, cantando y batiendo palmas.

—¿Quiénes son ésos?

—Los refugiados.

Desde su ventajoso emplazamiento, Abel no había perdido detalle. Cuando el tren se detuvo, los niños descendieron como un tropel de bestias asustadas, dieron vivas a las generosas instituciones que los tomaban a su cargo y entonaron canciones alusivas a aquella fecha memorable. Uno de ellos, inverosímilmente flaco y con el cráneo cubierto de pasta blanca, se había adelantado a saludar a las autoridades con un ramo de flores y, ante los micrófonos de todas las emisoras regionales, recitó una poesía. Los otros estaban detrás, taciturnos y oscuros en sus batas de sarga y, alguien, sin pizca de ironía, los había adornado con flores y lazos. En medio del andén formaban como un solo cuerpo brotado de multitud de cabezas que se agitaban al mismo tiempo, igual que espigas sacudidas por la brisa.

—Somos verdaderamente felices —había dicho, al concluir, el rapsoda.

Y sus palabras, reproducidas por los altavoces a lo largo de los andenes, provocaron una verdadera explosión de entusiasmo. La madrina aceptó el ramo de flores que le tendía y besó sin repugnancia su pelada cabeza. Las cámaras fotográficas entraron en acción. Luego, los de la comisión receptora volvieron a desandar lo caminado, sonriendo a la gente que aplaudía: en la entrada subieron a sus automóviles y se perdieron entre el tráfico.

—¿Y los niños? —había preguntado Abel.

—Los niños a reventar otra vez de hambre —repuso el señor de al lado.

Llevaba una boina negra encasquetada hasta las orejas y se alejó entre la multitud refunfuñando.

Abel había sentido una terrible opresión en la garganta. La escena le parecía irreal, absurda. «De modo que esos niños...» Ahora lo sabía ya. El hombre, su vecino, se había encargado de informarle: «¡Al diablo! A reventar todos de hambre». El mundo era un lugar aterrador, donde cada cual miraba únicamente por sí mismo y el que no se convertía en opresor corría el riesgo de ser explotado. Con lágrimas en los ojos había vuelto al andén donde su abuela le aguardaba y, durante varias noches, los niños refugiados poblaron sus pesadillas de imágenes sangrantes.

El recuerdo se mantenía vivo en su memoria y se entretuvo en evocarlo: la atención de Filomena le halagaba y, seguro ya de su efecto, emprendió la tarea de minimizar su hazaña.

—En realidad, todo esto no tiene ninguna importancia —explicó—. Los trenes están llenos de niños que escapan de sus casas. Desde las zonas del frente los mandan en vagones especiales y, cuando llegan a Barcelona, nadie se ocupa de ellos.

Mientras hablaba, le había venido a la memoria la escena vista días antes en la pantalla de un cine de barrio: en los trenes de la Cruz Roja, los niños viajaban etiquetados, con cartelitos cosidos en la espalda. «Me llamo Fulano de Tal», decían. O bien: «Soy de tal sitio y tengo tantos años». Otros, simplemente, llevaban un número o alguna letra del abecedario.

—Todos esos niños son huérfanos de guerra y les ponen un número en el traje para que no se confundan de nombre, pues muchos ni siquiera saben hablar. A veces, también llegan algunos con heridas, pero éstos viajan en asientos de primera clase.

Mientras rebañaba el plato con un trozo de chusco, observó, de reojo, la pálida faz de la sirvienta.

—¡Dios mío! ¿Y no tienen un lugar donde ir?

Abel dobló cuidadosamente la servilleta y depositó su aro en el vasar.

—Dicen que los envían a Italia en barco. Pero yo creo —añadió con acento confidencial— que los ahogan durante el viaje.

—¿Los ahogan? —exclamó Filomena.

Abel sonrió con crueldad.

—Sí. Los arrojan al mar.

Se acordaba del hombre de la estación y se desperezó con ademán fatigado:

—Como se trata de gentes que pueden convertirse en enemigos, les resulta más cómodo eliminarlos. Cuantos más niños sean, más fácil.

Filomena se enjugaba las lágrimas con la esquina del delantal de bayeta.

—Pero eso es inhumano.

—Ya se sabe. Los niños pagan siempre.

Se sentía contento de su inventiva y se puso de pie.

—Si no le importa —se excusó—, me permitiré dejarla por un rato. Como supongo que mi tía no querrá verme antes de media tarde, aprovecharé el tiempo para dar un paseo.

La conversación con la sirvienta le había fatigado y, al encontrarse solo, respiró con libertad. A través del sendero de cascajo, se dirigió a la terraza. Pese a lo crudo de la estación, el sol calentaba con bastante intensidad y la sombra de los eucaliptos tatuaba su cuerpo como un uniforme de camuflaje.

Después de ducharse, mientras se vestía junto a la ventana, había contemplado el alcornocal que descabezaba al pie de la glorieta, encajonado entre los torrentes escabrosos que convergían en la rambla, y decidió explorar el terreno. En el bolsillo llevaba todo lo necesario para una expedición de tal alcance: la navaja de doble filo con sacacorchos y abrelatas, el antifaz de seda que le había regalado su abuela y un termómetro inútil, que hacía las veces de brújula en sus expediciones arriesgadas.

Un viento fresco ascendía, ligero, del barranco y Abel lo engullía a pulmón lleno. Era maravilloso sentir el péndulo del corazón en el pecho y el alboroto de los rizos sobre la frente. Le asaltaban deseos de cantar, de reír, de aniquilar a bayonetazos a imaginarios enemigos. El sendero corría desbocado cuesta abajo y, en pocos minutos, alcanzó la torrentera.

Sentado en el centro de la vaguada, estudió el valle con detenimiento. El lugar era tranquilo, reposado. La mayor parte de las colinas que ondulaban el paisaje estaban cubiertas de pinos y alcornoques, y sólo al otro lado de la rambla la sucesión escalonada de bancales revelaba la existencia de unos cultivos, abandonados, ahora, al barbecho.

Al cabo de media hora, desanduvo el sendero por el que tan alegremente había descendido. Acababa de ocurrírsele la idea de que en aquellos parajes resultaría difícil entablar amistades y tuvo que hacer un esfuerzo para evitar que el desaliento le venciese. Si la vida en *El Paraíso* presentaba inconvenientes, debería encontrar el medio de soslayarlos.

Cuando llegó a la terraza el reloj de sol marcaba las cinco y media. Un soplo ligero estremecía las adelfas de la avenida y la llama afilada de los cipreses: era como un efecto fotográfico a contraluz. Luego, la calma. Ni un ruido ni un rumor. Sólo el aleteo de los pájaros en torno a la casa.

Las impresiones de aquella primera tarde se habían confirmado en el decurso de las siguientes jornadas. Los días, en *El Paraíso,* eran siempre monótonos e iguales y Abel comenzó a echar de menos sus antiguas amistades. En Barcelona, las calles rebosaban de gente y los periódicos de noticias; había cines a los que acudía cuando lograba reunir unos reales y, en los solares vecinos al lugar donde vivía, se luchaba diariamente a leales y facciosos. Allí, por lo contrario, no tenía otra compañía que la de Estanislaa, Filomena y Águeda; sus preocupaciones eran, las más de las veces, distintas y resultaba extremadamente difícil entablar un diálogo.

Doña Estanislaa se pasaba encerrada días enteros y Abel la veía muy de tarde en tarde. En cuanto a Águeda, pasado su acceso de mal humor del primer día, había intentado mostrarse amable y conciliante, pero su misma obsequiosidad resultaba, a menudo, empalagosa; su rostro era muy blanco, como de porcelana y, rodeados de pestañas espesas y curvas, sus ojos eran como margaritas de color claro que permanecían siempre abiertas. Abel la evitaba en lo posible y, a sus monótonas historias de enamorados, prefería la pintoresca conversación de la criada.

Había llegado de Barcelona sin otra ropa que la que llevaba encima, y el primer cuidado de las mujeres consistió en proveerle de un equipo de repuesto. Con ayuda de unos patrones del *Blanco y Negro,* Águeda se aplicó a la tarea de recortar algunas cortinas abandonadas. Que fuesen de damasco o de organdí no le importaba demasiado. Al fin y al cabo, vivían en una época de escasez y no era el momento de hacer remilgos.

Envuelto en un ridículo camisón de cintas, Abel contemplaba los preparativos, callado y taciturno. La ropa que había traído de Barcelona estaba secándose en el patio y, para no ir «como el Señor le había puesto en el mundo» (Filomena), tuvo que aceptar a regañadientes el antiguo camisón de Romano. Vestido de este modo, había vagado por los pasillos sin brújula ni guía, como un fantasma corrido y avergonzado. La cocina, llena de la insaciable charla de las mujeres, le repugnaba, pero acababa por regresar a ella cuando le invadía el tedio.

—¿Para qué es esto? —dijo señalando una funda de color pardo que Águeda acababa de extender sobre la mesa.

—Para una chaqueta. Ven, que te tengo que tomar las medidas.

Extendió un metro de hule que llevaba colgando del antebrazo y comenzó a dictar unos números a la sirvienta:

—Treinta y cinco. Cincuenta y seis... Setenta y cinco... Treinta y ocho... Cincuenta y cinco...

La tela era de cretona y estaba adornada de flores y racimos. Abel sintió que el corazón se le empequeñecía. En el espejo contempló su blanca silueta: parecía un muñeco, un fantoche de trapo.

—Está lleno de flores —dijo con voz quejumbrosa.

—Sí —repuso Águeda—. ¿No te gusta?

—No. Son grandes y horribles.

Filomena dejó el lápiz encima de la mesa y dirigió a Abel una mirada desaprobadora.

—Mira que decir que es horrible... Eso sí que es el colmo. Con los miles y miles de personas que no tienen un pedazo de tela con que cubrir sus vergüenzas...

—Son telas de mujer —dijo Abel—. Ningún niño lleva trajes con flores.

La sirvienta dejó la plancha en el fogón de la cocina y se restregó las manos con la falda.

—Estoy cansada de ver miles y miles de niños con trajes de flores —aseguró—. En Galicia todos los pequeños tienen chaquetitas así y se las ponen los domingos para ir a los Oficios.

—Pues yo no he visto ninguno —dijo Abel—. También yo conozco miles y miles de niños y ninguno lleva chaquetas de flores.

—Entonces serás corto de vista —repuso Filomena—. Los señoritos más distinguidos de mi pueblo gastan chaquetas así y todo el mundo se las envidia.

—A Romano le gustaba mucho esta clase de tela —dijo Águeda—. ¿Te acuerdas de sus trajes de verano?

Había observado de reojo a Filomena y añadió:

—Además, estamos en tiempo de guerra, y es preciso acostumbrarse a lo que haya. Mira mis zapatos. Son de neumático de automóvil. Cada uno se las arregla como puede y a nadie se le ocurre decir nada.

—Pues yo no quiero acostumbrarme.

La versión que el espejo le daba de sí mismo le hacía sentirse mezquino y desgraciado:

—Llevaré siempre mi propio traje y no me lo quitaré nunca.

Había tomado asiento en el sillón de mimbre y contemplaba sus piernas desnudas con viva irritación.

—A callar —ordenó la muchacha—. Los niños bien educados nunca dicen «quiero o no quiero». En tiempo de guerra hay que aprovechar lo que se tiene.

—La guerra —rezongó Abel—. Siempre la guerra. No hacéis otra cosa que hablar de ella y yo no la veo por ningún lado. —Señaló el patio dormido y silencioso—. ¿A eso le llamas tú estar en guerra?

Filomena le contemplaba con aire horrorizado:

—¡Jesús, María y José! ¡Habráse visto criatura! ¡Decir que eso le parece poco después de lo ocurrido en su propia casa! Cualquiera diría que la cabeza no le rige.

Abel recorrió la habitación de parte a parte.

—Nunca pasa nada —insistió—. Los periódicos estan llenos de fotografías y de historias, pero lo que es aquí...

Filomena aproximó a su mejilla la plancha que había dejado en el fogón y alisó mecánicamente las arrugas que se le formaban en la falda.

—¿Que no ocurre nada? —se lamentó—. ¿El que todos los hombres se hayan vuelto locos y se maten los unos a los otros, te parece aún poco?

—Sí —dijo Abel—. Todo eso lo leemos en los periódicos, pero aquí no lo vemos.

—¿Y qué quieres que veamos, Dios del cielo?

Abel contempló, lleno de odio, en el espejo, su pálida figura de fantasma.

—Bombardeos —repuso— con barcos, aviones y tanques.

—¿Ha oído usted? —Filomena se había vuelto hacia Águeda—. A ese niño le falta un tornillo. Hablar así cuando hay tantos muertos y la gente parece haberse vuelto loca... Que Dios no le oiga.

—¡Bah! No le haga caso. Es un mocoso y habla por hablar.

Abel había tomado asiento en un sillón de mimbre y deslizaba un dedo untado de saliva sobre las cicatrices y rasguños de la pierna.

—No hablo por hablar —protestó—. Tengo ganas de que llegue la guerra y todo el país se llene de tanques y aviones y bombardeos y batallas.

Filomena cruzó los brazos encima del pecho.

—¿Y puedes explicarme por qué deseas eso?

Abel se arrancó una antigua costra con la uña y la depositó sobre la palma de la mano.

—Porque me aburro —dijo—. Porque todos los días son iguales y no ocurre nada que valga la pena. En Teruel, en cambio, se lucha continuamente: hay montones y montones de ruinas y cada cinco minutos sale un tren de cadáveres, que llevan pegada una etiqueta en la guerrera, sobre el pecho.

Filomena le contemplaba con espanto.

—¿De modo que el aburrirte te parece un motivo suficiente para desear más guerra?

—Sí —dijo Abel—. Aquí todos los días son iguales y nunca pasa nada.

Filomena tomó la plancha del fogón y extendió un trapo húmedo sobre la camisa del muchacho.

—Es la cosa más absurda que he oído en mi vida, palabra. Porque uno se aburra, desear que venga una guerra. No. Creo que no he oído nunca algo tan absurdo.

—Si te aburres —dijo Águeda—, puedes jugar, estudiar, qué sé yo. Los niños inteligentes no tienen tiempo de aburrirse.

—Jugar... —murmuró Abel—. No sé con quién voy a jugar. Además, tampoco necesito aprender nada; los libros del primer año me los sé de memoria: la Aritmética, la Historia y la Geografía.

—Pues empieza a aprender los del segundo. En la buhardilla tenemos una maleta con todos los de Romano.

—Si no hay ni profesores ni clases, ¿cómo quieres que aprenda? —dijo Abel con sarcasmo—. Aunque los estudiase de cabo a rabo, no me serviría para nada.

—¿Puede saberse entonces qué hacías cuando estabas en Barcelona?

Los ojos del niño brillaron.

—Nada. Absolutamente nada. Todos los días me iba hasta el quiosco y leía las noticias de los periódicos. Luego me iba a los solares de enfrente y jugaba a guerras con mis amigos.

—¡Virgen bendita! Con las desgracias de esos años y tantos millones de muertos, parecerle poco aún...

—Cállese, mujer —dijo Águeda—. El niño dice un montón de disparates sin pensarlo.

—¡Ojalá sea así! —exclamó Filomena—. Si el Señor le escuchase...

Abel había abandonado la cocina, molesto consigo mismo. No sabía qué hacer ni en qué pensar. Se sentía de más, inútil. El espejo empañado del vestíbulo le devolvió un Abel ridículo y blanco: la luz de la lámpara le señalaba la cara verticalmente y coloreaba sus rasgos de un tinte verdoso. Sin saber por qué, agitó los brazos, hizo muecas horribles y se despeinó el cabello. Se sentía desgraciado e incómodo dentro del camisón. Deseaba dejar de ser él mismo, metamorfosearse en alguien.

—Abel, mequetrefe, ha llegado el momento de hacer tus funerales.

En algún lado, no sabía dónde, había oído esta frase y la repitió en voz alta, con satisfacción. Su doble del espejo torcía la boca y ponía los ojos en blanco. Abel cambió con él una mirada de disgusto. Experimentaba vivo deseo de ser soldado. Los soldados, pensaba, sí tenían suerte. El frente estaba lleno de aventuras y los héroes de cada bando luchaban a brazo partido; los aviones volaban sobre las líneas enemigas y regresaban a sus bases a velocidades astronómicas.

Frente al dormitorio de doña Estanislaa debía guardar silencio; su cabeza era en extremo sensible y cualquier ruido podía provocar una catástrofe. Atravesó el pasillo sobre la punta de los pies y, al llegar a su dormitorio, lanzó un suspiro de alivio. La cama estaba cubierta de números de *Blanco y Negro* y, durante cierto tiempo, se entretuvo en hojearlos. Al cabo de unos minutos, desistió; se tendió perezosamente en el lecho y aplastó la nariz contra la almohada.

Por la tarde solía ir al dormitorio de Águeda, a escuchar los últimos informes de la guerra. Cuando se despertó era la hora aproximada de la retransmisión. Medio dormido aún, se dirigió a la habitación de la muchacha.

Con gran sorpresa suya, Águeda estaba sentada junto al receptor, envuelta en una bata naranja y, al divisarle, sonrió benévolamente.

—Siéntate —le dijo.

Recorría con gran lentitud el campo de las ondas y una música estrepitosa se colaba de vez en cuando, como un escape de agua: Plii —zumbidos—... «écouTEREZ MAINTenant...» — «...tras que nuestras TROPAS SIGUEN AVANZANDO EN el sector...»

—Deja —exclamó Abel—. Es el parte.

Pero fue como si no hubiera dicho nada: Águeda no le hizo ningún caso. El reloj de cuco marcaba las siete y media y la muchacha consultó el suyo propio.

—Adelanta dos minutos —dijo.

Abel la miró con asombro y, tras unos segundos de reflexión, decidió obrar como si no hubiese hablado antes.

—Están retransmitiendo los comunicados de guerra —observó—. Creo que hoy se libraba una batalla importante y...

—La guerra —suspiró Águeda volviéndose hacia él—, siempre la guerra. Creo que Filomena tiene razón cuando dice que deberían encerrarte.

Sonrió con gesto de fatiga y le tendió un frasco lleno de colonia.

—¿Quieres ponerte un poco en el cabello?

Abel se disponía a decir que no, pero la muchacha se adelantó a su negativa. Derramó un chorrito en el cuenco de la mano y lo deslizó sobre el rostro y el cabello del niño.

—¿Te gusta? —preguntó.

A pesar de él, Abel había dilatado las ventanas de la nariz.

—Huele muy bien, gracias.

Sentía deseos de retirarse del dormitorio, pero algo en la actitud de la muchacha despertaba su curiosidad.

Águeda había detenido el mando de la radio en una emisora barcelonesa, que zumbaba anunciando su sintonía, y deslizó un peine con mango de plata sobre la masa flotante de sus cabellos.

Un vals pegadizo se apoderó bruscamente del silencio y Águeda disminuyó el volumen de la onda, temerosa de molestar a su madre.

—Es esto —murmuró.

Abel permanecía frente a ella, en actitud forzada, dividido entre el deseo de salir de allí y el de descubrir el misterio que olfateaba...

—...nuestro programa diario «Consultorio Juvenil de Belleza».

La voz pastosa de la mujer había llenado todo el cuarto y Abel experimentó una indefinible sensación de malestar.

—Pon el parte de guerra —suplicó.

—Calla.

—Sólo un minuto... Acabará dentro de poco y entonces...

—Te digo que calles.

Abel cogió unas tijeras de encima del tocador y se cortó desdeñosamente una uña.

—No veo en qué puede interesarte de todo eso —masculló.

La locutora estaba leyendo una serie de recetas contra el dolor de cabeza y las erupciones de la piel.

—Cien gramos de alcohol de noventa grados. Cien gramos de alcohol de noventa grados. Esencia de limón. De limón.

—Tonterías —observó Abel, con sorna—. Nada más que tonterías.

—¡Chist!

Las uñas estaban llenas de mugre. Abel comenzó a limpiarlas, colérico.

—Remedios contra el sarpullido —barbotó—. Me gustaría saber qué interés tiene...

—¿Quieres callarte de una vez? Si tienes ganas de fastidiar, haz el favor de irte a otro lado.

Abel colocó en el pie desnudo la zapatilla que acababa de resbalarle y marchó en dirección a la puerta. Permaneció allí, erguido e indeciso, sin decidirse a salir ni a quedarse.

—Por favor —dijo Águeda—. Cierra la puerta. Hay una corriente de aire terrible.

El niño giró un par de veces sus talones, pero continuó allí, clavado. Al fin cerró la puerta y se cruzó desdeñosamente de brazos dando a entender que, aunque continuase dentro de la habitación, se desentendía de cuanto pudiese ocurrir en ella.

Ahora la mujer leía una serie de cartas firmadas por *Una Arrepentida, Flor Azul* y *Desesperada.*

Águeda permanecía con la oreja pegada al receptor, mientras peinaba las ondas rebeldes de su cabello.

—Estimada señora Serrano...

Siguiendo el ademán de la muchacha, Abel aguzó el oído también.

—...Soy soltera y tengo veintiocho años y, viviendo como vivo en el campo, llevo una existencia muy recluida, que interrumpo tan sólo algunas veces para hacer visitas al pueblo por asuntos personales de mi madre, enferma e imposibilitada. Desde hace unos meses conozco a un oficial destacado en la vecina batería y dado que ha manifestado su propósito de...

El rostro de Águeda estaba rígido a causa de la atención, y Abel descubrió, lleno de asombro, que el peine le había resbalado de los dedos.

La locutora terminó, entretanto, la lectura de la carta

que firmaba *Una solitaria,* y comenzó a dictar la respuesta:

—Comprendo claramente su impaciencia, hijita, y créame que lamento mucho no estar a su lado para aconsejarla y cicatrizar las heridas de su alma atribulada, pero, como quiera que esto no es posible y usted anda necesitada de ayuda, ahí van estas pobres palabras mías con la esperanza de que puedan serle de alguna utilidad: sea usted fuerte, querida, y no se deje arrastrar por un momentáneo ofuscamiento que, hijita, bien podría ser pasajero y...

Atraído por lo extraordinario de la escena, Abel se había aproximado a la muchacha, como un sonámbulo.

La respuesta, que la locutora leía con voz acaramelada, estaba llena de consejos de prudencia y sensatez, que salpicaba de expresiones cariñosas como «querida mía» o «hija de mi alma».

Al concluir la emisión había vuelto a sonar el mismo vals que al principio y Águeda permaneció con el semblante absorto, fijo en el mando de la radio. Luego desenchufó.

Hubo un momento durante el cual ninguno aventuró una mirada.

Águeda había descubierto el peine encima de la alfombrilla y se inclinó para recogerlo.

—¿Has oído? —dijo.

Los ojos le brillaban como arrasados por las lágrimas e, inesperadamente, rompió a reír.

—Yo soy esa *Solitaria.*

La sorprendente escena de aquella tarde le había informado, más que ninguna conversación, sobre el verdadero carácter de la muchacha. La vida en *El Paraíso* se hacía difícil de soportar si no iba acompañada de evasiones al futuro o al pasado y, al soñar con oficiales y amantes, Águeda no se apartaba de la regla. También doña Estanislaa soñaba con David y Romano, como él, en batallas y trincheras.

La desazón que sentía continuamente le había hecho comprender hasta qué punto estaba aislado y cuán necesitado y hambriento de compañía andaba. Visto desde este ángulo, sus paseos errabundos, sus malos humores repentinos, aparecían diáfanos y claros: estaba solo, horriblemente solo, y requería el afecto y compañía de alguien.

La naturaleza entera constituía un vínculo de unión entre los seres, del que únicamente él estaba excluido; Elósegui, con quien se había cruzado en el camino un día que fue de excursión en tartana, iba del brazo de una muchacha; los soldados de la batería paseaban siempre con las mozas de la aldea y hasta los animales y los pájaros vivían aparejados entre sí. (¡Con qué seguridad decían «nosotros», dando a entender que su cuerpo era múltiple, que el «yo» de cada uno era un fragmento desajustado! Un impulso más fuerte que ellos los arrastraba como un viento y los hacía buscarse, ciega, oscuramente, hasta fundirse en un abrazo.)

El espectro del hambre gravitaba sobre sus cabezas. Para combatirlo, Águeda vendía, en secreto, los cubiertos de plata y regresaba del pueblo con un saco de alubias, de maíz o de harina; pero, de ordinario, la despensa estaba vacía y Abel acompañaba a las mujeres en sus diarias incursiones por el campo; a medio kilómetro de la casa había un castañar abandonado; Abel trepaba a los árboles armado de una caña y las mujeres recogían la fruta en el serillo.

A veces, durante la noche, le invadían gran debilidad y el pulso le martilleaba en las muñecas y en las sienes.

Los cocidos de Filomena eran cada día más claros y escuetos y, al concluirse las castañas pilongas, había sido preciso comer las regoldanas. (Águeda tenía razón al lamentarse: el alimento era lo principal. Doña Estanislaa comía como un pajarillo y no podía imponer su norma a los restantes; sólo parecía reparar en la presentación de cada plato y una buena vajilla bastaba para contentarla. Pero él tenía un cuerpo joven, y amenazaba desmedrar como el de la muchacha.)

Durante las mañanas jugaba en la terraza a «leales y facciosos», con gran desesperación de Filomena, que intentaba descabezar un sueñecillo y a la que sus gritos siempre desvelaban, pero el juego comenzaba ·ya a cansarle. Era como repartir las cartas solo: podía hacer trampas y favorecer el palo predilecto, pero esto mismo privaba a la partida de emoción. En Barcelona había organizado con otros niños la «Caza del Espía»; eran casi una docena, entre los diez y doce años, y la captura resultaba emocionante. En cambio, en *El Paraíso* no había ningún niño y los que habitaban la escuela eran vascos y, para colmo, desplazados.

—¿Qué quiere decir «desplazados»? —había preguntado a Filomena el día que doña Estanislaa le prohibió dirigirles la palabra. La mujer reflexionó.

—Que son unos muertos de hambre —dijo al fin—. Que no tienen un pedazo de tierra donde puedan caerse muertos.

Desde entonces, jamás volvió a hablarse de ellos, y Abel los imaginaba taciturnos y oscuros, como los de la estación, con las narices llenas de mocos y los labios espumosos de baba.

Durante el verano, su vida experimentó algunas alteraciones. En uno de sus paseos había entablado amistad con el *Gallego* y, poco después, se lió con uno de los niños refugiados.

Fue el quince de agosto, Filomena lo recordaba bien. Doña Estanislaa había pasado la tarde en la glorieta, aguardándolo, y regresó a la habitación desalentada, con un violento ataque de jaqueca. El niño había dicho que se iba a dar una vuelta, en el momento en que ella se disponía a explicarle lo mucho que Romano la había amado, y no se presentó en *El Paraíso* hasta la hora de la cena.

De puntillas, como un ladronzuelo, se aproximó a la galería, con la esperanza de encontrar a doña Estanislaa aún levantada, pero, aunque pegó la oreja a la puerta, no distinguió sonido alguno. Algo inquieto, dio la vuelta a la casa con el propósito de entrar por el patio. Avanzó bajo el emparrado, bordeando el pozo y, a través del marco de la ventana, contempló un cuadro que le llenó de sorpresa.

Nunca había tenido ocasión de espiar a las mujeres y, al observarlas, lo hizo con los ojos de un extraño: Filomena agitaba el contenido humeante de un cazo y Águeda iba de un lado a otro con el cabello revuelto y el semblante arrebolado. El corazón de Abel comenzó a latir de prisa. Conocía el remedio de doña Estanislaa cuando se sentía enferma; más de una vez había ayudado a prepararlo. Ahora, su tía abuela acababa de sufrir otro ataque, y él era el único responsable.

Continuó mirándolas, como hipnotizado, hasta que Filomena se aproximó a la ventana y corrió las cortinas. Desde su escondrijo, Abel experimentó la misma sensación de contrariedad que le habría producido una avería durante una escena cinematográfica interesante. Decepcionado, se sacudió el polvillo de la camisa y empujó el tirador de la puerta.

Filomena agitaba el fuego del hornillo con ayuda de un abanico y, al divisarle, le espetó de mal talante:

—¿Puede saberse qué buscas ahí dentro?

Abel hundió las manos en los bolsillos, tratando de aparentar desenvoltura.

—Nada —dijo—. He venido a ver qué hacías.

—Pues ya puedes irte por donde has llegado. Tengo mucho trabajo y no puedo entretenerme. hablando contigo.

—Pero si no te diré nada...

—Pues por eso mismo. No me gusta ver a nadie ocioso mientras me parto la espalda trabajando. Además —añadió como argumento decisivo—, el sitio de los niños no es la cocina.

—Me aburro solo —dijo Abel—. Estoy cansado de leer los *Blanco y Negro* y tengo ganas de hablar un rato contigo.

—Vete a la guerra si tanto te aburres. Ya te he dicho que tengo trabajo.

Le volvió la espalda dando por zanjado el asunto. Herido en su amor propio, el niño sacó las manos de los bolsillos y se cruzó de brazos con aire desafiante. Durante unos momentos ninguno dijo nada.

—¿Puede saberse qué estás esperando? —estalló, al fin, la sirvienta.

Abel miró la puerta del pasillo con aire desgraciado; al otro lado estaba la escalera que conducía al dormitorio de doña Estanislaa. De nuevo se volvió hacia Filomena.

—Déjame estar contigo.

—No.

—Te ayudaré a aventar el fuego.

—Te digo que no.

El remordimiento —mientras se alejaba de la terraza en pos de los chiquillos, creía haber oído una voz angustiada: «A-bee-l, A-bee-l»— le impulsaba hacia la habitación de su tía abuela.

—¿Y Águeda? —preguntó.

—Está con su madre.

Abel iba a preguntar por qué, pero se limitó a preguntar con prudencia:

—¿En qué sitio?

—En su cuarto.

Bueno. La suerte estaba echada. Lentamente, comenzó a subir la escalinata. Imaginaba la escena de antemano y una pesadez incomprensible le oprimía el cerebro.

La puerta del dormitorio de doña Estanislaa estaba entreabierta, pero permaneció en el pasillo sin decidirse a entrar. La luz le atraía como a una mariposa nocturna y le resultaba imposible dejar de mirarla.

Haciendo acopio de fuerzas, atravesó el corredor silencioso y entró sin llamar; doña Estanislaa estaba acostada y, pese a lo cálido de la estación, arrebujada en colchas hasta el cuello. La luz de la lámpara le daba en pleno rostro y su piel parecía de pergamino.

En contra de lo que Abel suponía, no le hizo ningún reproche. Se limitó a sonreír con gesto fatigado, mientras señalaba con tristeza hacia la escuela de los niños.

—¿Has aprendido tal vez algo interesante?

Y no le invitó a quedarse en el cuarto.

«...La curiosidad es algo tan torpe... Los seres que, como yo, buscamos el lado noble de las cosas, nos desentendemos de lo ordinario de la vida. Ve y pregúntalo a los chiquillos refugiados. Tal vez ellos te informen como deseas. Por mi parte, prefiero continuar creyendo que nos ha traído un ángel...»

Una mariposa negra, festoneada de color naranja, se posó encima de la gardenia que flotaba en el vaso de agua. Doña Estanislaa la contempló con arrobo.

—¿Has visto el dibujo de las alas? —dijo—. Exactamente igual que una calavera con dos tibias debajo.
Abel guardó silencio, ofendido. Acababa de preguntarle: «¿Es cierto que los niños vienen al mundo del mismo modo que los gatos?», y, aunque no era dura de oído, su tía abuela hizo como si no le escuchara. Lo que no le agradaba, parecía resbalar sobre ella: era como si no lo hubiese oído nunca. Con el semblante tranquilo, desviaba la conversación hacia otros cauces.
Lleno de cólera, repitió la pregunta:
—¿Es cierto que los niños nacen del mismo modo que los gatos?
Doña Estanislaa sonrió de modo inexpresivo y paseó en torno una mirada jubilosa.
—Hace un tiempo magnífico esta mañana, ¿no crees?
Luego, ante el rostro iracundo del niño, que le preguntaba si era sorda, le respondió que interrogara a los refugiados: «Los seres como yo hemos venido al mundo a buscar la poesía de las cosas, no la suciedad». Sin atender a su mirada suplicante, Abel le volvió la espalda.
Estaba harto, sí, estaba harto de sus conversaciones inventadas, de sus historias y de sus hijos. Le importaba un comino que hubiesen muerto. Él, al menos, estaba lleno de vida, sentía deseos de combatir y de ver mundo, mientras que ella... ¿Por qué llevaba un velo en pleno día, estando, como estaban, en verano? ¿Por qué temía mirarse al espejo? ¿Esperaba, quizá, recuperar su juventud aplicándose colonia al rostro cada cinco minutos? Bajaba por un sendero invadido de florecillas y comenzó a troncharlas a puntapiés: «Sí: ¿quién va a impedirme que haga esto si a mí me da la gana? ¿Lograrán, acaso, resucitarlas sus lágrimas de vieja?»
Aquella mañana, la revelación de Pablo acerca de los niños le había traído a la memoria el recuerdo de su madre. Fue mucho tiempo atrás, el año que estalló la

guerra y la abuela se fue a vivir al piso. Se iniciaba el período de hambre y de comida racionada, y su madre empezó a engordar de manera alarmante. El menor esfuerzo la dejaba rendida, se veía obligada a guardar cama y su belleza se marchitaba a ojos vistas. Abel observaba con ojos atónitos la metamorfosis. Un día, señalándole el vientre, le había preguntado: «¿Tienes agua ahí dentro?», y su madre, lo recordaba perfectamente, cubrió sus mejillas de besos: «Es un hermanito, Abel. Un niño que no ha nacido aún».

Sus palabras le causaron extraña impresión. Él había creído hasta entonces que las mujeres sufrían de hidropesía («por comer melón en exceso», decía el ama) y, de pronto, resultaba que aquel niño, su hermano, tenía una intimidad con su madre; pero no llegó a generalizar sobre el problema: sólo después, al cabo de algunos días, cuando fue con la abuela y los tíos a identificar el cadáver de su madre, el recuerdo del hermano acudió, de nuevo, a su memoria.

Aún ahora lo tenía presente todo: la atmósfera del local era pesada, agobiante; los rayos del sol se filtraban entre las persianas entornadas y cebreaban el piso de blanco y de negro; los ventiladores eléctricos se limitaban a girar en el aire estancado, sin conseguir removerlo; nadie se había acordado de llevar allí ninguna flor; todo el mundo parecía aburrido y las conversaciones languidecían en voz baja. Mamá estaba bien muerta, no cabía duda, pero tal vez el niño estuviese vivo y lo iban a enterrar. Mientras contemplaba el rostro de la madre, rígido y deformado por la muerte, Abel había sentido dentro de sí un rabioso deseo de conocer al hermanito, pero nadie le había comprendido cuando, a gritos, pidió que lo salvaran; aquel niño oculto como en lo hondo de un huevo, que veía avanzar a su encuentro, abriéndose paso a través de ondas de agua y de telas de araña finísimas, precedido de un halo de burbujas, era su hermano y lo quería más que a nadie y que nada. Lo sacaron a rastras del depósito, medio ahogado de ira y de vergüenza, y aquel hermano-huevo, que imaginaba a un tiempo en forma de pez y de sirena, había penetrado en el mundo de sus sueños aureolado de un prestigio radiante.

Por lo que se refería a su madre, Abel lo sintió en particular a causa de un incidente ocurrido meses antes. Su familia vivía entonces en un piso de la parte alta del Ensanche y la habitación en que dormía lindaba con el cuarto de sus padres. Una noche, hacia la madrugada, Abel se despertó en mitad del sueño. El silencio le acunaba como un zumbido confuso y tardó minutos en descubrir un murmullo de voces. Entonces, se deslizó del lecho a hurtadillas y pegó el oído a la hoja de la puerta.

Sí, era indudable: había alguien en el cuarto de su madre, charlando con ella a media voz. Su padre estaba ausente desde después del alzamiento y ella aseguraba a todo el mundo que había ido a Francia a buscar trabajo. Sin embargo, la persona que estaba allí tenía su mismo acento y se movía como Pedro por su casa. Abel aguzó el oído y oyó repetir su nombre. Luego, el rumor de unos pasos acolchados le determinó a volver al lecho.

Las luces continuaban apagadas; pero, acurrucado entre las sábanas del catre, percibió el crujido de la puerta y el cuchicheo de dos personas que se acercaban. Mamá le había besado primero y luego lo hizo el hombre, y por el roce de los bigotes, supo que era papá. No obstante, algo más fuerte que él le determinó a mantener su papel de dormido, como si aquella fuese una escena teatral laboriosamente ensayada y un público numeroso espiara su desarrollo desde la boca de un escenario. Se había dormido exultante, con la conciencia de haber mantenido bien el juego, y cuando, al día siguiente, pidió explicaciones a su madre, ella le dio una bofetada: «Todo eso son imaginaciones tuyas: papá está en Francia y no volverá hasta que acabe la guerra». Tamaña injusticia le había llenado de rencor y aunque, al cabo de unos días, al recibir la contraseña de que había cruzado la frontera sano y salvo, su madre le hubiese pedido perdón, el niño no olvidó nunca la bofetada ni el engaño.

La escena le había venido a la memoria de modo brusco y Abel no tuvo una sola plegaria de recuerdo. Acababa de llegar al laberinto, dando un rodeo, y se detuvo a contemplar a Filomena mientras recogía cortezas de eucalipto.

—¿Qué haces? —preguntó.

Ella estaba agachada y se volvió para mirarle.

—Ya lo ves. Trabajar.

Abel se llevó a los labios una brizna de hierba.

—¿Me dejas que te ayude?

—¿Qué mosca te ha picado? —dijo Filomena.

Le observó de nuevo, esta vez con desconfianza. Iluminada por el sol, tenía la frente abollada, como cubierta de coscorrones.

—Ninguna —repuso Abel.

—Pues es extraño.

Se alisó el pelo que le caía en guedejas sobre la frente y añadió con aire desconfiado:

—No irás a pedirme dos reales, como el otro día. Te advierto que esta vez no voy a dártelos.

—¿No te he dicho que no quiero nada? —exclamó el niño.

Un golpe de viento arrastró a lo largo del sendero una nube de polvo, que permaneció suspendida en el aire como polen de oro. Filomena se llevó las manos a los ojos a modo de pantalla.

—Bien, haz lo que quieras. No seré yo quien me oponga.

Sin darse prisa, Abel comenzó a recoger las ramillas dispersas. Cuando hubo reunido un buen puñado, regresó junto a la mujer y tomó asiento con ademán de fatiga.

—No te han durado mucho las ganas de trabajar —observó irónicamente Filomena.

Abel la miró unos segundos de reojo, antes de hablar.

—Filomena...

—¿Qué quieres?

—¿Por qué no nos sentamos a charlar un poco, como hacíamos antes?

Sabía que la mujer no le había perdonado la pedrada que, por instigación de Pablo, había arrojado al gato y que, según le dijo luego, con el semblante lloroso, estuvo a punto de hacerle perder un ojo al pobrecillo, que era ya lisiado y viejo.

—¿Hablar? —dijo Filomena con sarcasmo—. ¿Puedes decirme quién haría la cena entonces?

—Te ayudaré a fregar los platos —ofreció Abel.

—¡Tonterías!

—Los fregaré todos.

—No lo creo.

—Te lo juro.

Filomena lanzó un suspiro. También ella echaba de menos la perdida intimidad con el muchacho, sus charlas debajo de la pérgola.

—Está bien, te sales con la tuya. Tú serás el culpable si luego no cenamos.

El niño se aclaró la garganta.

—Yo... Quería preguntarte... —Se detuvo y cogió un puñado de arena, que hizo deslizar entre los dedos—. La gata acaba de tener unos gatitos y Pablo me ha dicho que los niños...

Una libélula de celofán y de encaje se había posado en la frente de la mujer y ella la apartó de un manotazo.

—Pues claro que sí, hijo mío, claro que sí. Ésa es la regla de la vida y no tenemos por qué avergonzarnos.

Luego, con voz gangosa, le expuso toda su historia: ella misma, como mujer que era, había tenido a Adoración, a Cristóbal, a Eduvigis y al pequeño Paco. En su comarca, los pueblos estaban casi desiertos a causa de la emigración y todas las muchachas aspiraban a dejar el lugar para irse a vivir a la capital. Con este objeto, y para obtener empleo de amas de cría, subían a los montes en busca de marido. Luego, cuando nacía el niño, lo ponían bajo la protección de un pariente e inmediatamente se iban a la ciudad a ofrecer sus servicios a las familias más ricas.

—Así, como en un sueño, tuve cuatro, y recorrí sucesivamente Madrid, Zaragoza, Valencia y Barcelona. Los cuatro niños eran preciosos como soles y murieron del trancazo cuando hubo la epidemia. Yo estaba entonces esperando al quinto y lo perdí del disgusto. En vista de ello, decidí establecerme aquí como sirvienta y abandoné definitivamente aquellos campos...

...Siempre ocurre igual: aquel niño preguntaba cualquier tontería y una, sin darse cuenta, le exponía lo más íntimo y secreto de su alma. Mientras las demás personas se escuchaban solamente a sí mismas, Abel, con una mirada, se hacía cargo de todo. Su presencia vivificaba la enrarecida atmósfera de la casa. Hasta que un día, a comienzos de otoño, aquel castillo de ilusiones se derrumbó súbitamente por la base.

La culpa la tenía uno de los niños refugiados, un diablillo, hermoso como un ángel, que había sorbido el seso al pobre Abel; por su culpa, el niño se había transformado en otro distinto. Ella, Filomena, apenas daba crédito a lo que veía: Abel había destrozado, una tarde, los nidos de golondrinas con su tirador de goma; charlar con las mujeres le aburría y no prestaba atención a sus palabras. Doña Estanislaa le había dicho una vez: «Te evaporas», pero el niño no le hizo ningún caso. Con el pequeño Pablo vagaba por el alcornocal y por la rambla, ingeniando toda clase de maldades y de tretas.

Hasta que, al fin, aquella mañana se había esfumado por completo. Ella intentó ir en su busca, pero Águeda le quitó la idea de la cabeza.

Un día, antes de Navidad, mientras le arreglaba el dormitorio descubrió debajo de la consola un maletín lleno de ropa. Algo inquieta, aprovechó el momento en que cruzaba la cocina para interrogarle; pero, por más que amenazara y rogase, el niño ni quiso responder.

—Eso a ti no te importa —dijo—. El maletín es mío y haré con él lo que me dé la real gana.

Lo restante, a partir de aquel día de Año Nuevo, era confuso, como producto de una pesadilla endemoniada. Los recuerdos se le embrollaban y, al intentar tirar de un hilo, arrastraba la totalidad de la madeja.

Una noche, Abel no se presentó a la hora de la cena. Invadida por un brusco presentimiento, Filomena corrió al dormitorio en busca del maletín. La sangre había huido de su rostro y se sentía flotante, hueca. Cuando llegó, con una simple ojeada se hizo cargo de todo: el cuarto estaba patas arriba y el maletín había desaparecido. Comenzó a gritar: «Abel, Abel». Pero el niño no estaba ya en *El Paraíso*. Una nota breve, escrita en tinta roja, les informaba de su decisión de abandonarlas.

Sin embargo, regresó la misma noche, cuando todos se habían acostado. Parecía estar dormido, como muerto, y se tendió sobre el lecho sin decir palabra. Temiendo por su vida, Filomena había asegurado los postigos con la aldaba y hasta la hora del alba montó guardia al lado de la puerta. Abel se removía inquietamente y, entre sueños, le oyó llorar en voz alta.

Durante los últimos días de la dominación republicana, la guerra traía, a veces, noticias horribles: el camión en que viajaba la maestra había sido alcanzado por una bomba junto a Palamós y todos sus ocupantes habían perecido. Frente a la costa, los aviones hundieron una lancha del Servicio de Defensa y hubo diecisiete ahogados. Pero nada de eso parecía afectar al niño: Abel pasaba gran parte del día en el bosque, jugando con los mocosos de la escuela, y jamás le oyó ningún comentario.

—Los campos están llenos de vagabundos y soldados —dijo Águeda—. Si usted sale, puede ocurrirle cualquier cosa. Déjele. El niño ya vendrá cuando quiera.

Pero esa última suposición había resultado, desgraciadamente, falsa y Filomena apenas podía dar crédito al cuadro que le ofrecían sus ojos: Abel estaba muerto y nada de lo que ella hiciese podría resucitarlo.

—¡Oh, Abel, Abel! —exclamó.

Tenía los párpados hinchados y se dejó guiar a la salita. No conseguía ver con claridad quién la tomaba de la mano, y hablaba a sacudidas, agitada aún por el hipo.

Detrás del escritorio, el alférez Fenosa se limpiaba las uñas con un palillo. La escena de la mujer, forcejeando, llorosa, junto al cadáver, le había llenado la boca de un extraño amargor. Sentía náuseas, deseos de vomitar. La observó de reojo mientras la llevaban a lo largo del corredor y apoyó la frente en su manga estrellada. Afuera, el sol brillaba con creciente intensidad y vitalizaba la flor mustia de las mimosas con inyecciones de amarillo. Se dejó ganar por un dulce adormecimiento y subió a descansar al piso alto.

Capítulo III

En la encrucijada de caminos, el sargento los había
fragmentado en dos escuadras: una parte del pelotón,
mandada por el cabo siguió el sendero izquierdo, conforme había indicado Elósegui, y la otra, con el sargento al frente, tomó la trayectoria del atajo. Antes de
separarse, acordaron un encuentro en la vaguada al cabo
de una hora y, cada uno por su lado, bajaron la ladera
del barranco bajo la sombra copuda de los árboles.
El grupo de Santos caminaba en fila india con el fusil
al hombro. El atajo por el que marchaban estaba obs-
truido de verdasca y su extremo se perdía en un lienzo
de espesura. A medida que descendían por la vertiente, el sendero se hacía más y más abrupto y una vegetación de encinas y tamujos sustituía a los alcornoques
descorchados.
La calma estaba entretejida de multitud de sonidos. En
la encrucijada, Santos había creído oír un lejano repi-
que de campanas en dirección a la aldea. «Son nuestras
tropas, que acaban de ocuparla», pensó; pero el alegre
sonar de los badajos, lo mismo que el tableteo de las
descargas, se había reabsorbido poco a poco en la tranquila languidez del mediodía.
La guerra le había enseñado el significado de los silencios: los había acechantes, tensos, como los que prece-
dían al estallar de las granadas; otros, hechos de espera,
jalonados de mil pausas y rumores; algunos, en fin,
apaciguantes, reparadores como el sueño. Y éste era de
los que no le gustaban.
Imaginaba multitud de seres pequeños apostados en la
espesura, entre la hiedra, el musgo, el jaramago y los
helechos: culebras de rostro atento, ovilladas sobre sí

mismas; lagartijas de caucho con ojillos de mosca; liebres temerosas, asomando el hocico desde sus madrigueras; ardillas vivaces con rabos en plumero. Sentía asimismo, molesta como una idea fija, la presencia de todo un mundo de animalejos y larvas que, inmóviles en el silencio, se habían puesto a vivir: hormigas, grillos, cigarras, cucarachas, insectos hostiles en actitud de plegaria, agazapados en sus escondrijos, observándolos.

En la torrentera, una maraña de zarzas impedía escalar la vertiente opuesta. Santos inspeccionó los alrededores y descubrió la continuación del camino cincuenta metros más abajo. Estaba orillado de castaños que cubrían el suelo de cáscaras-erizo. Guardando el mismo orden que al comienzo, treparon a lo alto del collado. Allí, sobre las copas de los árboles, se divisaba una gran porción del valle, pero no descubrieron ningún rastro de los niños.

Al otro lado del cerro comenzaba un panorama de viñedos, asentados en colinas redondas como senos. Luego, a través de alcores ondulantes, los alcornocales y pinedas se extendían kilómetros y kilómetros hasta alcanzar el campanario y los tejados de la aldea, como un manto de color verde oscuro. Desalentado, el sargento se volvió hacia sus hombres y, con un gesto mudo de los labios, dio la señal del regreso.

En un recodo del camino, medio oculta entre una muralla de avellanos, había una fuente en forma de pozo y la escuadra de soldados se detuvo a descansar. Santos se había remangado la camisa y se arrodilló para beber. El lugar era fresco y umbroso, y el agua espejaba su rostro con claridad: la piel llena de arrugas, el bigote mal cortado, los ojos brillantes, de felino. Después al hundir las manos, se deshizo en mil fragmentos, como una visión de borracho.

Desde la fuente se divisaba el lecho arenoso de la rambla, dormido bajo el sol. Unos bancales escalonados bordeaban las laderas donde, en primavera, debían brotar las cañas. Entre ellos se alzaba, en estado ruinoso, lo que muchos años antes debía de haber sido un molino de harina y, al posar los ojos en él, descubrió, de pronto, el movimiento de algunos seres vivos.

Se había dejado en la escuela los prismáticos de campaña, pero la distancia permitía establecer con seguridad la presencia de cinco o seis muchachos en torno al molino. Uno de ellos llevaba una guerrera o jersey rojo, que permitía localizarlo con facilidad. A los otros lograba únicamente divisarlos mediante gran esfuerzo; parecían bullir por los bancales como insectos atareados y obedecían las órdenes del muchacho vestido de rojo.

—¡Eh, mirad!

Los soldados habían seguido la dirección de su brazo y contemplaban el valle haciéndose pantalla con los dedos. Uno, dos, tres... Los chiquillos sobrepasaban la media docena. El sargento calculó la distancia a vuelo de pájaro y emitió su dictamen.

—Ochocientos metros. Tal vez más.

El declive era muy pronunciado y bajaron a gran velocidad. Santos sujetaba firmemente la correa del fusil para evitar los golpes de la culata en la cadera. Los hombres de su grupo marchaban detrás, en fila, siguiendo la dirección que trazaba.

El torrente estaba encharcado en parte, y sus botas se hundían en el limo. El chap-chap monótono del agua les había creado la ilusión de algún desfile y, mecánicamente, acoplaron sus pisadas los unos a los otros. Su respiración se había vuelto ansiosa, pero ellos continuaban avanzando, obedientes al ritmo del chapaleo. Sobre sus cabezas, los pájaros volaban como flechas y aturdían el valle con sus gritos.

Cuando llegaron a la rambla, el sol acababa de ocultarse tras un racimo de nubes y un golpe de aire levantó una tolvanera de color anaranjado. Los soldados avanzaron cubriéndose los ojos; sus pies, siempre al unísono, chapoteaban en el fango y, al ascender por la vertiente, aminoraron poco a poco su carrera.

El eco diluía por el valle el zumbido monótono de los camiones y el estallido lejano de alguna granada. Por lo demás, el paisaje continuaba dormido, como muerto. Las nubes que corrían por el cielo lo salpicaban de sombras veloces que se adaptaban a la configuración ondulada de la tierra. Tan sólo una columna de humo, que crecía en mitad de la ladera, ponía una nota sombría y amenazante.

En uno de los bancales, el molino había aparecido frente a ellos, pero tuvieron que escalar otro talud antes de averiguar lo sucedido; de la chimenea se elevaba un penacho de humo negruzco y unas llamas delgadas lamían las maderas desprendidas de la puerta. Después de haberle pegado fuego, los chiquillos se habían esfumado. En la haza no se advertía ninguna señal de su presencia.

Los soldados se detuvieron a medio centenar de pasos del molino; luego, corrieron hacia él. Santos había llegado el primero y cargó contra la puerta: estaba cerrada, pero cedió sin dificultad. El interior resultaba invisible a causa del humo y sus ojos se inundaron de lágrimas. Un impulso oscuro, que no comprendía, pero al que se veía forzado a obedecer, le lanzaba, sonámbulo, adelante.

—¡Eh, mi sargento!

El humo le había envuelto en un ropaje prieto y denso y le hizo perder la noción de donde estaba. Avanzó a tientas, buscando las paredes con las manos. El foco principal del incendio venía del rincón opuesto y se es-

119

forzó en mantenerse a distancia. Quería hablar, preguntar si había alguien, pero el humo le impedía abrir la boca. Ciego, amordazado, tanteaba la superficie irregular de la pared, mientras sus hombres le llamaban desde la puerta y discutían la posibilidad de aventurarse.

Cuando su mano palpó un objeto blando —ese contacto del cuerpo humano a cuya búsqueda se había lanzado ciegamente— estuvo a punto de llorar de alegría. Había alguien desvanecido por el humo, encima de la muela del molino. Pero, fuese o no Emilio —lo descubría ahora lleno de asombro—, el hecho revestía la misma importancia. Era *un* hombre, y eso bastaba. La guerra, que había segado tantas vidas, le permitía rescatar una cuando se hallaba completamente desahuciada.

«Gracias, Dios mío, gracias.»

Había logrado enderezar el cuerpo y, al intentar asirle de los brazos, descubrió que estaba atado. Durante unos momentos trató de aflojar el nudo. Imposible. Los chiquillos habían hecho bien las cosas. Mientras forcejeaba, el cuerpo había resbalado otra vez sobre la muela y tuvo que agacharse para alzarlo por los hombros.

Lo consiguió con dificultad, a causa de la posición ladeada de las piernas y, agotado por el esfuerzo, se apoyó contra la piedra volandera. Los pulmones le pesaban como si los hubiese llenado de arena y su boca se abría a pesar de él. El humo que engullía le irritaba la garganta y volvía más y más confusas sus pobres ideas.

Salir: a la luz, al aire. Un tenaz apego a la vida (a la suya, a la del otro hombre) le hacía mantenerse de pie y acarrear el cuerpo inanimado a través de un aire denso de humo (fuera, el viento debía de estremecer las hojas de los árboles). Le separaban escasos metros de la puerta, pero se sentía incapaz de recorrerlos de un tirón. Paso a paso, bordeando la muela con las rodillas, condujo el cuerpo del hombre hacia la puerta presentida por los gritos.

Había creído desvanecerse a cada paso que daba y continuaba erguido de puro milagro: con los brazos tensos y la mente en blanco. Luego tropezó con alguien y unas manos le asieron por los hombros y lo arrastraron hacia fuera. Era el aire, la vida, y se abandonó muellemente a su caricia.

Mientras Santos forzaba la puerta del molino, el soldado García descubrió la cabeza rapada de un chiquillo tras los helechos. El niño desapareció como pulsado por un muelle, pero el soldado había tenido tiempo de situar con precisión el lugar en que se hallaba.

—¡Eh, tú, pequeño! —gritó.

Había partido en su busca a toda velocidad pero, aunque llegó al punto extremo de la haza, no le descubrió por ningún sitio.

El paisaje que se divisaba desde aquellos arbustos era despejado y liso; los campos ondulaban en torno al lecho arenoso de la rambla y una hilera de álamos desnudos parodiaba, a lo lejos, el tendido de un cable eléctrico.

El soldado García afianzó sus piernas en el suelo y se rascó la coronilla confuso; el niño había desaparecido como por ensalmo en un plazo de tiempo inverosímilmente corto. Si su cálculo no fallaba, había más de doscientos metros de distancia hasta el primer conato de bosque. Creyó que los sentidos le habían jugado una mala pasada. La cara del chiquillo estaba tiznada de pintura y unas gafas protectoras de campaña le cubrían las cuencas de los ojos.

Se disponía a regresar junto a sus compañeros, cuando

el tallo segado de una flor silvestre le hizo observar la existencia de un corte en la masa arcillosa que se extendía a su izquierda. Al avanzar un par de pasos, descubrió una quebrada, honda de tres metros, encajonada entre la doble escalera de bancales. Un camino de herradura bajaba desde lo alto de los cerros hasta el lecho de la rambla y era indudable que el niño se había escabullido por allí, a cubierto de todas las miradas.

García vaciló unos segundos antes de lanzarse cuesta abajo. El pequeño había dejado las huellas de sus pasos en el talud, y el soldado advirtió que se orientaban en dirección a la vaguada. Encerrado entre dos muros arcillosos, el eco se diluía a lo largo del camino y delataba su presencia al fugitivo. También García percibía como el sonido de unos pasos y corría tras ellos sin preocuparse.

El sendero estaba lleno de recovecos y, hasta después de un minuto, no pudo distinguir al perseguido. El niño vestía un jersey verde remangado y unos pantalones llenos de remiendos, y se esforzaba en mantener la distancia que le separaba de García. Al llegar a la rambla había torcido a la izquierda, pero allí la configuración del terreno no le favorecía; la vegetación era sencilla, escueta; las cañas no habían brotado todavía y resultaba difícil ocultarse.

El soldado se había propuesto reducirle por la fuerza y no se preocupaba por alcanzarle. El macuto estorbaba el movimiento de los brazos y lo arrojó a la primera oportunidad. Corría a paso gimnástico y comprobó que, sin esforzarse, acortaba la distancia.

Desde la rambla, cara al norte, se dominaba todo el valle. En uno de los extremos, el edificio de la escuela se presentía apenas, medio oculto en el bosque de alcornoques. A la izquierda se alzaba la mole cuadrada de *El Paraíso*, escoltada por una doble hilera de cipreses.

Cuando el niño trepó por la ladera, García comprendió que había ganado la partida. La pendiente era pronunciada y el fugitivo la escalaba con esfuerzo. Las gafas debían de serle un estorbo, pues se volvió para arrojárselas, procurando darle en la cara.

El sendero llevaba hacia el bosque de alcornoques cercano a la escuela, donde tal vez confiaba encontrar algún amigo o camuflarse a sus miradas; pero el trecho que le faltaba por recorrer no era inferior a trescientos metros y confiaba atraparle sin necesidad de apresurarse.

La distancia se acortaba de modo visible y el niño volvía la cabeza a cada paso. También él se volvía de vez en cuando, ahora que, al ascender, mejoraba la perspectiva, y contempló el progreso de las llamas sobre el molino envuelto en humo. Ignoraba lo que sus compañeros estarían haciendo y se preguntó si, al capturar al chiquillo, debería volver con ellos.

—¡Eh, chaval! —gritó—. Es inútil que te canses corriendo de este modo. Quieras o no quieras, te atraparé antes del bosque.

Atravesaba una haza poblada de cantahuesos y el niño cogió un enorme pedrusco. Se volvió hacia García, jadeante, y le ordenó:

—Quédese usted donde está, o le aplasto la cara.

El soldado se detuvo, fascinado por el atuendo siniestro del chiquillo. Tenía el cabello rapado al cero y un tatuaje de espadas y dragones cubría toda su frente. El resto de la cara estaba tiznada de pintura naranja. Los ojos, desprovistos del escudo de sus gafas, parecían por contraste asustados y blancos.

—Retroceda.

Boqueaba como un pez fuera del agua y su cuerpo temblaba de miedo. García hizo ademán de obedecer, pero se lanzó bruscamente a su encuentro, cubriéndose el rostro con el brazo.

El pedrusco pasó a escasos centímetros de la sien y, por un momento, creyó que le había segado la oreja. Aturdido por el dolor, no supo evitar la zancadilla del niño y cayó al suelo con él. García le sujetó por las muñecas y se sentó sobre su estómago. El chiquillo aullaba, se debatía e intentó morderle una mano. El soldado le abofeteó con fuerza a uno y otro lado de la cara, hasta que cesó de dar patadas. Entonces lo dejó desahogarse en un mar de lágrimas y, con sumo cuidado, se palpó el lóbulo de la oreja. La piedra había rozado el pabellón auditivo con alguno de sus cantos y unas gotas de sangre espesa manchaban el cuello de su camisa color caqui. El corazón le latía con violencia y aguardó unos segundos a que se sosegara.

Al otro lado del valle, el molino ardía envuelto en llamas y una columna de humo se elevaba en la atmósfera densa y apacible. García distinguía confusamente el movimiento de sus compañeros, irreconocibles a causa de la distancia, y, antes de incorporarse, reflexionó en las posibilidades que se le ofrecían. Regresar al molino equivalía a dar un rodeo grandísimo, con la consiguiente pérdida de tiempo. En cambio, el trayecto hasta la escuela era muy breve y brindaba la ocasión de hacer méritos delante del oficial. Optó por lo segundo y se puso de pie.

—Vamos, en marcha.

El niño se incorporó a regañadientes, pero admitió sin protestar que García le sujetara el brazo.

—Y nada de tonterías, ahora. Si intentas escabullirte, lo único que vas a conseguir es una buena tanda de azotes, de modo que adelante y a callar.

El camino serpenteaba a través del bosque y lo siguieron en silencio. Mientras andaban, el soldado se entretuvo en observar los tatuajes misteriosos del chiquillo: un dragón, dibujado en tinta roja, devoraba entre sus fauces una extraña criatura de color verde. Al pie, entre las cejas, había dos espadas entrecruzadas.

El niño caminaba dócilmente y, de vez en cuando, volvía la cabeza hacia atrás y hacia los lados.

—No, no nos sigue nadie —dijo García—. Tus compañeros te han olvidado y, a estas horas, los habrá pillado el sargento.

El chiquillo se volvió para mirarle. Sus pupilas, redondas y metálicas, se clavaron en él con infinito desprecio.

—¡Narices! —dijo—. Están mejor armados que ustedes y tendrán que chincharse si quieren atraparles...

Hablaba con acento duro, de hombre formado, y García experimentó ligero sobresalto.

—A callar —ordenó.

Sentía deseos de endilgarle una plática, pero no supo qué decir. Se acordó, de pronto, de uno de los artículos del Reglamento: «El cabo, como jefe más inmediato del soldado...»; pero no, sería ridículo recitarlo. Además, tampoco estaba seguro de saberlo al pie de la letra. Adoptó un tono conciliador.

—¿Qué edad tienes?

El niño se alzó ligeramente de hombros.

—¿Puedes decirme, al menos, qué valor tienen esos dibujitos que llevas en la frente?

—El mismo que las estrellitas que llevan en la gorra sus capitanes.

García no se atrevió a preguntar más. Entreveía vagamente que el niño le estaba tomando el pelo y la sola sospecha de que así fuese despertó su indignación.

—Está bien. Si quieres guerra, guerra tendrás.

Acentuó la presión de los dedos en su antebrazo y el niño hizo un gesto de dolor.

—¡Sucio, cochino, canalla, hijo de puerca! —gritó.

García no le hizo caso. Continuó apretando hasta que los ojos del chiquillo se llenaron de lágrimas.

—Déjeme. Me hace usted daño.

Su semblante era verdaderamente lamentable y el soldado sintió piedad. Su mano aflojó la presión de modo gradual y se posó amigablemente en su hombro.

—Quíteme usted las manos de encima, marica —chilló el niño con inesperada violencia—. ¡Marica, más que marica!

Herido en lo más noble de sus sentimientos, García le propinó una bofetada.

—Toma, deslenguado, para que aprendas...

El niño quiso escupirle en la cara y se revolvió lleno de odio.

—¡Marica, marica!

El tono de su voz tenía la virtud de enfurecerle. García quiso taparle la boca con la mano y el chiquillo le mordió con ferocidad.

—Déjame, diablo.

Le golpeó con el puño hasta que rodó por tierra y, aún de bruces, con el rostro cubierto de barro y de pintura, se volvía obstinadamente hacia él, sin dejar de repetir el insulto.

El soldado hundió las manos en los bolsillos sin saber qué hacer. Se acordó de sí mismo, niño aún, cuando su padre le amenazaba con horribles castigos si pronunciaba una palabra malsonante y, al igual que el chiquillo ahora, la repetía, llorando, hasta quedarse ronco.

No, nada lograría hacerle cambiar. Contemplaba al niño con disgusto y, asiéndolo por los hombros, logró ponerle de pie. Lentamente, emprendieron la marcha.

Las mimosas amarillas ponían una nota temblorosa de color en el sendero adormilado. Oían a escasos metros las conversaciones de un grupo de soldados y García experimentó alivio ante la idea de confiarles el chico.

El cabo furriel, que se había separado del grupo para orinar entre los tiestos, los descubrió mientras se abotonaba, y avisó a sus compañeros, haciéndose bocina con la mano.

—¡Eh, fijaos qué prisionero nos trae José García!

Los soldados formaron corro alrededor de los recién llegados y contemplaron curiosamente al chicuelo:

—¡Atiza!

—¿Quién es?

—¿Cómo se llama?

—¿De dónde lo has sacado?

El niño los miraba con ojos feroces y apretó obstinadamente los labios.

—Di, ¿cómo te llamas?

—¿Vienes de algún baile de disfraces?

—¿Qué significan esos dibujitos que llevas en la cara?

García les mostró la señal de sus dientes en la mano.

—Fijaos qué mordisco me ha soltado.

Hubo un coro de risas. El furriel hizo chascar los labios

—¿Te gusta morder a las personas?

El niño paseó en torno su mirada de desprecio y la clavó, finalmente, en la punta de sus zapatos.

—¿Te has comido la lengua, chaval?

—¿No sabes decir nada?

El niño soltó una coz que alcanzó en la rodilla a uno de los soldados: un muchacho adiposo, con el rostro cubierto de granos, que se llevó las manos a la pierna, aullando de dolor.

—Me ha pegado, me ha pegado...

El tono de su voz levantó una carcajada, pero el niño les contempló con ojos llameantes:

—¡Cochinos, sucios, maricas!

La risa de todos se detuvo en seco.

—¿No os lo dije? —exclamó García—. El chaval es lo que se dice una joya.

El grupo de soldados se anilló en torno al prisionero.

—Nos has insultado.

—Mira que llamarnos maricas...

—Pues sí que tiene gracia.

—Ya le enseñaré yo a...

—Dejadle —ordenó García—. Que se entienda con él el alférez; yo no quiero saber nada.

El soldado que había recibido la coz se frotaba la rodilla con un pañuelo y tomó asiento en el banco de madera con ademán dolorido.

—Estoy seguro de que tengo algo roto —sollozó.

García empujó al niño por el hombro, cuidando de no recibir puntapiés y, seguido por todo el grupo, se introdujo en la escuela.

El alférez estaba en la antigua sala de espera, discutiendo la recepción con el brigada y, antes de atravesar el umbral de la puerta, el niño hizo ademán de huir. La emprendió de nuevo a puntapiés con García y los contempló a todos como un animal acorralado.

—Déjenme en paz, déjenme en paz. Aunque me maten, no pienso decir nada.

Extendido en la camilla, había distinguido el cadáver de Abel y recordó, lleno de angustia, las advertencias del *Arquero:* «Te colgarán... ¡Oh, los niños son quienes más resisten...! A veces se pasan horas y horas bailando... No resulta agradable a la vista, palabra...»

Había retrocedido hasta el rincón y se arrojó al suelo con violencia desesperada, golpeando la alfombra con los puños, aullando y pataleando.

—No he sido yo. Le juro que no he sido yo. Yo no he hecho nada. Déjenme en paz...

Hasta que Fenosa se apiadó de él y ordenó al soldado que se lo llevara.

El señor Quintana dejó su taza de café encima de la mesa. Recién rescatado de las llamas por el sargento, se sentía todavía bastante débil y tropezaba con cierta dificultad en la expresión de sus ideas; pero el malestar y el ahogo que oprimían su pecho cedían de modo gradual.

—Fue entonces —dijo—, al enterarme de que el camión que debía transportarlos había sido requisado, cuando decidí mantenerlos reunidos, aguardando la llegada de su ejército. El vigilante también había huido y yo era el único responsable.

Enarcó las cejas, grises, mientras bebía un nuevo sorbo. Parecía que un pintor se hubiera entretenido en dibujarle patas de gallo; sus ojos flotaban en medio de ellas como huevecillos diminutos, presos en una red de araña.

—La tropa no salió hasta las ocho de la mañana; pero, desde antes de medianoche, los niños se habían adueñado de la escuela. Yo les di orden de reunirse después de la cena y se presentaron en mi despacho en actitud amenazante. Su estado mayor se había provisto, yo no sé cómo, de toda clase de armas... A una señal de su jefe me ataron las manos a la espalda y colocaron a mi lado un centinela.

—¿Qué hora era cuando usted vio por última vez a Emilio? —preguntó Santos.

—Las tres. Quizá las tres y media. Recuerdo que el reloj se me paró a las dos y veinte, y no fue mucho más tarde. Su hijo estaba en el pasillo con otros niños, mientras el centinela me empujaba hasta el despacho donde se celebraba mi juicio.

El sargento bebió un poco de agua. La noticia de que su hijo vivía en la escuela y se encontraba sano y salvo le había dejado atontado, inerte. Le llamaba en voz baja: «Emilio, Emilio», pero, ahora que le sabía en vida, tenía miedo de enfrentarse con él.

Hacía tres años que no lo veía y temía encontrarlo cambiado. La guerra había abierto entre padres e hijos un abismo difícil de colmar. Se necesitaba mucho arrojo y valentía para cruzarlo; para tomar a Emilio entre sus brazos y decirle: «De lo ocurrido, todos somos, en parte, responsables, y hemos de procurar que nadie lo olvide. La paz es algo por lo que se debe luchar a diario, si se quiere ser digno de ella».

Estaba absorto en sus reflexiones personales y apenas oía el relato de Quintana:

—¿Decía usted?

El profesor observaba con ojos vacíos el obstinado intento de una mariposa de colores que quería penetrar en la cocina y se estrellaba contra el vidrio de la ventana.

—Mi juicio —repitió—. Había sido condenado a muerte y uno de ellos leyó mi sentencia en voz alta. Luego me llevaron de nuevo a la buhardilla, amordazado y, cuando los soldados evacuaron el colegio, subieron a buscarme.

Dirigió una mirada de súplica a Santos:

—¡Oh!, ya sé que todo esto es difícil de creer, pero le digo la pura verdad. En el bosque, según pude darme cuenta, había división de pareceres respecto a lo que se podía hacer conmigo: mientras unos querían fusilarme, otros, para evitar las consecuencias, preferían simular un accidente.

—Perdóneme que le interrumpa —dijo Santos—. ¿Estaba Abel Sorzano entre ellos cuando lo llevaron a usted al bosque?

—No lo recuerdo. Al menos, si estaba, no me fijé. Los niños se habían fragmentado en varios grupos y el mío estaba formado tan sólo por unos siete u ocho. Yo oía el tableteo de las ametralladoras y sabía que ustedes estaban al llegar. También ellos deliberaron en voz baja

130

y enviaron un enlace a su estado mayor. Cuando el emisario regresó, llevaba una lata de gasolina y entre todos me arrastraron hacia el molino de trigo. Y allí estaría si usted no me hubiese sacado.

Hubo un momento de silencio durante el cual se hizo perceptible el griterío de los soldados en torno de la casa.

—Entonces, desde la noche usted no volvió a ver a Abel Sorzano.

—No —dijo Quintana—, no volví a verlo.

Había extendido las palmas de las manos encima de las rodillas y preguntó:

—¿Qué tiene que ver el niño con todo esto?

El sargento lo miró con gravedad. En sus ojos había una sombra de tristeza.

—Lo han matado —dijo—, y tal vez Emilio sea el asesino.

Las venas azuladas que estiraban la frente del maestro se hincharon súbitamente.

—¿Muerto?

—Sí. Le dispararon un tiro esta mañana.

Quintana había ocultado su rostro entre las manos y Santos creyó, por un momento, que lloraba.

—Es absurdo —murmuró—, todo es absurdo.

Le parecía conocer al sargento desde hacía muchos años y le contempló apesadumbrado, como a un hermano, como a un amigo íntimo.

—Nadie tiene la culpa. A esos niños que no tienen padre ni madre es como si les hubiesen estafado la infancia. No hay sido nunca verdaderamente niños.

—Mi hijo... —comenzó Santos.

—Tampoco puede usted reprocharle nada. Ha vivido demasiado aprisa para su edad. Las ruinas, los muertos, las balas han sido sus juguetes... Los padres deberán, en adelante, comprender este cambio. Si no... se exponen a perder a sus hijos para siempre.

131

Habían callado los dos y Quintana murmuró:

—Conozco a la propietaria de *El Paraíso*. Es la tía de ese chiquillo, e incluso fui a visitarla alguna vez.

—La han avisado ya —dijo el sargento.

—¡Pobre mujer!

Cogió un cigarrillo de encima de la mesa pero, al ir a encenderlo, lo contempló con repugnancia.

—No, creo que no podré soportar el humo nunca más.

El mechero le había resbalado de las manos, no se tomó el trabajo de recogerlo.

—Doña Estanislaa está loca, pero la gente ignora por qué. Yo sé que tuvo dos hijos y que los dos murieron jóvenes.

Las risas de los soldados en el jardín empañaron el silencio que siguió a esas palabras y el maestro golpeó la mesa con el puño.

—Dos, ¿comprende usted? Y ahora el sobrino, por si no fuera bastante.

Doña Estanislaa tomó el violín de juguete que unas horas antes había sustraído del cuatro plazas, y lo colocó en el anaquel del armario, junto a los recuerdos personales de sus hijos.

Los dos eran jóvenes y hermosos: aún inocentes, se los hubiera creído culpables. Cabezas como las suyas requerían un cadalso o un trono. Estaban condenados de antemano y ella no lo sabía. Ignoraba que el precio de la belleza es terrible y el mundo no perdona a los privilegiados. Lo de David se remontaba a una época lejana, en el escenario de una capital de Centroaméri-

ca, y aunque habían transcurrido desde entonces más de treinta años, el recuerdo de lo sucedido se mantenía en su memoria de forma imborrable.

Fue durante un viaje que hicieron a Cuba, el año en que vendieron el ingenio, cuando Enrique propuso hacer un crucero: «Podríamos recorrer el Caribe, querida, los meses próximos son los mejores del año y creo que tanto tú como el niño andáis necesitados de reposo. Los Blázquez tienen casa en Balboa y se sentirían felices de poder acompañaros». Así le había hablado él, el hombre con quien estaba casada y que, durante su vida, tanto la había hecho sufrir, y ella no halló en sí misma suficiente resistencia para oponerse a la locura de sus planes. La venta de las tierras del bisabuelo le hizo mucho daño... Todo se perdió de modo absurdo: el ingenio, sin saber cómo, se había escurrido de sus manos. Cuando estampó su firma en la escritura, no pudo menos que llorar. «Vamos, querida —dijo Enrique—, ante esas cosas no queda otro remedio que resignarse.» Pero él, el marido, no daba a los recuerdos ni a las cosas ninguna importancia.

Ella había admirado siempre esa capacidad suya de mantenerse desvinculado de todo, de no permitir que ningún sentimiento le afectara. Trató incluso de imitarle: cerrar los ojos y seguir adelante. No pudo. La empresa era superior a sus fuerzas. Mil veces se había dicho a sí misma: «¿Por qué tengo que ser de ese modo? ¿Por qué he de sufrir tanto?» No sabía qué responder. Una fuerza oscura la impulsaba, sonámbula, adelante. Puesto que era sincera, estaba condenada a ser desgraciada. Loca en un mundo de gente razonable, eterna peregrina, deseaba tan sólo que sus hijos no fuesen así, que heredasen la insensibilidad del padre; la vida, al menos, no los encontraría indefensos. Pues la gente dice que sufre y habla en falso; sólo yo sé lo que es sufrir;

de una vez para siempre es preciso que me resigne a no tener apoyo en nadie.

... Se dejó engañar por un rosario de mentiras. Se sentía de tal modo destrozada... David le había tendido sus manitas con ademán de súplica: «Di que sí, mamita, di que sí»; sus lágrimas rompieron el fiel de la balanza. Tenían dinero abundante para emprender el viaje y Enrique sólo pensaba en divertirse y malgastarlo. Ella no se dio cuenta entonces; su confianza era todavía ilimitada y creía de buena fe que, pese a su indolencia, se mantenía fundamentalmente puro. Todo el mundo lo sabía ya. Sus vicios eran del dominio público y únicamente ella vivía en el engaño.

Enrique había hablado incluso de montar algún negocio con el importe de la venta el día que regresaran del viaje: «Algo que sea productivo —dijo—. Por ejemplo, importación de maquinaria». Cometió la ingenuidad de hacerle caso; le hubiera hecho tan feliz que su marido trabajara... Era absurdo que un hombre como él se dedicara a vivir de renta. Ella le hablaba siempre de las empresas de su padre, con la esperanza de estimularle a una vida más activa, pero todo había sido inútil. De haberla escuchado, las cosas hubieran seguido muy distinto rumbo.

Pero ya en aquella época, Enrique pensaba solamente en sus placeres y por nada del mundo hubiera renunciado a aquel viaje. Habían ido juntos a encargar los billetes y, durante el regreso, no pudo ocultar su entusiasmo: «Esto debe ser una nueva luna de miel, querida. Ahora, todo ha de comenzar entre nosotros». (Palabras que ella enlazaría más tarde al recuerdo de sus claudicaciones cotidianas, cuando regresaba, bebido, del casino y le pedía, llorando, que le perdonara.) La última noche que durmieron en La Habana, no pudo separarse de David. Contemplaba su cabeza como si supiese de antemano que faltaba poco tiempo para que el destino la segara, y, por vez primera, se sintió desgajada del marido. El amor que experimentaba hacia el niño no redundaba en beneficio de su padre, sino que la disponía, más bien, al juicio crudo y a los anatemas morales: «También él es de los verdugos —pensó—, y nada de lo que pueda ocurrir, a mí o al niño, le importa absolutamente nada».

Partieron. El buque recorría, indolente, las costas antillanas, con su espalda de gigante tostada por el sol. La Luisiana, Méjico, Centroamérica y, por fin, Panamá. Cuando llegaron a Balboa, era la víspera de Carnaval y la ciudad se engalanaba febrilmente para los bailes y festejos. Habían alquilado un coche de punto y recorrieron la ciudad de parte a parte. Anochecía y los farolillos de colores que emitían destellos de luciérnaga a lo largo de las calles ponían en el ambiente una nota irreal, casi fantástica.

Todo presagiaba la proximidad de la catástrofe. El calor era insoportable en aquella época del año. Las bebidas entraban por la boca y salían por los poros sin lograr calmar la sed. El sol caía a plomo sobre las calles y las plazas: lagartijas borrachas corrían por las aceras de mosaico; los ventiladores zumbaban monótonos en los pasillos del hotel y oleadas de aire cálido acariciaban sus rostros empapados. Sólo la noche, con su brisa fresca, infundía algo de calma. Durante largas horas permanecía acodada en la ventana. Las palmeras del patio, iluminadas desde abajo, eran como explosiones de bengalas, con sus frágiles ramas desplegadas en el cielo en forma de abanico. La mosquitera velaba, como pálido fantasma, el sueño inocente de su hijo y una orquesta nocturna, hecha de parloteos y de gritos, acompañaba el lento transcurrir de las horas, que marcaba el carillón de una iglesia.

Entonces pedía a Dios que protegiese la vida de David, se inclinaba sobre su cama de metal y rozaba su frente con los labios. Todas las noches, siguiendo el ejemplo de su madre, refrescaba sus mejillas con agua de colonia. El niño suspiraba aliviado y en sus labios se dibujaba una sonrisa. A veces, cuando abría los ojos y la veía despierta, velando, la acariciaba con sus manitas. «Duerme, tesoro —le decía entonces—, mamá se queda aquí, a tu lado.» Eran momentos de amor y de ternura que David apreciaba en su valor exacto, dotado como estaba, a aquella edad temprana, de un corazón maduro y noble. Ella sabía que las restantes madres abandonaban a sus hijos para asistir al Carnaval, pero no podía seguir su ejemplo. La idea de que David pudiese llamarla durante el sueño la trastornaba. Cuántas veces, al despertarse de alguna pesadilla, la había buscado implorante: «Gracias, gracias, mamaíta», decía. Sí, trataba de comprender la conducta de las restantes madres y no lo conseguía. «Vamos, querida —argumentaba Enrique—, al niño no va a ocurrirle nada porque salgas conmigo una noche. También la señora Blázquez tiene chiquillos y se las arregla siempre para ir de picos pardos.» Pero ella les decía a él y a todos: «Dejadme ser como soy, os lo ruego. Si me hace feliz velar su sueño, ¿por qué tengo que abandonarle?» Y mientras la ciudad ardía en fiesta y todas las madres bebían y bailaban, permanecía junto al lecho del niño, como un hada benéfica, susurrando a su oído palabras de ternura y confianza.

Enrique había perdido, entretanto, su último freno moral. Salía por las noches con grupos sospechosos de amigos y amigas. La abandonaba. Ya en el barco se había hecho patente su afición a la bebida, pero creía que, al menos, era incapaz de faltarla. Su desengaño fue grande cuando supo la verdad; tan pura como era, la suciedad de los otros le resultaba doblemente antipática. Sabía lo que los hombres entendían por amor: llevaba ocho años de casada; pero, a pesar de ello, conservaba la misma inocencia de antes. A menudo sucedía que sus amigas trataban de hacerle confidencias sobre asuntos personales, pero jamás quería oírlas: «Sí, ya sé que todo eso existe —les decía—, pero dejadme creer que hay otros seres para los que nada de esto tiene importancia», y entonces acudían a su mente las palabras de su padre: «Que la vida sólo es apariencia, que el destierro nos separa de los ángeles y a nosotros corresponde el luchar y el elevarse». Tal vez estaba chapada a la antigua, pero prefería creer que los niños venían de París.

Fue una tarde de febrero, después de Candelaria. El marido la había dejado una hora antes, creyendo que dormía, pero no pudo conciliar el sueño. A aquella hora el agobio resultaba insoportable y decidió bajar al vestíbulo para beber algo fresco. El bar del hotel era un establecimiento típico de aquellas latitudes, con los estantes llenos de botellas y los carteles de propaganda escritos en inglés. En la atmósfera pesada y quieta, la barra se agitaba y ondulaba como un fenómeno de espejismo. Se había acercado al mozo para pedirle un jarabe de menta. Desde el vestíbulo se oían las risas de un grupo de personas reunidas en el patio. Una fila de palmeras enanas la ocultaba por completo a sus miradas y, por uno de sus claros, trasvió, de pronto, al marido.

Aunque el follaje de las palmeras fuera espeso, Estanislaa podía verlo muy bien: Enrique llevaba su mejor traje de hilo y un jipijapa de ala ancha; de espaldas a ella, estaba repantigado en la butaca, con las piernas entrecruzadas y el brazo extendido sobre el respaldo de la silla vecina. Le pareció que el tiempo se detenía y que el espacio se inmovilizaba. Era como si lo viese todo a través de unos prismáticos; la mano de él, blanca y peluda, apoyada en el hombro de la señora Blázquez, sus piernas rozándose debajo de la mesa. A su alrededor otras personas reían y charlaban, pero sólo veía la mano de él y un pequeño fragmento del brazo de ella, el contacto de sus cuerpos, viscoso, degradante. No sabía cuánto tiempo había permanecido así. Unos segundos tal vez largo rato. Recordaba tan sólo que el vaso del refresco se le escurrió de entre las manos: una lluvia de estrellas había cubierto el piso. El hombre le preguntó: «¿Le ocurre algo? ¿Se encuentra usted mal?», pero ya había dejado el bar y atravesaba el vestíbulo tambaleándose.

Dios mío, ¡Dios mío! Había corrido al encuentro del hijo con verdadera avidez. Necesitaba algo de paz, de consuelo, y aquel niño le era tan necesario... Su simple presencia constituía un reposo para sus ojos. Cuántas veces, viéndola afligida por los extravíos del marido, con ademán más expresivo que cualquier palabra, le había rozado la cara con los labios: «¿Te sucede algo, mamita querida?» Ella decía que no; trataba de ocultar sus lágrimas: «No es nada, tesoro, nada de importancia»; pero él sabía ya por qué disimulaba y, estrechando su mano entre las suyas, quería infundirle ánimos: «El día que sea mayor, ganaré mucho dinero y tendremos un palacio para los dos. Papá habrá muerto ya y nadie te hará sufrir». Cuando el mundo se mostraba vacío e injusto, él era el único que la amaba. Débil como ella era, estaba cansada de ser el soporte de sus semejantes. Rodeada de seres indecisos, la vida la había obligado a asumir un papel difícil. Pero ya estaba harta de derrochar; de dar sin obtener nada a cambio. También deseaba apoyar la cabeza en el regazo de alguien, dejarse acariciar por sus palabras.

Aquella tarde, sin separar su mano de ella, David había preguntado: «¿Verdad que papá es malo? ¿Verdad que va con mujeres malas?» El angelito la miraba a los ojos y sintió que sus párpados se inundaban de lágrimas.

«Corazón, corazón mío —balbució—, tu madre te quiere más que a nadie y que a nada.» La había arrastrado consigo por las callejuelas del barrio bajo y, con ternura que jamás olvidaría, comenzó a besarle la mano: «Mamá, mamá querida, yo sólo te quiero a ti. Papá ha sido siempre malo» y, aunque ella intentaba contradecirle: «Calla, calla, los niños deben querer a sus padres», David no le hizo ningún caso: «Pues yo no le quiero. Yo solamente te quiero a ti». Era un ser maduro ya. Ningún razonamiento falso lograba engañarle. «Es como yo —pensaba—. En la vida será muy desgraciado.»

Paseaban por un barrio feo y sucio. Las mujeres se asomaban con sus disfraces de colores a los balcones de las casas y unos hombres con el cuerpo untado de aceite parecían desnudarlas con sus sonrisas. Algunos murmuraban palabras inconvenientes cuando pasaban a su lado, y David, el angelito, quería saber lo que significaban: «No es nada, querido. Cosas feas; nada que tenga importancia», pero todo su cuerpo temblaba de vergüenza, y el niño, a quien nada pasaba inadvertido, no pudo ocultar sus lágrimas; y así, llorando, habían recorrido, extraviados, las callejuelas hormigueantes, rodeados de gentes que reían y chillaban, les arrojaban puñados de confeti y agitaban ante ellos el revoltillo de sus máscaras.

Regresó al hotel enferma. El marido —la aguardaba para asistir al baile de la señora Blázquez —pretendía que era el agobio del clima y le suplicó que le acompañara. Pero ella se sentía destrozada moral y físicamente. Las emociones de aquel día habían agotado su capacidad de resistencia. No deseaba salir ni ver a nadie. Él podía ir adonde le diera la gana. Si la señora Blázquez le había invitado, era muy libre de complacerla. No. Ella no. Ella se quedaba en el hotel con el niño. Le dejaba entera libertad en cuanto a la hora del regreso. Como si no quería volver y dormir en casa de la señora Blázquez. A ella le daba lo mismo.

Pero Enrique había insistido. Suplicó, se lamentó, crispó las manos. Estaba atrapado en la red de sus embustes y no encontraba medio de zafarse. ¡Por favor, por favor! Y, de puro desprecio, le había dicho que sí. La idea de que pudiera creerla celosa la espoleaba. Ella, que tantas ofertas de amor había recibido a lo largo de su vida (centenares de billetitos escritos en francés, que conservaba dentro de una arca japonesa, perfumados y envueltos en cintas de seda), no podía dejarse abatir por un hombre de su calaña. Si él la creía incapaz de divertirse, le demostraría exactamente lo contrario.

Quedaba por solventar la cuestión del niño, y el diablo (sí, el diablo, porque su presencia se aferra a nuestro cuerpo lo mismo que una sombra y nos acecha con sus trampas) le había aconsejado alevemente. Hablaba por la boca del marido y decía: «Será mejor que se quede en el hotel. Si se aburre, puede jugar en el patio. Allí no puede ocurrirle nada. Cuando regreses, lo encontrarás bien dormido». Aún ahora recordaba los ademanes tranquilizadores de sus manos, el brillo ansioso de su mirada. Para comprar su consentimiento, había regalado juguetes al niño: desde su cuarto le oía reír, despreocupado.

Era la última vez que oía su voz y no lo sospechaba. ¡Ah, cuántas veces había querido luego interrumpir la película, revivir el tiempo en sentido inverso, abandonar la sala de espectáculos! Como esas pesadillas en las que, por mucho que uno se esfuerce, acorralado por mil enemigos, no logra avanzar un paso, retorcía las manos de angustia contemplando el patio desde la ventana. Su garganta quería forzar el grito y no lo lograba. Una y otra vez la escena se repetía invariable: el marido y ella vistiéndose para el Carnaval (organdí, peluca, mascarilla, perfume y polvos blancos); descendiendo por la escalera del hotel bajo la complaciente sonrisa del mayordomo («Buenas fiestas, señores»); su mano enguantada describiendo aleteos de paloma (en la jaula del vestíbulo zureaban)...

Han llegado al patio: es cuadrado y amplio, embaldosado de color rojo, y tiene en las esquinas cuatro palmeras gigantes, enguirnaldadas de enredaderas tropicales, que proyectan en el centro una sombra fresca y susurrante, estremecidas siempre por la brisa y siempre jóvenes. David lleva pantalón corto de hilo y una camisa listada. Su padre le ha entregado una matraca y la agita en el aire, riendo. Tampoco él *sabe*. Y ella, Estanislaa, en virtud de un extraño desdoblamiento, se veía también «en personaje»; dialogando con la doncella del piso, ultimando los detalles de la cena del niño. A veces, una loca esperanza en sí misma le quemaba las entrañas. Bastaría un ademán, un grito, para romper aquel encanto. El pasado saltaría hecho añicos. Por ejemplo, un telegrama: «La fiesta queda suspendida». Pero el personaje no le hacía ningún caso. Autómata, ciego, se entregaba en manos del destino con los ojos vendados. Besaba la frente del niño. Le decía adiós con el pañuelo. ¡Oh, no, *basta, basta*!

Lo restante era abigarrado, confuso. Las escenas se mezclaban unas con otras, sin solución de continuidad. Eran piezas de rompecabezas, como bocetos de linterna mágica: un árbol de Carnaval plantado en medio del patio; niños con pieles de leopardo bailando en torno del tronco, de cuya cima pendían cintas de colores que trenzaban y destrenzaban al compás de la danza; pañuelos, espejillos, roscas de pan, carretes de hilo cubrían

141

por entero las ramas del árbol, y sus flecos peinaban el viento, alborotados. Una dama criolla, que la había estrechado entre sus brazos, susurrándole cumplidos al oído: «Beba, goce». Una madre bailando el tamborito con el hijo a sus espaldas, envuelto en un rebozo que anudaba sobre el pecho: entre los giros de la danza y el revolotear de los pañuelos, su cabeza flotaba en plena marejada, tocada de un sombrero diminuto.

Ella se había aproximado a un grupo de curiosos que rodeaba a un hombre que tañía la guitarra; un tipo del campo, de semblante rudo y ojos violentos. Sujeto a la cintura, un látigo flexible cimbreaba como la cola de un lagarto. Sus cabellos eran negros y anillados y había visto sus dientes blanquísimos mientras salmodiaba:

> Canten, canten, compañeros;
>   la vida es corta.
> De qué me están recelando
>   después que goce.
> Yo no soy más que apariencia.
>   La vida es corta.
> Sombra que anda caminando;
>   después que goce...
>   nada me importa.

Pasaron los días y los años y no olvidaría aquel poema. Cada uno de sus versos respondía a un acorde íntimo del alma. Los escuchaba llena de respeto, intentando descifrar su contenido y, sin saber cómo, el nombre del niño acudió a sus labios. Durante largo rato había tomado parte en la danza, mientras todo giraba en torno a ella y las gentes cambiaban de cara: rostros de niños sobre cuerpos viejos, mascarillas horribles, juventud prestada. Buscaba con la mirada al hombre del látigo, pero no lo encontró. Alguien, el portero, le dijo que había salido. «Se presentó aquí sin previo aviso —explicó—, no era ninguno de los invitados.» Sin nombre, sin destino, su presencia no tenía otro móvil que leerle el mensaje. Luego, cumplida la misión, había partido. Su caballo, más ligero que el viento, dejaba en aquellos instantes una estela con la clave del enigma.

Los huéspedes danzaban embozados y no conseguía identificar a su marido. Preguntaba: «Enrique, ¿eres tú?», y unos ojos malignos sonreían en la estrecha hendidura de la máscara. La engañaban. Todos participaban en el juego: demonios indios la ceñían audazmente por el talle; leopardos feroces le arrojaban puñados de confeti. Un deseo frenético de hablar con el niño le abrasaba la garganta. Muchas veces, durante una reunión mundana, le ocurría algo parecido. Se le antojaba asistir a una velada teatral, en la que cada personaje recitaba su papel al pie de la letra. Entonces se sentía a diez mil leguas de distancia y le invadía el deseo de huir. Un día, durante un baile celebrado en su honor, en *El Paraíso,* había corrido descalza por el campo, con su exquisito traje de tul y lentejuelas flotando al viento, como una bandera desplegada. De haberla visto así, su marido y las gentes vulgares la hubieran tomado por una loca; pero sólo le interesaba la estima de los seres excepcionales. En un salón, rodeada de gente como Enrique, se asfixiaba. Aquel día, por ejemplo, la necesidad de abrazar al niño le hacía sentirse enferma. (Aunque todo el mundo la creyese espiritual y refinada, era, en el fondo, un ser primitivo. Las otras mujeres que asistían a la fiesta tenían tal vez hijos que lloraban su ausencia en la oscuridad de sus cuartos, lo cual no les impedía danzar y divertirse. Ella, Estanislaa, las envidiaba, pero pertenecía a distinta estirpe. El amor que sentía hacia aquel niño era salvaje; no admitía ningún compromiso.) Había descubierto a Enrique en un ángulo de la sala y acudió a él, presa de vértigo. «Vámonos —dijo—, son más de las doce y el niño me necesita para acostarse.» Las palabras se atropellaban en su garganta y resultaba difícil ordenarlas en forma de discurso. «Sé razonable, querida —dijo él—. No podemos irnos así como así. Hace solamente una hora que hemos llegado y todo el mundo se extrañaría.» «El niño me necesita.» El cuerpo le temblaba como una hoja, y un frío extraño inmovilizaba sus labios. Enrique la miró con gesto solícito: «Vamos, vamos, tranquilízate. A estas horas, David estará bien dormidito, en la cama». Tal vez sabía ya la muerte de su hijo y quería engañarla; la dueña de la casa se exhibía en el salón y para Enrique era lo único que importaba. La idea se le había ocurrido mucho más tarde, cuando, con la frente ensombrecida, repasaba los pormenores de aquel día en busca de su común denominador, y si únicamente podía formularla como una mera hipótesis, ninguna razón de peso permitiría rechazarla de plano.

Corrió al invernadero. Ávidamente se inclinaba sobre las orquídeas, los girasoles y las dalias. La cabeza le daba vueltas. Los ojos se empañaban de lágrimas. Un solo nombre en sus labios: David. Lo invocaba como una plegaria, lo repetía como un conjuro. Las notas jubilosas de una canción criolla ascendían desde el patio; los invitados reían y se arrojaban puñados de confeti; otros devoraban manjares y bebidas: el *Atolito*, el *Guarapo*, los *Niños Desnudos*, el *Mojón del Perro* y el *Bien me Sabe*. Pero en sus oídos percutían tan sólo los versos del poema: *No somos más que apariencia. La vida es corta. Sombras que andan caminando. Después que goce, nada me importa.*

No había bebido aún y se descubrió borracha. Todo se paralizaba en torno a ella. En el vestíbulo se oían pasos, susurros, voces sin sentido. Las parejas bailaban al ralentí, igual que trompos, y se inmovilizaban poco a poco. La consigna había llegado a los músicos, que abandonaban sus instrumentos. Unicamente un mulato pulsaba las cuerdas de su guitarra y el sonido le produjo el efecto de una descarga eléctrica. Comenzó a temblar. Sentía una sed horrible y, a tientas, buscó un vaso de agua. «Por favor, por favor.» Los invitados retrocedían a medida que se acercaba y, en silencio, se despojaban de sus caretas y antifaces. Sus rostros estaban pálidos, como cubiertos de una lámina de cera: la miraban y no decían nada.

«...¡Oh, yo no podía pensar! Oía tan sólo las notas de la guitarra y me espejaba en los ojos vacíos. Descubrí a Enrique, blanco como un mármol, y me aproximé tambaleándome. "El niño, el niño", gritó. "¿David? —dije—. ¿David?" No *podía* comprender. Las caretas policromadas me hacían guiños, los obsequios del árbol oscilaban y en la sala de al lado se oían, en sordina, las risas de un borracho. Residuos de alegría, farolillos, serpentinas, adornos de colores temblaban sobre el emparrado. Todo el mundo había perdido la voz y mi lengua era como de goma. Luego, un niño intempestivo irrumpió en el salón agitando una matraca y alguien le dio una bofetada. La copa se derramó, al fin. "David", grité. Pero ya era demasiado tarde: mi hijo había muerto y nadie podía resucitarlo.

»Su entierro fue algo muy bello, querido Abel. Yo estaba como dormida, muerta. Aunque me hubiesen traspasado el cuello con agujas, no habría sentido nada. No comprendía la magnitud de lo ocurrido y despreciaba a las gentes que acudían a consolarme. Habían instalado el velatorio en el centro del patio, y un coro de lloronas gemía y suspiraba. El dueño del hotel dispuso, según la costumbre, la fiesta en honor del niño. Todo el mundo estaba invitado; los negros bebían botellas de alcohol puro y elevaban sus preces borrachas por la gloria del alma.

»El cuerpecito yacía en el centro del patio, cubierto de flores. Flotando en un mar de pétalos, sobresalían tan sólo las manos y la cara. Yo misma ceñí su frente con una corona de perlas —después de haberla ceñido tantas veces con la corona efímera de un beso— y adorné sus hombros con alitas de cartón plateado. Antes de partir, ocho niños vestidos de blanco bailaron el vals *Dios nunca muere* trenzando y destrenzando sus pañuelos.

»Estos mismos niños cargaron el ataúd sobre sus hombros. Era como el entierro de un pájaro, de una flor silvestre. La caja estaba adornada con arcos de cartoncillo cromado, cintas de colores y banderitas de oro volador. Todos los invitados arrojaban flores a su paso...»

Doña Estanislaa cortó el relato de improviso. Era como si el aliento se le hubiera extinguido entre los labios. Abel había seguido su historia, cabizbajo, con la mirada absorta en los senderos del laberinto. Entre las bayas y hierbas silvestres, las amapolas ponían una nota de color desesperado; los cipreses recortaban sus siluetas afiladas en un cielo intensamente azul. Y de pronto, por arte de magia (o del hambre que llenaba su sueño de visiones aéreas y le rodeaba de seres alados y flexibles), todo el paisaje se había poblado de fantasmas. Un cortejo de chiquillos descendía las gradas del sendero que llevaba a la terraza, con un ataúd sobre los hombros. Un primer niño, más bajo que los restantes, abría la marcha del cortejo agitando una vara delgada, con la que hacía, manteniéndola siempre en equilibrio, extraños juegos malabares. El muertecito, a hombros de sus pequeños compañeros, iba vestido de blanco, como el niño del relato, y alguien había puesto una flor entre sus dedos. Los otros venían detrás, cuidando siempre de mantener el paso.

146

Abel había intentado ver mejor. El sol de agosto le daba en plena cara y era preciso poner sobre los ojos la concha protectora de una mano. El cortejo era largo, inmenso. Se perdía en el horizonte, de tal modo, que los últimos niños se confundían con las flores que había sembrado algún jardinero remoto. Algunos se llevaban a los labios flautas de caña que no emitían sonido alguno. Otros tenían cestillos de retama que arrojaban sobre el cadáver del niñito, como menudos monaguillos incensando. Se alejaban. Con sus túnicas ondeando al viento, le daban la espalda. «Aguardad.» Abel sintió deseos de correr tras de ellos, de tomarlos también de la mano. Una lluvia de pétalos cubría las gradas del sendero. Como Pulgarcito, podía seguir su rastro. Pero ¿no se los comerían también las aves? ¿Qué haría entonces, perdido, con el cadáver del niño entre los brazos?

Había abierto los ojos y tropezó con su sonrisa: «Los has visto, ¿verdad que los has visto?» Le había atraído hacia sí y sus dedos se difirieron en sus mejillas mientras le hablaba: «También yo los veo algunos días y, a veces, he conseguido *tocarlos*. Lo cual no tiene, por otra parte, nada de extraordinario. Son tan borrosos nuestros límites... La realidad es algo tan vago... Aquel hombre, el guitarrista, me lo había enseñado: no somos más que apariencias, sombras que caminamos».

Su mano había descrito un semicírculo que lo abarcaba todo: la casa, la bahía, el mar y el campo.

«Cuando todo esto no sea más que un montón de ruinas y mi cuerpo haya adornado la belleza de alguna flor silvestre —en sus pétalos todo mi perdido encanto—, mi presencia seguirá obsesionando esos parajes y no faltará a la cita si le llaman.»

...El otro hijo se llamaba Romano y había sido desde niño un ser extraordinario: delgado, pálido, sensible, atraía la atención de todo el mundo por la belleza sorprendente de sus rasgos. (Pegados en las páginas de un álbum, Abel contemplaba centenares de retratos, como si la madre, presintiendo su destino, se hubiese armado, contra el olvido, de abundantes coartadas.) Estaba destinado a ser feliz. Desde su nacimiento, había visto en él como el anuncio de una nueva vida; el ser maduro y fuerte en el que un día le sería dado apoyarse cuando, cansada de haber dilapidado su amor entre los seres, desease restaurar sus fuerzas maltrechas en el amor y compañía de alguien.

Este apoyo, que el ejemplo del padre, prematuramente muerto, le había hecho desear y que su marido fue incapaz de prestarle a lo largo de su vida, aquel niño se lo habría devuelto con creces el día que hubiera tomado entre sus manos las riendas de la casa. Ella habría reposado al fin. Sólo los seres excepcionales pueden satisfacerse en entregar sin recibir nada a cambio y aquel niño adorable, su hijo, era de su misma estirpe: se negaba a razonar con el amor. No comprendía el cariño mesurado. A los doce años había vaciado la cartera de su padre para inundar la casa de flores, en un impulso que jamás olvidaría.

Lo recordaba como si fuese ayer. Era media mañana y una luz limonada, brumosa, se filtraba a través de los visillos. Romano había salido de paseo con el ama y ella había bajado al portal a despedirle. Después, subió a la cocina. Era el día de su propia onomástica y tenía que preparar algo. Se disponía a dar las órdenes precisas cuando sonó el timbre de la puerta. Ella misma fue a abrir. En el rellano de la escalera había un botones uniformado, con un gigantesco ramo de flores blancas. Le tendió un sobre cuadrado, con su nombre y señas escri-

tas en un ángulo: «A mamá, de su Romano». Nunca
olvidaría aquellas palabras escritas con letras de colegial, más bellas que cualquier ofrenda. Luego, durante
toda la mañana, habían llegado otras flores. La casa era
como un jardín de color blanco y el nombre de Romano
lucía en todas las tarjetas.

El marido, al regresar, se puso frenético. Acababa de
descubrir la desaparición del dinero e intentó pegar al
chico. Pero ella se interpuso con los ojos anegados por
el llanto: «Déjale, soy yo quien tiene la culpa». Había
sido tan gentil por su parte... También ella a su edad
hacía cosas semejantes. Por una sonrisa de su padre hubiese cometido cualquier delito. Sí. Lo comprendía. Una
madre juiciosa debería regañarle. Pero Romano era un
caso distinto.

Enrique juzgaba a su hijo como un niño ordinario. Le
hubiera gustado educarle como a los otros chiquillos,
cortarle las melenas, enfundarle en una blusa azul y
enviarlo a un colegio de pago. Le explicaba: «Querida,
los Reverendos Padres saben lo que se hacen. El niño
no tiene aquí ningún amigo. Si se acostumbra a vivir
solo, acabará por volverse huraño. Además, ya es hora
de que le quites los rizos y le saques las muñecas de su
cuarto. A su edad, yo iba pelado al rape y jugaba con
los chicos a hacer guerras». Pero ella le decía: «Romano
no es un ser como los restantes. Nada de lo que pueda
gustar a aquéllos está hecho para él. Sometiéndolo a
una disciplina, no conseguirías otra cosa que vulgarizar-
lo. Además, si el niño es feliz conmigo, ¿por qué te
empeñas en separarnos?»

En *El Paraíso* habían adquirido la costumbre de ofren-
darse mutuamente algún regalo: ella le daba golosinas,
juguetes, disfraces, bolas de colores, y recibía, en true-
que, ramos de amapolas, caracoles marinos y hasta, a
veces, billetitos de enamorado, que conservaba religio-

samente ocultos en una cajita de laca, envueltos en cintas de terciopelo. A menudo ocurría que el marido la obligaba a salir de casa para cumplir con sus deberes sociales. Pero ella partía con la seguridad de que el angelito no iba a olvidarla. Rodeada de seres frívolos y huecos, su pensamiento reposaba en aquel niño extraordinario que, aun metido en el lecho, se acordaba de ella y le escribía sabiendo que su lectura, en el momento del regreso, debía reconfortarla.

Doña Estanislaa se sacó un sobrecillo del pecho y lo abrió con sumo cuidado, después de aspirar su perfume: «*Ha oscurecido hace mucho rato y la luna me hace pensar en ti, mamá querida. Pero tú eres más hermosa.* — ROMANO». Una pincelada de sonrisa esmaltó la boca del chiquillo. Doña Estanislaa le miraba con ojos tiernos y acariciantes. Abel presentía que iba a preguntarle algo y se apresuró a decir:

—Exquisito.

—¿Verdad que sí?

Parecía verdaderamente encantada y su mano le obsequió con una caricia: también él era un ser extraordinario, puesto que nada de lo que decía le escapaba. Claro está que, de otro modo, tampoco le hablaría como ahora le hablaba. Eran muchos los seres que a lo largo de su vida habían pretendido esta confianza que, sin embargo, no quiso otorgarles.

En esa época —prosiguió—, nuestra fortuna había disminuido de modo considerable. Enrique se obstinaba en no hacer nada. Por si fuera poco, se había metido en espeeulaciones desgraciadas, que acarrearon la pérdida de grandes sumas. Durante la guerra europea, por ejemplo, había comprado marcos. Sus amigos del casino le metieron en la cabeza la idea de que iban a vencer los alemanes: «Bastará un pequeño esfuerzo en Gallipoli y Europa entera estará en sus manos. Entonces llegará la hora del marco». Pero la guerra había seguido un curso muy distinto al supuesto por los militares del casino. Los franceses recibían cada vez mayor ayuda y Alemania perdía lo ganado. Las monedas aliadas subían de valor, los especuladores se enriquecían bajo mano, las gentes se desprendían de los billetes alemanes y él seguía obstinado, almacenando marcos y más marcos. La casa estaba llena de billetes: hubiera podido tapizarla con sus horribles efigies. Pero, aunque ella lo había pronosticado desde un principio —su padre había dicho siempre que se hallaba excepcionalmente dotada para las finanzas y la política—, no quiso pedirle cuentas. Se contentó con expresar su desdén el día que se acercó a ella llorando. Recordaba la escena con claridad: el fuego de la chimenea, encendido; los periódicos, dispersos por la estancia; el niño, dormido en su regazo. Enrique tabaleaba sobre el brazo del sillón. Tenía junto a sí una botella de whisky y acudía a ella a intervalos regulares. La Prensa acababa de dar la noticia de la depreciación y en la casa reinaba un silencio que era casi zumbido. Fue entonces cuando algo más fuerte que ella la había impulsado hacia delante. Se levantó, abrió la caja de caudales en que guardaba los fajos de billetes y, uno a uno, los fue arrojando a la hoguera. Los billetes crepitaban, crujían, se retorcían; inundaban de luz todo el despacho. Con las luces de la lámpara extinguidas, la habitación era amarilla. No sabía cuánto tiempo había permanecido así, arrodillada, atizando el fuego. Cuando terminó, el niño estaba despierto y contemplaba la escena con ojos absortos. «Corazón, corazón mío», había dicho ella. Aguardó a que todo fuese un montón de cenizas y se puso de pie. Su marido estaba hundido en el sillón y se tapaba la cara con las manos. Ella se limitó a decir: «Mi pobre amigo». Y abandonó la habitación con el amor de su vida entre los brazos.

151

Había perdido mucho dinero, pero no quería que el niño se diese cuenta de nada. Hubiera sido terrible para él averiguar que los asuntos no marchaban por la inepcia de su padre... Prefería soportar el Vía Crucis sola. Y así, mientras sufría en secreto las afrentas del marido, se las arreglaba para ofrecer a su hijo un rostro lleno de confianza. Fingía que los negocios iban viento en popa. Le engañaba como a una criatura. Pero era feliz porque pensaba: «Llegará un día en que Romano se hará cargo de todos mis problemas y entonces cesaré de sufrir». El ser maduro y noble en el que siempre había soñado, era este niño, su hijito: su Romano bien amado. Entretanto, debía resignarse. Con paciencia, aguardaba la llegada de su hora.

Cuando tenía quince años, decidió enviarlo al extranjero. Enrique había tratado, en un principio, de oponerse. Decía que Romano era un chiquillo, que su estancia sería demasiado cara. Pero ella repuso: «Romano es un ser extraordinario, contra el que jamás podrá ningún peligro. De cada cosa aprecia únicamente lo que es bello y, como una abeja, elige el polen antes de probarlo». Ningún obstáculo la arredraba con tal que Romano lograse ser feliz. Diariamente recibía, desde lugares distintos, sus cartas de enamorado: matasellos de lejanos países, direcciones en lenguas extrañas. Romano era completamente dichoso y eso era lo único que importaba; y aunque la separasen miles de kilómetros, ella se sabía acompañada, mucho más acompañada que por el marido, por ejemplo, pues el amor es más fuerte que nosotros, como hojas livianas nos proyecta más allá de donde estamos, prescinde de la presencia física, inyecta realidad a nuestra apariencia.

Todos los años aguardaba con impaciencia la llegada del verano, a cuyo comienzo el niño se instalaba en *El Paraíso*. Era el hijo pródigo, el heredero perdido y recobrado. Para Romano, como para ella, aquello significaba el comienzo de una nueva vida. Mutuamente buscaban su compañía en los rincones y escondrijos de la casa, se aislaban de Águeda y del marido, y modificaban las reglas del horario. Con preferencia se reunían después de cenar y permanecían despiertos hasta la hora del alba. Romano le contaba cómo la había echado de menos durante el viaje: «Deseaba tenerte siempre junto a mí», decía. Ella contemplaba el parpadeo de la luna sobre el mar y se dejaba acariciar por sus palabras.

Se necesitaba algo más expresivo que el lenguaje para describir aquello: el faro de la costa barriendo la bahía con sus aspas; los cipreses recortados en el cielo, como ante una lámina de papel de estaño; el cable del pararrayos con sus quejidos de violín. Su compañía tenía el encanto melancólico de todo lo fugaz. Las hojas del calendario volaban arrastradas por el viento de septiembre: presentían ya la desnudez del invierno. Pero ella se decía en sus adentros: «Romano parte para volver a hacerse cargo de lo que le pertenece por la sangre. Los tesoros de experiencia acumulados no habrán llovido en el vacío». En la medida de lo posible, permanecía junto a él. Sus ojos grababan, sin tregua, instantáneas exquisitas de su hijo: como un dios antiguo, corriendo por la playa, su cabello revuelto por el viento de otoño; disfrazado de novia, con encaje y mantilla, ante el espejo de la sala. Pero el marido seguía sin comprender. Lo encontraba excesivamente mimado. Se enfurecía.

Su carácter había cambiado mucho durante aquellos años. Comenzaba a darse cuenta de lo inútil de su vida. La existencia cómoda, por la que tanto había suspirado, se volvía, como un bumerang, contra él. No sabía qué inventar para llenar el hueco. Durante todo el día permanecía tumbado en una hamaca, haciendo cábalas sobre la convertibilidad de la libra. A veces, realizaba pequeñas operaciones en la Bolsa. Se buscaba coartadas y se irritaba consigo mismo por obrar así. La laboriosidad de ella le sacaba de quicio. Hubiera querido destruirla también y, como un cero, anillarla en el círculo de su propia nada.

Por aquella época adelantó una gran suma de dinero para la construcción de un hotel de turismo, que debía alzarse en una punta de la bahía, en las tierras lindantes con la finca. El número de veraneantes que cruzaba la frontera y deseaba establecerse en la costa catalana aumentaba cada año y Enrique se prometía grandes ganancias...

Iba a ser el hotel más importante de la costa. Durante varios meses, camiones cargados de material habían cubierto el trayecto de quince kilómetros que separaba Palamós de *El Paraíso*. Brigadas de obreros comenzaron la ejecución de los trabajos. Enrique había invitado a la finca a un arquitecto sevillano, un hombrecillo menudo, enclenque, tocado con un sombrero de ala ancha, que agitaba continuamente una caña entre los dedos. Tenía una voz chillona, que alcanzaba fácilmente los registros más agudos. Muchas veces, desde la terraza, le había visto trepar, con la agilidad de un mico, sobre los andamios recién dispuestos. Allí, agitando el bastón de modo burlesco, producía el efecto de un charlatán de circo disponiéndose a dirigir la palabra a un grupo de curiosos.

El Paraíso había sido invadido por una oleada de extraños: aparejadores, maestros de obras, delineantes que rondaban todo el día por la casa y que el marido reunía a veces en la biblioteca. Enrique, entre ellos, parecía haber encontrado un milagroso rejuvenecimiento. Todos los días se levantaba muy temprano para seguir de cerca el desarrollo de las obras. Sin hacer caso de las juiciosas observaciones de ella, en lugar de buscar en los bancos el crédito necesario, se exhibía por la finca disfrazado de albañil, estorbando, tal vez, la marcha del trabajo. Inútilmente había tratado de recordárselo. Enrique estaba obcecado por la magnitud del proyecto. Le decía: «Aguarda. Ya verás cómo los capitalistas acuden a buscarnos». Pero pasaban los días y las semanas —y con ello el plazo de buscar el dinero— y los capitalistas no llegaban. El dinero de que disponían se había agotado y era preciso afrontar los gastos. Alguien había hablado de unos judíos alemanes, y Enrique tomó al fin el avión para Colonia.

La huelga en las construcciones, entretanto, acabó de complicar las cosas. Los obreros trabajaban a ritmo lento. Cada día se hacía más evidente que la obra no avanzaba. Sentada en la terraza, durante las tardes heladas de invierno, adivinó la magnitud de la catástrofe: las carretillas tumbadas boca arriba, las pilas informes de ladrillos, la esquelética armazón de los andamios. El sindicato exigía, no obstante, el pago de los salarios, y era preciso obedecer. Poco después, cerraron.

Comenzaba el mes de marzo: el sol se ponía a las seis menos cuarto de la tarde y un esplendor rojizo iluminaba los cimientos del hotel que ningún ser humano habitaría. Del brazo de Águeda, recorrió las ruinas silenciosas. Toda su fortuna estaba enterrada en ellas a causa de la inepcia del marido, y Romano, su hijo, aún no sabía nada.

«...Romano estaba entonces en París. Sus últimas cartas, fechadas en la Ciudad Universitaria, anunciaban su regreso para aquella primavera. Yo había omitido en las mías toda alusión al negocio desgraciado de su pa-

155

dre. Habíamos tenido que hipotecar la finca, ¿comprendes? Faltaba sólo un año para que terminase sus estudios y no quería preocuparle antes de tiempo.

»Unos días antes de su llegada, había pasado por *El Paraíso* una mujer italiana con un cargamento de muñecas. La encontré en la carretera, por azar, y le propuse comprar su mercancía. Con cierta desconfianza en un principio, comenzó a mostrarme el interior de las cajas: como princesas de cuento, aguardando un príncipe que las despertara, aparecieron ante mis ojos las figuras de la antigua comedia italiana. Arlequín, Polichinela, Colombina, Pierrot llevaban coronillas de oropel en la cabeza. Sus trajes, diseñados con sumo cuidado, evocaban el esplendor marchito de algún carnaval lejano: faldas de colores y antifaces de seda, un manto de lentejuelas prendido al grácil cuello de Colombina, un abanico de encaje entre las manos de Dominó. En las restantes cajas, aguardando también el conjuro que los librase del hechizo, había caballeros y prelados, pequeños arzobispos con cara de pastel, mitra dorada, báculo y anillo.

»Yo, que nunca he podido soportar la presencia de un pájaro enjaulado, decidí libertar a aquellas criaturas de sus horribles prisiones. Las reuní sobre la cama de dosel de Romano y les restituí la libertad. Quedaba una última caja, que la mujer no quería mostrarme, atada con una cinta de terciopelo. A mis preguntas, respondió con evasivas ("No será del gusto de la señora; no vale la pena que la vea"). Sin embargo, no pude resistir la tentación de abrirla: era un esqueleto de marfil, que agitaba su cetro, sentado en un tronco negro. Sin saber por qué, lo coloqué junto a los restantes. Entre los rombos blanquirrojos de Arlequín y el gorro luminoso de Polichinela, la presencia de la muerte ponía una nota sarcástica y burlona, con su centro erguido sobre el fondo azul del lecho.

»Poco después, como respondiendo a la necesidad de mi regalo, llegó Romano. Bajó del automóvil, que todos los años alquilaba para regresar a *El Paraíso*, en compañía de una muchacha, cuya existencia, hasta entonces, ignoraba. Claude era pequeña, fina y ágil; tenía la elegancia de una gacela. Llevaba el cabello cortado igual que un chico: los mechones erguidos en forma de cresta. Vestida con blusa de marino, se había remangado los pantalones a media pierna. Confieso que su presencia me llenó de turbación. Romano, hasta aquel día, jamás me había hablado de muchachas y la familiaridad que mostraba con aquélla tampoco contribuía a hacérmela simpática.

»"Mamá, te presento a mi amiga Claude, que ha venido a pasar el verano con nosotros." Ella me tendió la mano, sonriente. Sus ojos verdosos destellaban al sol de la mañana. Su mirada era de triunfo, como la que se dirige a una rival. Sin vacilar, la besé en ambas mejillas: "Bienvenida a *El Paraíso* —dije—. Todos los amigos de mi hijo lo son míos también". Los vi alejarse por la terraza con aire despreocupado. Apoyados en la baranda, contemplaban el laberinto de cipreses y de tuyas, la cúpula agrietada del templete, los estanques cubiertos de hierbas y espadañas. Recuerdo que el mar estaba alborotado. Un viento seco trazaba menudos pliegues en su superficie azul, sembrándola de flores espumosas, que desaparecían al cabo de un instante. Un vacío inmenso usurpaba el sitio de mi alma. Me parecía que todo era un mal sueño; que aquella muchacha no existía en realidad. Sin fuerzas para ordenar nada, me dejé caer en la gándula, donde permanecí absorta hasta la hora de la comida.

»Aquel mismo día tomé la decisión de atraerme el cariño de Claude; puesto que Romano la consideraba digna de su afecto, debía serlo también del mío. Decidí

ser para ella algo así como una madre —Romano me
había dicho que era huérfana—, pero en seguida me per-
caté de lo inútil de mi intento. Claude era una criatura
fría y egoísta. Ningún obsequio lograba conmoverla.
Durante mucho tiempo me esforcé en demostrar la medida de mi afecto, pero su desprecio me helaba la sangre. Su independencia le había creado una especie de
invulnerabilidad. Su ser entero parecía proclamar: "Yo
soy así. Si no os gusta, resignaos". En un principio, impulsada por mi amor hacia ella, aventuraba algunas
observaciones ("Caminar descalza por la carretera, ¿no
era peligroso? Permanecer tres días en ayunas, es decir,
sin beber más que una taza de té por las mañanas,
¿no era perjudicial?"). Pero Claude me escuchaba como
quien oye llover: nada de lo que le decía parecía inte-
resarla y, más franca o más cínica que el resto de los
seres, no ponía ningún esfuerzo en ocultarlo.
»Un día, en que descubrí por Romano que le agrada-
ban las camelias, le mandé a la habitación una canasta.
Me acuerdo que era la víspera de la Virgen del Car-
men, porque el jardinero preguntó si festejábamos el
santo de alguna muchacha. Aquella mañana estaba en
la galería bordando un tapete de flores cuando la oí
bajar por la escalera cantando como un pájaro. Al verme, se detuvo en seco. "Supongo que debería mostrarme agradecida por el ramo —dijo— y, para cumplir,
le daré las gracias. Pero desearía que en lo futuro se
abstuviese usted de iniciativas de esa clase." Su rostro
juvenil me contemplaba con petulancia. Sentí que la
sangre me afluía a las mejillas y apenas logré balbucear: "Como usted prefiera. Yo solamente había querido ser gentil con usted". Pero ya Claude había vuelto
la espalda.
»¿Comprendes? Estaba dispuesta a sacrificarme con tal
de ganar el afecto de aquella criatura; pero nada de lo

que hacía le importaba un comino. Su egoísmo la eximía de toda clase de deberes. Era un pedazo de carne sin alma. Mis tentativas se estrellaban contra una sonrisa en la que toda la esencia de su rostro parecía evaporarse, como si el resto fuese sólo un molde de porcelana.

»Su llegada, por otra parte, había puesto la casa patas arriba. Claude era una criatura caprichosa, extravagante. Algunas veces se negaba en redondo a probar bocado. Decía que comer era una costumbre detestable; que el hambre aclara las ideas. A veces, vestida con un simple pijama, se paseaba por la terraza largo rato, a pesar del fresco, y a riesgo de atrapar una pulmonía. Tenía verdadero horror a los rostros sudados y a cada instante, estuviera donde estuviese, sumergía cara y manos en agua clara. Me parece verla aún, con las tijeras de las uñas, cortándose las pieles, mordiéndolas hasta sangrar, levantándose la costra de las heridas, pellizcándose las espinillas, cuyo crecimiento espiaba con un espejo de aumento, con el pulverizador siempre al alcance de la mano.

»También despreciaba las caricias y signos de afecto. Delgada, endeble, el rebelde mechón de cabello perpetuamente alzado, se encerraba en un mutismo exangüe, del que ni mi hijo lograba sacudirla. Perezosamente se llevaba a la boca semillas de cacahuete, de cuyas cáscaras sembraba toda la casa. Tendida en la hamaca de la terraza, mataba el tiempo pintándose y despintándose las uñas. Nunca la vi dormir. Creo que la idea de que alguien pudiese contemplarla durante el sueño, es decir, sin defensa, le causaba verdadero pánico. La luz de su dormitorio, pese a los mosquitos, estaba siempre encendida. Tal vez deseara que su vuelo y la necesidad de defenderse de ellos la obligasen a permanecer despierta. Lo cierto es que, muy de mañana, se dirigía a la glorieta con sus frascos de laca y el pincel de las uñas. Y, durante todo el santo día, jamás dormía un segundo.

»Lo peor era que el propio Romano comenzaba a darse cuenta de la inutilidad de sus esfuerzos, y este fracaso repercutía en su carácter de modo terrible. Él, tan atento de ordinario al menor deseo mío, se abandonaba de un día para otro. Había perdido el gusto por la lectura, la conversación. El mundo fantástico que apresaba la mente de Claude le atraía como un vértigo. ¡Oh, nadie se había dado cuenta aún, y el propio Romano era el primero en ignorarlo! Pero, a una madre primitiva como yo, ¿qué hubiera podido pasarle oculto? *El que en el vientre me hizo a mí, ¿no lo hizo a él? ¿Y no nos dispuso uno mismo en la matriz?*

»Claude le había contagiado ya algunas extravagancias, como someter el cuerpo desnudo a la acción del viento, a la hora en que el sol se oculta, o dormir con una bola de metal en cada mano, en un sillón a cuyos lados dejaban dos recipientes huecos de modo que, en el instante mismo de dormirse, los despertara el ruido producido por la caída de la bola, pues, según Claude, bastaba esa milésima de sueño para descansar al cuerpo humano.

»Esta chiquilla, con sus lacas de uñas, sus recortes fotográficos de artistas de cine y los ratoncillos blancos que, según descubrí un día, ocultaba en los bolsillos del pantalón, estaba reduciendo mis proyectos a cenizas. Cuando todo presagiaba el comienzo de una nueva época, apoyada por la presencia de un ser fuerte del talento y cualidades de Romano, entreví, de pronto, las posibilidades de un fracaso. Había que proceder con energía y rapidez. La mente de Romano era, por desgracia, excesivamente influible y su razón corría el riesgo de extraviarse en aquellos juegos.

»Una noche, mientras tomaba el fresco en la glorieta, me sorprendió un aullido en la estancia de Romano. Aterrada, corrí hacia allí. La luna inundaba de blanco la terraza, las sombras de los eucaliptos se extendían sobre la arena, como los tentáculos de un pulpo gigantesco. Desde la escalera interior de la casa, por la que trepaba como una loca, les dirigí una breve ojeada: eran como tinteros estrellados, inmóviles, sobre la desolación de la arena.

»Encontré a Romano postrado, desgarrando con los dientes el encaje de la colcha. En la mesa escritorio, estrujada, había una carta de Claude: "Perdóname, pero era inevitable. Tú y yo no estábamos hechos para comprendernos". Casi al instante, descubrí una mancha oscura en la sábana: Romano se había abierto las venas de la muñeca y la sangre comenzaba a brotar en abundancia. Frenética, rasgué los cortinajes de la cama, y logré contener la hemorragia. Sin reconocerme, Romano lloraba y se mordía los labios.

»Al cabo de media hora, el peligro había pasado. El médico, a cuya búsqueda había corrido Enrique, se presentó poco después. Le dio un narcótico y nos dijo que su estado no inspiraba ninguna alarma. Toda la noche, lo recuerdo, lloré de alegría. Romano iba a despertar con nuevo amor a la vida. Jamás abandonaría *El Paraíso*. Allí, en aquella casa, entre los suyos, se convertiría en el sostén de su madre, la aliviaría de todas sus tareas...»

La propia Águeda le había hablado una vez de los últimos días del muchacho. Fue una tarde de otoño en que Abel se dirigió a su dormitorio, atraído por algo inesperado: la melodía aguda de un disco antiguo, que Águeda seguía, con la cabeza apoyada en la trompeta del fonógrafo. Las dos hojas de la ventana estaban abiertas de par en par y la brisa atraía al interior el aroma húmedo del bosque. La muchacha llevaba un vestido blanco, largo hasta media pierna, que le ocultaba el busto y le situaba la cintura en la cadera. Un lazo de terciopelo trazaba, como todo adorno, una mariposa gigantesca en el centro de su espalda.

Abel la había contemplado largo rato, estupefacto. Águeda, de ordinario tan pálida, tenía arreboladas las mejillas. Con un ademán le suplicó que diese cuerda. Luego, sujetando los extremos de la falda con la punta de los dedos, bailó. Ignoraba cuánto tiempo duró aquello. Águeda se desenvolvía con agilidad maravillosa. Sus zapatos apenas rozaban el suelo. Y cuando el fonógrafo se detuvo a la mitad, Abel no experimentó sorpresa ante su movimiento de llevarse las manos a los ojos y ocultar su tristeza tras ellas.

Era el único que hubiera podido salvarla y la muerte lo había arrebatado... Dos años antes («¡Dios mío, cuánto tiempo!») había danzado la misma melodía. Era una tarde de septiembre, húmeda y lluviosa. Las hojas del castaño, amarillentas, preludiaban la llegada del otoño. El viento había cubierto la terraza de cortezas de eucalipto y el musgo ceñía con su manto a las estatuas de piedra del jardín. Romano permanecía, desde la partida de Claude, tumbado en el sofá de la sala. Fingía leer un libro, pero no se acordaba de pasar la página. A las preguntas de doña Estanislaa, respondía de modo mecánico: «Sí, mamá». «Gracias, mamá.» «Estoy bien, mamá»; pero, por su ausencia total de expresión se adivinaba que su mente estaba lejos.

Ella había querido distraerle en un principio, montando un escenario para su teatro de muñecos. Romano, que otros años reía como una criatura con los marineritos mecánicos que trepaban por la cuerda y con las caretas de carnaval, paseaba una mirada distraída sobre los obsequios de aquel año: unas figurillas exquisitas de la comedia italiana, que yacían olvidadas en los rincones

162

de la pieza. Como el príncipe del cuento, que pierde la sonrisa, permanecía insensible a todos sus esfuerzos. Solamente la magia, un payaso enharinado, vestido de hada, hubiera podido romper el encanto.

«¡Ah, entregarse al vértigo de las caretas, dar vacaciones a su rostro!» Sin saber cómo, se le ocurrió la idea de un disfraz. Los armarios del gabinete de su madre rebosaban de vestidos de hacía treinta años: sombreros de paja del abuelo, sombrillas de colores, manguitos de piel negra. Doña Estanislaa había ido al pueblo a realizar algunas compras y faltaban dos horas para el momento del regreso. Podía, por lo tanto, hacerlo con plena impunidad.

En los estantes había mucha ropa del abuelo: pantalones, levitas, sombreros, bastones. Eligió una chaqueta de cutí y un pantalón de cuadros. Frente al espejo, con sumo cuidado, había realizado su metamorfosis. Disfrazada, le parecía haber cambiado de vida, como una culebra cambia de piel. Con el sombrero de paja, su rostro parecía casi el de un chico; evocaba ligeramente a Claude.

Se dirigió a la galería con el bastón en la mano. La frente le latía de modo absurdo. El corazón le había subido a la boca. Llena de angustia hizo su aparición ante Romano, con el cuerpo imitando, a pesar suyo, los ademanes, los andares de Claude.

Entonces se había operado el milagro. Su hermano la contempló intensamente pálido, con los ojos brillando como brasas. Un instinto más fuerte que ella la obligaba a plegarse a los gestos de Claude: echar la cabeza atrás, fruncir las cejas, elevar la barbilla por petulancia. Bajo aquel disfraz había brotado su anhelo de redención, de conseguir a cualquier precio la normalidad que tanto deseaba.

Como en sueños, había puesto el disco en el fonógrafo.

Obediente al reclamo de su cuerpo (cada una de sus células parecía gritar: «Ven, ven»), Romano la enlazó por el talle. La sangre le había subido a la cabeza y las sienes le zumbaban. Sólo un deseo: danzar, cada vez más aprisa, olvidar quién era, hacérselo olvidar a él también, apurar hasta la hez aquel instante, metamorfosearse en Claude.

El disco se había atascado a la mitad; Romano se apartó de ella y aún seguía bailando. Sus brazos apresaban el vacío. Entonces comprendió la imposibilidad del cambio, el egoísmo obstinado del ser, la terca codicia de la sustancia. El techo y las paredes, los muebles y las lámparas la habían seguido hasta el gabinete de su madre igual que un torbellino: imágenes que cambiaban de forma y de color, anagramas de calidoscopio.

«"¡No me abandones, Romano, quédate en la casa! Sin tu ayuda, siempre seré una niña, me convertiré en una solterona." Una mujer envejecida repetía ante el espejo el rosario mal hilvanado de sus plegarias y yo me preguntaba qué podía tener en común con ella. Tenía treinta y dos años y mis vestidos, mis expansiones y mis juegos eran los de una adolescente. Mamá no se había preocupado nunca de mí. Nadie, mujer u hombre, acudió a llamar a mi puerta.

»Ya había oído decir que, al llegar a cierta edad, una savia profunda nos trabaja, el cuerpo se torna floreciente y los hombres se vuelven a mirarnos por la calle. Pero nada de ello me había ocurrido a mí. Milagrosamente suspendida fuera del tiempo, mi polen no atraía a nadie. Aislada entre mis libros y mis juegos, parecía dormir el sueño del invierno. La primavera no vino jamás a despertarme.

»Yo solamente deseaba ser igual que los demás, como las amigas de mi niñez que tenían marido e hijos. Desde la sombra espiaba la actitud de Romano hacia Claude, y me decía: "¿Por qué los hombres se sienten atraídos por las mujeres? ¿Qué tienen ellas que no tenga yo?" Y, aquel día, Romano también me abandonaba.

»Tenía trazado mi destino y comprendí que no me quedaba otro recurso que aceptarlo. El tránsito de la infancia a la vejez, pensé, es tal vez menos brusco que el de una mujer que ha conocido la vida y los hombres. En mi habitación había hilo y aguja, y aquella misma noche comencé mis labores de bordado.

»Imaginaba que todo sería sencillo una vez que me hubiese hecho a esa idea. No sabía que el cuerpo no perdona y que aquello que vislumbramos a veces en sueños y como una pesadilla, puede ser algo horriblemente fácil cuando un muchacho se aproxima a nosotras... Entonces me entra el miedo de hacer a estas alturas lo que me dictan mis fantasmas y suplico a la Virgen que me envejezca más aprisa...»

Águeda se detuvo unos instantes, como si le hubiera faltado el aliento, y Abel descubrió sobre su rostro una atareada red de arrugas.

—En cuanto a Romano —prosiguió—, fue como si desde aquel día también hubiese muerto. Septiembre avanzaba; los eucaliptos, con sus cortezas desgarradas, eran como gigantescos mendigos harapientos; se oía el crujido del cable del pararrayos, el monótono «chap chap» de las goteras, el postigo desprendido de la buhardilla batiendo contra la ventana. Los últimos pájaros volaban a ras del suelo y llenaban la casa con sus gritos. El invierno se anunciaba muy difícil y todos nos sentíamos envejecer por instantes.

»Mamá, que ante nosotros se esforzaba en guardar la calma, perseguía a Romano con sus reproches, en cuanto papá y yo nos retirábamos. Del mismo modo que con David, se había formado de él una imagen arbitraria:

le atribuía la fortaleza de tal persona, la reflexión madura de tal otra, la voluntad de hierro de un tercero, hasta formar un joven radiante, colmado de todas las virtudes y atributos que contraponía siempre al Romano real, que, a su lado, parecía casi un espectro.

»Así, se negaba a admitir que pudiese vivir lejos de ella y lloró al enterarse de que sus pasiones eran como las de los restantes hombres. Durante cierto tiempo había alimentado la idea de un quimérico idealismo masculino que, por amor, desdeña la posesión, y el día que averiguó la naturaleza de sus relaciones con Claude, le reprochó con amargura su traición al personaje ideal que había creado.

»Una tarde, desde mi dormitorio, oí una discusión horrible. Por vez primera desde que Claude se había marchado, Romano elevaba la voz, hacía caso omiso de sus gritos y le replicaba. Yo no movía un músculo del cuerpo. Oí llorar a mamá. Después, todas las puertas de la casa empezaron a batir ruidosamente, como si un soplo huracanado recorriese el edificio desde la galería hasta el pasillo.

»Sus pasos resonaban sobre hueco, como si pisaran mi bóveda craneana. Romano revolvía los armarios, ponía la habitación patas arriba. Luego, el mismo huracán de puertas se había desencadenado en sentido inverso: la escalera, el pasillo, la galería y la entrada. En el garaje dormitaba el automóvil que había alquilado meses antes. Le oí ponerlo en marcha, mientras el zumbido hacía vibrar todos los cristales. Los faros iluminaron por un instante los cipreses del laberinto y la grava crujió bajo el peso de sus llantas.

»Durante la cena nadie dijo nada: hacía mucho tiempo que papá y mamá no cambiaban una sílaba. Por una vez decidí seguir su ejemplo. Pensaba: "Tal vez logre reunirse con Claude y sea feliz a su lado". No sé si soñé aquella noche, pero recuerdo que me desperté varias veces sobresaltada.

»El día siguiente, a media mañana, nos mandaron aviso desde el pueblo. El automóvil de Romano se había despeñado en la carretera de *El Paraíso* y venían a pedirnos que lo identificásemos.

»Cerca del puente, en el fondo de un barranco de veinte metros, el automóvil, con sus ruedas al aire, era como una tortuga vuelta de espaldas. Rodeados de multitud de curiosos, descendimos. Ni papá ni mamá ni yo llorábamos. Nuestra tristeza estaba más allá del llanto.

»Al cadáver, cubierto con una sábana, no tuve el valor de mirarlo. Recuerdo, en cambio, las muñecas italianas que Romano se había llevado consigo, colgadas del volante: el viento las hacía oscilar burlonamente, como si fuesen marionetas de teatro...

»Busqué con la vista la efigie de la muerte, pero no la descubrí por ningún sitio...»

«Doña Estanislaa —le había dicho Filomena— es una mujer muy complicada, que hay que conocer a fondo si se quiere andar bien con ella. El señor era un pobre diablo que cometió la imprudencia de no saberle cortar las alas a tiempo. Por mi madre santa que lo pagó muy caro. También conocí al niño, al señorito Romano y, aunque imagino que a estas horas te habrá llenado la cabeza de historias inventadas, creo que sé mejor que nadie el verdadero problema que mediaba entre ellos.

»Desde la cocina, mientras tomaban el fresco en la terraza, les oía discutir siempre. Romano le decía: "Soy un muchacho como los demás; tan necio y vulgar como cualquiera. No soy el bisabuelo ni una señorita, ni un actor de teatro". Entonces se enzarzaban en una discusión descabellada: ella, deseosa de mostrarle que era un genio, y él decidido firmemente a rescatar su mediocridad. "Nos engañamos desde hace tiempo —le decía— no queriendo afrontar las cosas de cerca. Siempre nos hemos alimentado de engaños y fantasías. Ni yo soy tan inteligente como tú crees y me has hecho creer a mí, ni me diferencio en nada del resto de los mortales." Y aunque ella, Filomena, no podía verla, imaginaba la cara de doña Estanislaa, frenética, obstinada, en su lucha contra toda evidencia.

»Aquel invierno, mientras estuvo fuera, el señorito no les escribió ninguna carta. La señora iba todos los días al pueblo en busca del correo y regresaba con las manos vacías. Era horrible verla regresar así, hundida en el fondo de la tartana, con el semblante blanco, como enharinado, y el brillo de sus ojos cada vez más muerto. Al llegar la noche, para desahogarse, le escribía cartas larguísimas. La lamparilla eléctrica de su dormitorio permanecía encendida hasta la hora del alba.

»Por fin, el mes de mayo, el señorito vino con la señorita Claude, y la señora estuvo a punto de desmayarse de rabia. Estaba muerta de celos, porque sabía que el señorito la quería y deseaba casarse con ella; pero no se atrevía a decir nada por temor a disgustarlo. Sin embargo, era fácil saber lo que pensaba. La simple presencia de la señorita Claude le ponía los nervios de punta. Permanecía encerrada en el cuarto, con las persianas tendidas, inmóvil en medio de aquel horno, con un pañuelo empapado de colonia en la cabeza.

»Un día, aprovechando la ausencia del señorito, la señora pidió a la señorita Claude que se fuera de *El Paraíso*. La muchacha estaba aclarándose el cabello en la pila de la fuente y no opuso nada a su torrente de razones. Únicamente le oí decir: "Romano es una criatura a la que usted ha malcriado. Si le ocurre algo, la

168

responsabilidad será suya". Momentos después se presentó en la cocina para pedirme que le enseñara el atajo que lleva a la parada en donde se detiene el coche de línea.

»Aquella noche, el señorito quiso suicidarse. Se había abierto las venas de la muñeca y hubo que avisar al médico. La señora estaba como enloquecida y echaba las culpas de todo a la señorita Claude. Pero cuando pasó el peligro, podía difícilmente ocultar su alegría. Todos los días elaboraba planes fantásticos que el señorito escuchaba cabizbajo, sin decir jamás una sílaba.

»Hasta que una vez —Filomena no sabía cómo—, Romano averiguó lo sucedido entre su madre y Claude. Doña Estanislaa se había arrodillado, suplicándole, por misericordia, que permaneciera junto a ella, pero Romano se desprendió de su abrazo con violencia, subió a la habitación a hacer las maletas y abandonó la casa aquella noche.

»Su muerte hizo perder la razón a la señora. Durante algunos meses se recluyó en la buhardilla, donde no quiso recibir a nadie. Había llegado a creerse que era un pájaro y se hacía servir maíz hervido. En voz alta, dialogaba con sus hijos, David y Romano.

»Con paciencia de chino, aprendió a imitar a la perfección la letra del señorito y escribió a sus amigos firmando con su nombre. Les decía que era feliz, que había alcanzado la dicha junto a su madre y que ya no pensaba casarse con Claude. La mayor parte cayeron en la trampa y le enviaron sus respuestas.

»En realidad —concluyó—, el juego prosigue todavía y las cartas a nombre del señorito, pese al bloqueo y a la guerra, nos llegan aún de vez en cuando.»

La historia (entrevista a través de sueños y de brumas, llena de personajes terribles y obsesos que se colaban en su mente «de estraperlo», como los cigarrillos, las latas de conserva, la propaganda política enemiga y los agentes perseguidos por el tráfico de drogas) concluía de modo extraño: don Enrique, le dijo Filomena, era un hombre acabado, moral y físicamente. Pálido, esquelético, su respiración se volvía cada vez más ronca. Aquella primavera, los médicos que doña Estanislaa mandó venir de Barcelona le habían desahuciado. «Un cáncer en la garganta —dijeron—. Total, dos o tres semanas.» Toda la casa parecía prepararse para el acontecimiento y el silencio que guardaban al pasar junto a su alcoba anticipaba ya el respeto que se tiene ante un cadáver.

Doña Estanislaa experimentó aquellos días visible impaciencia. Se mostraba muy agitada, daba órdenes a diestro y siniestro y sostenía conferencias telefónicas larguísimas con sus amigas y parientes. En el ambiente se mascaba un clima de tormenta. Era la época más dura del verano y el calor apretaba cada día más. La tierra parecía agrietarse bajo un sol de plomo y el bochorno arrancaba de la terraza nubecillas de celofán caliente. A mediados de julio se hizo palpable que aquello no podía durar. Hacía tres días que el señor estaba agonizante y doña Estanislaa no se separaba un segundo de su cabecera. Cada media hora, sin decir una sílaba, renovaba las compresas que le ponía sobre el pecho. El abismo que mediaba entre ellos no había hecho más que ahondarse en el curso de los años, y desde la muerte de su segundo hijo evitaban dirigirse la palabra. En silencio cada uno cumplía con su deber: el marido, de no quejarse nunca; doña Estanislaa, el de atenderle como buena cristiana.

Hasta que el dieciocho, al fin, la tormenta que todos presentían estalló con inusitada violencia. Doña Estanislaa había revolucionado la casa con sus gritos, y vociferaba delante del teléfono: «Señorita, por favor. Aquí el diecisiete. Doña Estanislaa Lizarzaburu, de *El Paraíso*. Ponga una conferencia con cualquier empresa de alquiler de automóviles. Se trata de algo muy urgente. Diga que no me importa el precio. Mi marido... Señorita, señorita...» Águeda había intentado decir que las líneas estaban cortadas a causa de la revolución, pero ella permaneció obstinadamente junto al receptor, marcando la señal, equivocándose y volviéndola a marcar: «Telefonista, ¿me oye usted? ¿Quiere usted hacerme el favor de tomar nota de cuanto le digo? Aquí el diecisiete, sí. *El Paraíso*. Se trata de conseguir el envío de unos automóviles desde Barcelona para los amigos de mi marido, que agoniza... Todos los que puedan. Diga que el precio no me importa... ¿Qué dice? ¿Que la línea está cortada? ¿Que no funciona? Oiga, oiga...» Sus dedos temblaban al restablecer la comunicación; tenía el cabello alborotado y los ojos le brillaban: «¿Señorita? Sí, soy yo. ¿Qué ocurre con la línea esta mañana? No, no la oigo... Sí. Ya le he dicho que es algo muy urgente... Pues si no puede hablar, telegrafíen: «Enrique agonizante. Situación desesperada. Avisad a los amigos. Sí, a-go-ni-zan-te, de agonía. Venid en seguida. En-se-gui-da. ¿Me oye?»

De regreso a la habitación del moribundo, había empezado a increparle: «¿Tú morir como un caballero? ¿Desde cuándo un caballero pasa el tiempo sin hacer jamás nada? ¿Desde cuándo se aísla en su covacha hasta acabar hecho un topo?» Sus gritos traspasaban las paredes y tabiques. Filomena imaginaba al marido furioso, impotente, con los ojos llenos de lágrimas, intentando gritar sin conseguirlo. «Óyeme bien. Me he sacrificado por ti toda la vida, pero ahora no quiero callar. Estoy harta de llevar hasta el fin esta comedia. Si he continuado junto a ti, lo he hecho por consideración a los hijos, pero ahora que ellos han muerto nadie podrá pararme los pies. Con tus locuras y tus vicios me has arrastrado públicamente por el fango, pero mi historia debe salir a la luz...»

La escena había sido una auténtica locura: apostada junto a la ventana de la alcoba, doña Estanislaa aguardaba la llegada de los deudos y parientes. Para humillarle le explicaba el entierro de su padre, con gran lujo de pormenores: había sido algo nunca visto; Barcelona entera formó cola detrás del cadáver; *El Paraíso* semejaba un hormiguero gigantesco. Había dado orden a Filomena de preparar todas las habitaciones, como si aguardase la llegada de un verdadero ejército, y encargó telefónicamente refrescos y alimentos a destajo. Fueron unas horas de tensión y de agobio en las que el silencio se condensaba en la habitación del moribundo. Tampoco doña Estanislaa decía nada ahora y se contentaba con seguir el horizonte del camino con los ojos brillantes como gotitas de mercurio.

Y mientras los últimos billetes que constituían su fortuna volaban como hojas arrastradas por el viento, la comitiva de automóviles vacíos se había abierto paso por entre las barreras de milicianos y bandas armadas, a través de pueblos desiertos e iglesias en ruinas, con las carrocerías de metal cromado espejeando al sol de julio. El viaje duró toda la jornada. Cubiertos de polvo, atronando con sus bocinas desde un kilómetro antes, comenzaron a llegar a *El Paraíso* cuando el enfermo entraba en coma.

Doña Estanislaa salió a recibirlos con el semblante imperturbable. Desde el pórtico, la vio bajar a la terraza donde paraban los automóviles, con su mejor traje de gala: el velo de tul y lentejuelas y la falda de satén. Registrando los interiores vacíos, a través de la hilera de chóferes que se apartaban a su paso, parecía comprobar hasta qué punto su predicción había sido cierta: estaban solos. El mundo los había olvidado. Se disponía a decírselo al marido, sin rencor, con la objetividad del que describe un hecho, cuando Águeda la alcanzó en la galería y le comunicó, con voz tranquila, que el enfermo había muerto.

(Abel, que vio su foto en el cuarto de Águeda, se preguntaba cómo aquel niño había podido trocarse en el hombre viejo que el relato de doña Estanislaa deformaba, achatándolo y alargándolo como un espejo de feria. En su infancia, tuvo el cabello rubio como él y una piel lisa que no conocía el afeitado y, puesto que no había muerto entonces, debía de andar oculto en algún sitio: los cuerpos de los niños que no morían jóvenes se metamorfoseaban y habitaban sus sueños rozando de puntillas escaleras chirriantes, tapas de piano vacías y un mundo de violines, asesinos y arcángeles.)

«Aquella noche —concluyó Filomena— le rezamos entre todas un responso.»

Ahora, el cadáver del niño estaba solo. En tanto no llegara la familia, el alférez lo había hecho trasladar al piso bajo y ordenó que lo extendieran sobre el catre de tijera del antiguo vigilante. Los soldados buscaron un crucifijo por toda la escuela y, no hallándolo, improvisaron uno con dos ramas de acebo. Pero las manos del niño estaban rígidas y no quisieron aceptarlo entre sus dedos. Entonces lo dejaron encima del pecho, al lado del ramo de amapolas y, conforme habían visto hacer al cura, rezaron una breve plegaria por el descanso de su alma.

El niño continuaba extendido como un santito de estampa y el soldado encargado del turno de vela lo contemplaba lleno de miedo. Después del combate de la mañana, había bebido demasiado y la cabeza le daba más vueltas que una hélice. Con los ojos forzadamente inmóviles, observó los reflejos de la luz en los cristales de la ventana; fuera, el sol se agitaba como un fenómeno de espejismo y bruñía la superficie angulosa del pretil. Una mosca tornasolada remolineaba en el aire estancado y quieto: el soldado la veía girar como una pesadilla en torno al cuerpo del niño. Era un bicho peludo y grueso, que emitía un zumbido monótono y que acabó posándose en el bosque sangriento por el que había entrado la bala. La escena le había llenado de horror, y únicamente mediante un gran esfuerzo logró apartarla de allí.

El rostro del niño, blanco, como de porcelana, le inspiraba indecible tristeza. Todos sus rasgos parecían haber sido delicadamente cincelados y el ramo de amapolas en el pecho le daba un aire frágil, de juguete. En un perchero, al lado de la puerta, pendía una cortina de arpillera de más de dos metros de longitud. A tientas, el soldado se incorporó de la alfombra en la que se había arrodillado y extendió la cortina, a modo de sudario, sobre el cadáver del pequeño. La mosca, que rondaba glotonamente en torno a la herida, voló entonces hacia la ventana.

El soldado se dejó caer de rodillas y contempló su obra satisfecho: velado de blanco, el bulto podía ser otra cosa. Al menos, dejaba de obsesionarle. La posición en que estaba le resultaba bastante incómoda, y acabó por sentarse en cuclillas. Fuera, se oían las voces de los soldados y el claxon inconfundible del camión de Intendencia. Los campesinos de los alrededores habían venido a charlar con los soldados y el brigada repartía a la chiquillería los chuscos sobrantes. Únicamente aquella habitación estaba silenciosa, como apagada, y el soldado experimentó una angustiosa sensación de vacío. Todo el mundo reía y bailaba, festejando la llegada de las tropas, y él estaba allí, solitario, castigado, velando el cadáver de un niño.

Aquello era injusto, terriblemente injusto. Permaneció así, atontado, contemplando las manchas escamosas que la humedad formaba en las paredes y en el techo. En un marco ovalado, pintado de rojo, había la fotografía de un caballero viejo, con barbas de chivo, al que los chiquillos habían dibujado unos cuernos con un lápiz color naranja. El semblante del caballero tenía algo de demoníaco y el soldado sentía profundo malestar al observarle: a pesar de ello, tampoco podía separar los ojos de él. Un vínculo sutil, frágil como una tela de araña, los ligaba a él, al señor de las barbas y al chiquillo cubierto por la cortina de arpillera, como a una vida pasada, cuyo sentido no lograba vislumbrar.

Un grupo de mujeres se había aproximado a la ventana y espió el interior de la pieza haciéndose pantalla con las manos. El soldado se enderezó al verlas y las obsequió con un esbozo de sonrisa. Estaba en un momento en que, aislado del mundo, como un paria, hubiera acogido cualquier señal de afecto con una explosión de entusiasmo. Deseó, por un instante, tener algo de vino para ofrecerlo a las mujeres, cantar con ellas una canción alegre, olvidarse del bulto velado de blanco. Por eso tardó mucho en comprender lo que querían y su semblante se tornó súbitamente pálido

—Por favor, señor. ¿Quiere usted enseñarnos el muerto?

El soldado retrocedió tambaleándose y tropezó con el catre de tijera. Las patas de delante se doblaron a causa de la presión de sus rodillas y, antes de que tuviera tiempo de evitarlo, el cadáver rodó hasta la alfombra y se quedó allí, extendido como un títere, con los ojos milagrosamente abiertos y el ramo de amapolas deshojado formando en torno de su cabello una corona de arrugados y marchitos pétalos. Entonces, un estremecimiento de pánico recorrió el pequeño grupo de mujeres, que prorrumpió en un coro de gritos. El soldado sintió que se le revolvían las entrañas y abandonó la habitación, corriendo, para vomitar en el pasillo.

Capítulo IV

En el torrente cercano a la carretera solía acampar un
mendigo conocido en los pueblos de los alrededores por
el apodo del *Gallego,* cuya silueta resultaba identifi-
cable gracias al número de mochilas y escarcelas que
llevaba siempre a la espalda. Oriundo de Lugo, hacía
casi cuarenta años que vagaba por la comarca, desde
que, recién venido de Cuba, fue dado de alta en el hos-
pital militar en que convalecía, y su figura, de puro
conocida, había acabado por incorporarse a aquel paisaje como un elemento más, igual que el coche correo
del mediodía, el eco de las campanas en la iglesia del
pueblo o la ruidosa pandereta del buhonero cuando atravesaba el valle.

Aquella mañana, el azar le había obsequiado con la
mejor de las sorpresas. Había pasado la noche en una
gruta de la ladera, allí donde el hontanar formaba un
arroyo dormido bajo la espesa enramada de los árboles
y, en cuclillas, al lado de la entrada, aguardaba la llegada de las tropas nacionales. A medio centenar de metros, aunque no visible, la carretera rebosaba de fugitivos y vehículos, pero la paz de aquel remanso no se
había alterado siquiera cuando entraron en acción las
ametralladoras. Las balas silbaban por encima de los
árboles: a lo sumo, descolgaban alguna piña sobre el
lecho arenoso del torrente; desde el amanecer, las palomas zureaban discretamente en los zarzales y un ejército de inquietas alevillas hacía visos en el encinar.

El *Gallego* permaneció a la entrada de la gruta, absorto en la afiladura de sus navajas, cuando la súbita
conmoción de la ladera anunció una aparición extraordinaria: un automóvil de modelo anticuado bajaba ve-

lozmente por el talud, con las puertecillas abiertas y una enseña blanca en el parabrisas, como un albarán de desalquilado. Al llegar a la vaguada había estado a punto de dar una vuelta de campana, pero recuperó finalmente el equilibrio y, lenta, muy lentamente, descendió su curso arenoso, algo maltrecho y como sorprendido de su hazaña.

El mendigo se había aproximado, en un principio lleno de desconfianza. La irrupción brusca del vehículo en un paraje tan familiar, tenía algo de maléfico, inexplicable. Aunque frenado por la arena del torrente, su motor continuaba trepidando. De la abertura del depósito se elevaba un penacho de humo. Luego, cesó la trepidación y el automóvil se inmovilizó.

Entonces apoyó un pie en el estribo y arriesgó una mirada al interior. Alguien había dejado la colilla encendida de un cigarro en el asiento delantero; las llaves de contacto estaban en su sitio y se balanceaban suavemente. El *Gallego* oprimió la bocina y aguardó a que le contestaran, pero en aquella hondonada crujiente y silenciosa sólo se oía el aleteo de los pájaros y el lejano restallar de las granadas.

—¿Es de alguien el coche? —preguntó y, diluidas a lo largo del torrente, otras voces repitieron sus palabras. Volvió a decir—: ¿Es de alguien?

Pero tampoco obtuvo respuesta (sólo los pájaros piaban). En vista de ello, regresó a la gruta y recogió todos sus trastos.

Desde la ladera, la abundancia de aulagas y cantuesos ocultaban tras un lienzo de espesura las ruedas del vehículo, que surgía entre el revoltillo del follaje, cuadrado y negro, enguirnaldado de tallos y de ramas. La capota, de hule impermeable, estaba cubierta de hojarasca, y una ardilla saltó sobre ella de un brinco, pero emprendió la huida al divisarle.

Regresó sin darse prisa y acomodó su ajuar en el asiento trasero. El coche era amplio y confortable y, ahora que se sentía su dueño, arrancó del parabrisas el pañuelo-albarán. Allí, al menos, no había insectos como en la gruta ni escarabajos ni ratones. El respaldo era cómodo y blando e invitaba a descabezar un sueñecillo.

Medio dormido, había contemplado el paisaje mientras la vida retomaba poco a poco su ritmo de costumbre; el sol asaeteaba de amarillo las hojas de los árboles, la fuente espejeaba la enramada de encinas y de pinos; se percibía el susurro dormido del arroyo y el piído sereno de los pájaros. Poco después de las diez vio cruzar por el atajo media docena de chiquillos con el rostro pintarrajeado, sin que ellos advirtieran su presencia. Una liebre se detuvo en medio del torrente y analizó el automóvil con calma. Por fin, un soldado que conducía a una muchacha enlazada por el talle la había besado en la boca al llegar a la vaguada. El hombre le decía, riendo, algunas palabras al oído y ella le dejaba hacer, como embobada. Dos mariposas de colores entablaron una lucha amorosa encima de sus cabezas y les siguieron, acopladas, mientras se perdían en la espesura.

«Cualquier tiempo es bueno para amar —pensó el viejo—. Cuando es invierno, parece que la vida está acabada, pero la savia corre por el mundo y los hombres buscan, al fundirse, aquello que no tienen y que recíprocamente pueden darse.

Se durmió, acunado por el reverbero del sol en el guardabarros, hasta que el cercano rumor de una charla le quitó otra vez el sueño.

Una escuadra de cinco o seis soldados se había detenido a conversar junto al arroyo y el *Gallego* dedujo, por la hora, que se trataba de fuerzas nacionales. («¡Dios mío, cuántas cosas pueden ocurrir durante una mañana en el rincón olvidado del bosque!»)

179

Una vegetación de helechos y aulagas disimulaba milagrosamente sus miradas y le permitía entrever sus claros sin necesidad de incorporarse: los soldados llevaban botas bajas, pantalón noruego y jerseys color caqui, remangados. El cabo había abierto una caja de picadura y la hacía circular de mano en mano.

—¿Qué hora es?

—La una y media.

—¿A qué hora ha dicho Santos que le aguardáramos?

—De aquí a veinte minutos.

—Entonces, al acabar el pitillo, regresamos.

—Sí. La carretera está aún llena de soldados; no creo que se hayan atrevido a cruzarla.

Alguien dijo una frase en voz baja que el *Gallego* no pudo comprender. Luego:

—¿Cómo se llama el pequeño?

—Abel Sorzano.

—¿Lo has visto?

—No, no quise entrar.

—Pues yo sí que lo he visto. El pobrecillo era muy majo. Le dieron justamente aquí, en la sien.

—¡Qué extraño! Entre chavales...

—Dicen que él no era refugiado.

—Maldita la gracia que le habrá hecho a Santos si resulta que su hijo...

El *Gallego* dejó resbalar los brazos que apoyaba en el volante y se incorporó del asiento temblando. Se sentía anonadado, con la cabeza llena de estrellitas. La dulce impresión de paz que el sueño le había producido, le parecía ahora un espejismo, una trampa. Se apeó del vehículo igual que un sonámbulo y salvó la docena de pasos que le separaban de los hombres.

—¿Qué están ustedes diciendo?

Los soldados interrumpieron su charla al divisarle y le contemplaron con sorpresa.

—Pues ya lo ves —dijo, al fin, el cabo—. Contando historias para matar el tiempo.

Pasado el primer momento de sorpresa, su llegada le había devuelto el buen humor. El rostro del mendigo le resultaba a la vez familiar y lejano. Sin saber la causa, le hacía pensar en su infancia.

—¿En qué guerra has ganado esas medallas, abuelito?

Señaló los tapones de gaseosa y de cerveza que le cubrían las solapas, pero el viejo no le hizo ningún caso.

—¿Qué ha ocurrido con el pequeño Abel Sorzano? —preguntó.

Su voz, vacilante, desterró las sonrisas de los rostros y el cabo carraspeó antes de hablar.

—Lo mataron, abuelo. Cuando llegamos al valle esta mañana lo encontramos en la escuela, asesinado.

El *Gallego* no decía nada, pero su respiración se había vuelto difícil.

—¿Asesinado?

—Sí.

(En su cabeza, los temas del amor y de la muerte danzaban grotescamente entrelazados: la muchacha y el soldado, que buscaban completarse mediante la unión de sus dos cuerpos, se confundían con el rostro del niño recién asesinado. Las mariposas, los hombres que marchaban acoplados, no eran otra cosa que un turbio impulso hacia la muerte. Todo apuntaba a ella, como el bebedor hacia el alcohol, como la polilla hacia la llama, y lo que era objeto de amor un día, se convertía en su presa al cabo de un instante.)

—¿Le conocías, abuelito? —preguntó el cabo.

El *Gallego* afirmó con la cabeza, pero no dijo una palabra.

Su amistad se remontaba a una mañana soleada del último verano, y había sido hija de una serie de causas entre las que una pesadilla nocturna, poblada de vampiros y murciélagos, y el disparo de escopeta de un guarda jurado, jugaban papel no desdeñable.

Abel —él mismo lo había contado luego— se había despertado una mañana por culpa de un mal sueño y, aunque su reloj marcaba las siete menos cuarto —el sol apenas surgía en la baranda de la terraza—, decidió salir al jardín.

Espada en mano, había perseguido a los enemigos apostados a lo largo del sendero. *El Paraíso* acababa de sufrir el asalto de una banda armada y Águeda había sido raptada por el jefe. Con la máscara de seda hecha de corsé resbalándole sobre los ojos, atravesó los harapos luminosos que se filtraban entre los árboles. Su cabello se adornaba con una roseta de luz; a veces, un rayo de sol favorecía el azul de su mirada. Como había visto hacer en las películas, trepó sobre el tronco de un árbol, aguardando la llegada del raptor, pero el ruido del disparo de una escopeta en la carretera le hizo olvidar a Águeda y lo dramático de la situación en que se hallaba (suspendida de una frágil cuerda, sobre un precipicio en cuyo fondo pululaban cocodrilos y caimanes, su raptor encendía la mecha de una carga de dinamita, con la que iba a volar el desfiladero).

Abel sólo había visto un cazador, dibujado al carbón, en la portada de una revista cinegética, pero el texto, de algún aficionado, enumerando su indumentaria, había completado aquella imagen: «Debe de ser —decía— sobria y, al mismo tiempo, práctica. Una chaqueta de piel, un pantalón ceñido, de pana o de cutí, según la época, unas polainas de cuero o cabritilla, nos parece, sin duda, lo más indicado. Algunos puristas añaden al conjunto un sombrero de fieltro, que los cazadores italianos rematan con una pluma de faisán y los tiroleses con una de cacatúa, considerada por ellos como indispensable, aunque nosotros, mucho menos frívolos, podemos asegurar que una y otra son indiferentes para el caso y, a las extravagancias momentáneas de las escuelas extranjeras, preferimos el concepto español, clásico y sobrio». Luego seguía una descripción de los diferentes tipos de escopeta, que había abandonado por cansancio.

Una noche, a principios de verano, había soñado en que era un cazador profesional. Llevaba una escopeta bajo el brazo, exactamente igual que el hombre del grabado, e intentaba atraer con un reclamo a una bandada de perdices ocultas en la maleza. Doña Estanislaa había surgido entonces, adornada de un par de alas de plata, y le susurró quedamente al oído: «Todo son espejismos, querido Abel. Mira la luna cómo aumenta de tamaño cuando emerge del mar; introduce un bastón en el agua y lo verás dividido. Todo es ilusión: la vida, la muerte, el ansia de durar. Mucho antes de que nacieses, otros seres iguales que tú quisieron olvidarse de que eran sueño y fracasaron (sus cuerpos abonan los arbustos de algún camposanto). Oirás decir qué ha sido de los niños que mueren cuando nacen, pero yo te pregunto: ¿qué es de los niños que no mueren, el que fui yo, el que fue Filomena, el que fue Águeda? ¿Dónde está su cadáver, su tumba, el cementerio? No seas presuntuoso; deja correr las aguas. Matar un pájaro es algo tan absurdo como patalear en el vacío...» Ahora iba a ver un cazador de verdad y las sombras errantes de aquel sueño huirían como pálidos fantasmas.

En un recodo de la carretera, justo donde empezaba el bosque de castaños, había una fuente en forma de pozo que reflejaba los rostros de los que se inclinaban, como la superficie de un espejo ondeado, entre briznas de hierba, renacuajos y raíces de árbol. Abel apresuró sus pasos en dirección a la curva, cuando la atenta expresión de *Lucero* le llamó la atención: la pandilla de chiquillos refugiados perseguía a pedradas a un mendigo, que se volvía contra ellos alzando el puño y amenazándolos con una caña. Los niños se habían desplegado en torno a él y se divertían dando tirones al faldón de su levita. Uno le arrebató una cantimplora que llevaba sujeta a la escarcela y la exhibió ante sus amigos, orgulloso y triunfante.

—El Viejo de las Barbas. El Viejo de las Barbas.

El mendigo intentó recuperar su cantimplora y los insultó lleno de furia. Los niños no parecían preocuparse demasiado: marchaban detrás marcando el paso y aplaudían cuando intentaba decir algo. El más pequeño, vestido con una simple camiseta que le llegaba a la cintura, le mostró burlonamente el culo.

—El-Vie-jo-de-las-Bar-bas...

Luego, en vista de que parecía resignarse, se detuvieron en medio de la carretera y permanecieron allí, cantando y dando gritos.

El viejo, después de poner un poco de orden en sus cacharros, se dirigió hacia el recodo. Abel le vio bajar por el sendero, apoyado en la caña, antes de decidirse a seguir su ejemplo.

Cuando llegó, estaba inclinado sobre la fuente: un rayo de luz, cribando la espesura del follaje, la asaeteaba igual que un dardo e iluminaba la arenisca del fondo, estremecida en menudos pliegues, como la superficie del mar en calma.

Advertido por el ruido de sus pasos, había ladeado el rostro y lo estudió con la mirada: Abel, con *Lucero* acurrucado entre las piernas, tenía un aspecto tímido, inofensivo. Con asombro, contemplaba las solapas del viejo, cubiertas de cintas de colores y tapones de hojalata, su barba blanca en forma de carámbano y el raído sombrero de fieltro que protegía su cabeza.

El mendigo sacó del bolsillo un trapo sucio con el que se secó cuidadosamente la cara y, lanzando un suspiro de alivio, tomó asiento en un tocón de castaño.

—Bonito, ¿no te parece?

Señaló a la carretera con el dedo, mientras, con la otra mano, hurgaba en el interior de la boca.

—Vergüenza debería darles perseguir de ese modo a un viejo, que podría ser su abuelo y que sufrió dos heridas por la Patria, cuando sus padres no habían nacido siquiera.

Abel, que hasta entonces no había despegado los labios, murmuró:

—Yo no era de ellos, créame. Estaba al otro lado de la curva paseando con mi perro *Lucero* y he visto todo lo ocurrido —se detuvo un momento y añadió, recordando lo que su padre decía en esos casos—: Inútil decir que lo lamento.

El mendigo se despojó del sombrero de fieltro y lo puso encima de la rodilla izquierda, donde el pantalón tenía un siete.

—Te creo, te creo. ¡Ah, si fuesen hijos míos!... A esos diablos les calentaría el trasero a palmadas.

Las perolas, el saco y la escarcela, que llevaba sujetos a la espalda, le obligaban a encorvarse. Con sumo cuidado, aflojó el nudo de la cuerda que los mantenía unidos y los tendió encima de la hierba, procurando que estuviesen al alcance de la mano.

—En mis tiempos, una escena como ésta era algo completamente inconcebible. Desde niños nos enseñaban a respetar a los viejos. Mientras que ahora... mucho progreso, revolución al canto y... ¡oh, estoy desengañado!

Abel le observaba en silencio y se limitó a asentir con

la cabeza. Sin necesidad de presentaciones, había adivinado que era el *Gallego,* del que tanto le hablaba Filomena, y experimentaba una agradable sensación de sorpresa que le hizo olvidar al cazador.

—Lo verdaderamente grave del asunto es que las cosas tienden a empeorar cada vez más. Hasta esa maldita guerra había vivido tranquilamente en mi cabaña y nunca me preocupé por poner cerrojo a la puerta, porque sabía que a nadie se le iba a ocurrir robar a un hombre que, como yo, había luchado contra los yanquis en la guerra de Cuba y que se ganaba la vida honradamente explotando sus inventos.

»Pero, desde hace un tiempo, el mundo se ha vuelto loco. La gente lanza contra mí los perros guardianes y esos endiablados chiquillos se entretienen en hacerme la pascua. Hoy, tú mismo has podido verlo, me han robado una cantimplora que es mía desde hace treinta años. Quién sabe lo que se les ocurrirá quitarme la próxima vez que me vean.

»Aunque, en fin, eres un niño y nada de lo que estoy diciendo puede interesarte. Además, se ha hecho tarde y es preciso que empiece mi trabajo.

Abel le vio sacar una varilla ahorquillada, de avellano, del grueso de un dedo y medio metro de longitud. Después, se incorporó penosamente del tocón de castaño y pataleó unos segundos con asombrosa facilidad.

—Se me había dormido la pierna.

Avanzó una cincuentena de pasos en dirección al arroyo, sujetando con ambas manos los extremos de la varita de forma que el dorso mirara hacia abajo y el vértice de la vara apuntase hacia delante.

—Vigila que nadie nos vea, pequeño.

Caminaba despacio, con la varita en posición paralela al horizonte. Al llegar al cañizal, volvía atrás, repitiendo exactamente el camino.

186

Se deslizaron unos minutos en completo silencio. Un túnel de luz, como polen de oro, extendía una mancha rubia sobre la hierba húmeda del bosque. Libélulas con alas de celofán planeaban sobre los arbustos floridos de retama. En el espejo móvil de la fuente, Abel se entretenía en soplar sobre su imagen. El sol lucía cada vez más y convertía la nube de mosquitos que remolineaban sobre el agua en una galaxia centelleante.

—¿Se inclina, di, se inclina? —dijo el *Gallego,* de pronto.

—¿Se inclina?

—La varita.

Abel se puso de pie, indeciso.

—No sé...

El *Gallego* había soltado la rama y se deslizó el pañuelo por la frente.

—Debo de haberme equivocado otra vez, ¿no crees?

—Por favor —dijo Abel—. No sé de qué me habla.

—¡Uf! Te ahogas en un vaso de agua.

Sus palabras, enunciadas con voz solemne, se difirieron unos instantes en la atmósfera luminosa de la mañana.

—Vamos, chico, mi pregunta no es siquiera de las más grandes. Me atrevería a calificarla de «pregunta pequeña».

Le cogió cariñosamente una mano y depositó en ella la varita.

—¿Sabes lo que es esto?

El niño movió negativamente la cabeza: se sentía abrumado por la superioridad del viejo.

—Pues se trata, pura y simplemente, de un instrumental de zahorí o, si lo prefieres, de una varita mágica.

—¿Y qué utilidad tiene?

El mendigo volvió a tomar asiento en el tronco del castaño.

—Esas ramas —dijo— descubren el lugar donde se

hallan ocultos los manantiales, los cadáveres y los tesoros —leyó la sospecha en los ojos del niño y se apresuró a añadir—: Pero, a decir verdad, lo único que descubren es el origen de las fuentes y, a veces, hasta en esto se equivocan.

»Por ejemplo, hace más de treinta años que busco el lugar adecuado para establecer el Depósito de Aguas del pueblo, respondiendo a una convocatoria del Municipio que aún no se ha fallado (la hizo un alcalde, monárquico después de las elecciones), y he probado, desde entonces, más de cien varitas.

»A veces creo que los escribientes tienen razón cuando dicen que es inútil que siga cansándome, pero, a estas alturas, no puedo honradamente volverme atrás. Una experiencia así es de las que comprometen a uno de por vida y, puesto que la he empezado, estoy obligado a continuarla.

»Ya sé que nunca se fallará este concurso, al que he presentado más de cien propuestas (mi único competidor murió el pasado año); pero el que siga buscando igual que el primer día, constituye una base sobre la que puedo organizar mi vida y responder, cuando sea preciso, al cuestionario de los empleados del Estado, y eso, pequeño, es lo principal.

Concluyó su discurso con un bostezo y se ligó las correas al hombro.

—Si quieres acompañarme a mi choza —ofreció—, podemos tomar el almuerzo juntos.

Pero el niño se acordó de la carta que había escrito al general antes de acostarse. Deseaba someterla a la censura de Martín y movió negativamente la cabeza.

—Lo siento muchísimo. Casualmente tengo un importante compromiso y no puedo faltar de ningún modo.

El viejo le dirigió una mirada suspicaz.

—¿Estás seguro de que no lo dices por cortesía?

Abel respondió sin pestañear:

—Seguro, segurísimo.

—Bien, si es así, soy yo el que te pide que me dejes. En este mundo se ha de cumplir con la palabra.

—Si usted quiere, podríamos vernos cualquier otro día —dijo el niño temiendo que el viejo se hubiese disgustado—. Mañana mismo, por ejemplo.

El *Gallego* reflexionó unos instantes:

—Mañana... mañana..., no creo que pueda asomarme por aquí mañana. Pero podría ser que viniese cualquier día de la semana próxima; a estas horas suelo parar en la fuente.

—Está bien. No dejaré de ir a verle —prometió el niño—. Ahora es tarde y en casa me aguardan a comer.

Regresó a la carretera precedido de *Lucero* y durante el trayecto se volvió más de una vez a mirarlo.

«Usted me gustó desde un principio —le había dicho después—, porque a su lado no me sentía niño. Usted me trataba de igual a igual, como Martín, y a mí me halagaba tanto...»

Durante aquel bochornoso mes de agosto, las jornadas transcurrían monótonas e iguales. Abel iba todas las mañanas a vigilar la llegada del camión de Intendencia, pero jamás recibía la respuesta que esperaba. Un día se acordó de la promesa que había hecho al *Gallego* y, en lugar de ir al cruce de caminos, se desvió hacia la fuente.

El viejo estaba sentado en cuclillas junto al tronco del castaño y sonrió al divisarle satisfecho.

—Magnífico, pequeño, magnífico. Precisamente te estaba aguardando.

Había improvisado un fogón con cuatro pedruscos que servían de apoyo a una lata de gran tamaño. El *Gallego* la destapó para mostrarle su asado de liebre.

—La maté esta mañana. Hacía tiempo que no iba de caza y me decidí a salir con la escopeta.

Le enseñó una especie de canuto hecho de bambú, con un extraño dispositivo de alambres y poleas.

—También yo acabo de ver una liebre —dijo Abel.

—¿Sí? —murmuró el viejo.

—Fue al salir de casa —mintió—. A diez o quince pasos de la puerta.

—A veces se tiene suerte.

—¿Y usted? ¿Tuvo que caminar mucho?

El *Gallego* esbozó un ademán vago.

—Así, así... A mi edad...

Abel estuvo a punto de preguntar: «¿Qué edad tiene usted?», pero se contuvo a tiempo.

—Al menos no se fatigó demasiado.

—No, eso no —reconoció el mendigo.

Del borde de la lata, por la parte de fuera, se escurrían churretes de grasa y Abel observó que, junto al cuello, el animal conservaba fragmentos de pelaje. Como si hubiera adivinado su mirada, el *Gallego* los humedeció con cucharaditas de salsa, hasta dejarlos bien empapados.

—Es muy difícil cocerlo todo —explicó—. Con este fuego no hay forma de terminar nunca.

—¿Quiere usted que vaya a buscar leña? —propuso Abel.

—Gracias, eres muy amable.

El niño se internó en el encinar. Conocía de memoria aquellos parajes y encontró sin dificultad una rama seca.

Se la cargó al hombro, como había visto hacer a Elósegui, y regresó junto al *Gallego*.

—¿Le basta con ésa?

—Desde luego, pequeño.

Cogió la lata por el borde y la dejó sobre una piedra.

Después comenzó a remover los chamizos con los dedos y colocó los tizones encendidos debajo de la rama.

Abel tuvo un estremecimiento: la piel se le erizó como un cactos.

—¿No se quema? —murmuró con voz frágil.

El *Gallego* le tendió una mano nudosa.

—Mírala —dijo—. Pálpala.

El niño la rozó lleno de respeto: callosa, cubierta de placas y de escamas, parecía toda ella corteza de árbol.

El viejo sonrió con orgullo.

—Las manos de los niños son delicadas y finas como las de una salamandra —sentenció—. Luego se endurecen y semejan más bien garras de ave.

Se descalzó una bota y retiró la venda que le cubría el talón.

—También mis pies podrían caminar sobre brasas sin sufrir ningún daño.

Le tendió un calcañar deforme y mugriento, como el de una persona acostumbrada a andar descalza.

—Puedes tocarlo si quieres —concedió—. Te advierto que no da ningún calambre.

Abel lo rozó respetuosamente con la yema del pulgar. El mendigo imprimió a los dedos un movimiento rotatorio que le produjo un ligero sobresalto: los unos hacia delante, los otros hacia atrás, parecían dotados de un mecanismo interno, lo mismo que si pulsaran las cuerdas de una guitarra.

—Hace unos años tocaba de esta manera la *Marcha Real,* pero ahora me siento demasiado viejo. Ese maldito reuma...

Se volvió a poner la bota resollando, y Abel se enfrascó en la contemplación de su equipaje. Su escarcela contenía un muestrario abigarrado y heteróclito: latas de sardina vacías, raíces de árbol, un bote amarillo en forma de tonel con las duelas, el grifo y la piquera cuidadosamente pintados, un periódico viejo doblado en cuatro, un frasco de vidrio repleto de hormigas.

El *Gallego* sacó del bolsillo un botellín verdinegro que agitó antes de vaciarlo en un vaso de aluminio.

—Alárgame el agua —dijo.

Abel miró en torno, desorientado.

—La botella oscura. Está llena de agua.

El muchacho se la dio. El viejo removió el líquido oscuro y lo mezcló con agua por partes iguales. Sirviéndose del dedo índice como cucharilla, volvió a agitar el contenido del vaso.

—¿Quieres un trago?

—¿De qué? —preguntó el niño.

—De licor. Lo he preparado yo mismo.

Haciendo gran esfuerzo, Abel bebió un pequeño sorbo.

—Es muy bueno —dijo.

El mendigo elevó las cejas en ángulo hasta formar un acento circunflejo.

—¿No quieres otro poco?

—Le aseguro que no, gracias.

—Como prefieras.

Se llevó el vaso a los labios con movimiento rápido y se enjuagó la boca con el líquido antes de tragarlo.

—Realmente, si no fuera tan descuidado en mis asuntos personales, hubiera hecho patentar mis inventos. Otro cualquiera habría sacado de ellos un montón de plata; pero, pequeño, no en vano no he nacido comerciante. Desde niño me ha sucedido así y ahora soy demasiado viejo para intentar cambiarme. Yo doy la idea y otros la ponen en práctica. El trabajo es mío y el beneficio se lo llevan ellos. —Suspiró—: Así ha ocurrido siempre con los hombres de ciencia y este país en que vivimos no se preocupa nunca por ayudarnos.

Se desabotonó la levita y comenzó a registrar el forro. Abel descubrió atónito que, sujetas a la tela, había gran cantidad de bolsas ligadas con cintas de colores, repletas de toda clase de objetos: sacacorchos, tapones de cerveza, canicas de vidrio, peines despuntados, cilindros aislantes, semillas, hierbas secas. El acto de registrar, siempre igual, constaba de cuatro fases: extracción de material acumulado, examen del mismo, revisión de la bolsa y, finalmente, reposición de las cosas al mismo sitio de antes.

—La idea de los saquitos —explicó el *Gallego*—, tuvo durante cierto tiempo gran utilidad. —Hundió el pulgar y el índice en uno de ellos y sacó una goma que volvió a ocultar avergonzado—. Pero, en la actualidad, el material reunido es tan grande, que ya no puedo dar abasto. —Probó una nueva bolsa—. Decididamente, no recuerdo dónde lo he puesto. —Nueva prueba—. ¿Tienes tú alguna idea?

—¿De qué?

—Del número de saquitos.

El niño abarcó con la mirada la levita del viejo, cubierta de condecoraciones y de manchas.

—Es difícil —comenzó.

—Di una cifra —insistió el *Gallego*.

—No sé...

—Vamos...

—Treinta —dijo Abel.

—Más.

—Cincuenta.

—Todavía más.

—Sesenta y cinco.

—Caliente.

—Sesenta y siete.

—Sesenta y ocho. —El mendigo le contempló radiante—. Ni una más ni una menos.

—¿No se arma usted jaleo con tantas?

—Verás, en un principio había pensado ribetear los

bordes de hilo diferente para distinguirlas, pero me acostumbré en seguida y no fue necesario.

—La liebre —dijo Abel—. Se está quemando.

Sin apresurarse, el *Gallego* retiró la lata del fuego. La salsa se había evaporado totalmente y un montón de hierbajos oscuros cubría la pelusa del roedor. El viejo sacó de la escarcela dos platos de aluminio y ofreció uno al muchacho.

—Toma, sírvete.

—Es usted muy amable, pero me aguardan en casa y no quisiera que se inquietasen.

—¡Bah!, no te preocupes. Yo mismo, si es preciso, iré a disculparme con tu madre.

—No tengo madre —dijo Abel—. Hace más de ocho meses que murió.

—Entonces se lo diré a tu padre —corrigió el viejo. Contempló el rostro pálido y demacrado del niño y añadió:

—No me irás a decir que tampoco tienes padre...

—También ha muerto.

—¡Atiza! —exclamó el *Gallego*—. A eso se llama entrar con el pie izquierdo.

Hizo una pausa durante la cual analizó al muchacho de arriba abajo.

—¿Puede saberse, si no es indiscreción, de qué murieron tus padres?

—A papá le hundieron con el *Baleares*. Lo de mamá no se sabe a ciencia cierta. Fui con mi abuela al depósito de cadáveres, a reconocerla. —Esbozó un gesto vago—. Era ella.

—¿Quién se encarga de ti ahora?

—Desde la muerte de mi abuela, estoy al cuidado de doña Estanislaa Lizarzaburu. No sé si la conoce: la propietaria de *El Paraíso*.

—La conozco —repuso el *Gallego*—. Hasta hace poco

solía pasear por la carretera con una sombrilla lila, y siempre nos saludábamos.

—Es una mujer de sentimientos muy nobles —dijo el niño—, que tiene la desgracia de estar muy por encima de su medio.

El viejo se rascó el mechón de pelos que le crecía en el cogote.

—Me hace gracia tu modo de expresarte. Oyéndote, todo el mundo diría que tienes veinte años más de los que aparentas.

Abel se llevó a la boca una hoja de jara.

—Creo que la guerra nos ha madurado a todos antes de lo debido. Actualmente, no existe ningún niño que crea en los Magos.

El *Gallego* le miraba de hito en hito.

—Tal vez tengas razón y los niños de ahora nazcan viejos. En mi época, a tu edad, vivíamos aferrados a las faldas de nuestras madres. Pero en fin, dejémonos de charlas; lo mejor que podemos hacer ahora es dar buena cuenta de la liebre.

Revolucionó el macuto en busca de cubiertos, pero no encontró ninguno. Sin inquietarse, se volvió hacia el muchacho.

—Lo que se dice lujo, no lo hallarás, pero el guisado es excelente. Toma. Elige tú mismo el trozo que prefieras.

Mientras el *Gallego* sujetaba la liebre por el lomo, Abel realizó un esfuerzo ímprobo para arrancarle una pata. Lo consiguió, al fin, y la dejó sobre el plato, jadeante.

—Sin cumplidos —dijo el mendigo.

Se había llevado a la boca el resto de la liebre y comenzó a devorarlo con voracidad. El sombrero de espantapájaros, que se mantenía en equilibrio sobre la porción posterior de su cabeza, le resbaló hasta la nuca.

—Vamos, adelante.

Sirviéndose del tenedor de palo, le colocó en el plato algunas castañas y hojas de hierba.

Abel descubrió entonces que el viejo no le había limpiado las vísceras.

—No quiero comer —dijo con voz quejumbrosa.

—¿Que no quieres comer? ¿Puede saberse por qué?

El niño señaló unas bolitas oscuras embadurnadas de salsa.

—No sé lo que es eso.

El viejo las observó despreocupado.

—¡Qué sé yo! Aceitunas pequeñas. Algo que he puesto para acompañar la liebre.

La explicación no pareció inspirar al chico demasiada confianza. De aceitunas como aquellas estaban llenas las jaulas de conejos que Filomena limpiaba todas las mañanas. Devolvió al *Gallego* el plato de aluminio y permaneció unos segundos inmóvil, con la mirada fija en los tizones.

—Está bien, haz lo que quieras —dijo el viejo—, pero no pongas esa cara de pocos amigos. Si el guiso no te gusta, yo no tengo la culpa.

Vació el contenido del plato de Abel en el suyo y lo devoró también glotonamente.

En seguida cubrió los chamizos del fogón con un puñado de arena.

—Haces mal en no alimentarte, pequeño. Con el estómago vacío jamás harás nada de provecho.

Miraba alrededor con aire de buscar algo que en aquellos momentos no recordaba y sacó un tarro verde del macuto.

—Mi fijapelo —explicó.

Con los dedos manchados aún de salsa, cogió un buen cacho de jalea y lo deslizó por los mechones vedijosos de las sienes, hasta darles un tono verdemar.

—Lo fabrico yo mismo con palas de higo chumbo mezcladas con dientes de león. ¿No quieres un poco?

Por cortesía, Abel frotó una delgada lámina sobre sus rizos.

—Huele muy bien —comentó.

El *Gallego* restregaba ahora la punta de sus botas.

—También sirve para crema de calzado —aclaró—. Toma. Ponte un poco. En esta vida, si quieres que te respeten, no debes olvidar nunca tu atuendo.

Se colocó el sombrero muy encasquetado y guardó los objetos dispersos en el macuto.

—¿Estás seguro de que no nos dejamos nada?

Abel inspeccionó los alrededores.

—No, creo que no... Aquel tapón de corcho.

—Dámelo —ordenó el *Gallego*.

Lo analizó un instante antes de decidirse a guardarlo en una de las bolsas.

Después se desperezó.

—Óyeme —dijo—. Hemos estado hablando de mil vulgaridades y aún no me has dicho el motivo por el que has venido a verme.

Abel se sonrojó; el *Gallego* parecía leerle todos los pensamientos.

—¿Cree usted que durará mucho la guerra? —murmuró, al fin.

El viejo sacó del macuto un palillo usado y comenzó a hurgarse la encía.

—¡Quién sabe! Esas guerras modernas son endiabladamente complicadas. Cuando luchábamos contra los yanquis en Cuba, todo era diferente. Aquello sí que era una guerra...

—Sin embargo —dijo Abel irritado—, en Belchite también se lucha duro.

Le molestaba la manía de los viejos de restar importancia a lo presente y recargar los colores del pasado. Tam-

bién deseaba mostrarle que el año mil novecientos treinta y ocho era susceptible de heroísmos:

—Ayer, sin ir más lejos, hubo más de dos mil
muertos.

El *Gallego* movió la cabeza con gesto de duda.

—Exageraciones. Una guerra como la de Cuba no volverá a haberla nunca. Entonces...

Abel se incorporó, desalentado.

—Quiero luchar. Lo que pasaba entonces me tiene sin
cuidado. He nacido en esta época y no en mil ochocientos.

El mendigo se mesó los afilados carámbanos de sus
barbas.

—Sí —repuso—. Tal vez tengas razón. Eres joven, tienes ante ti muchos años y no debes olvidar nunca la
edad. Aceptando la compañía de seres adultos, corres
el riesgo de marchitarte. Juega con otros niños. Con
ellos aprenderás muchas cosas que yo, con mi experiencia, no podría enseñarte.

«Sí —pensó Abel—; pero ¿y los otros? ¿Qué será de
Estanislaa, de Filomena, de Águeda? No puedo, sin
más, dejarlas así, en la estacada...» Imaginaba a su tía
dándose viento con un abanico de plumas: «Son tan
borrosos nuestros límites, la realidad es algo tan vago...
En el mundo no hay mentira ni verdad. Vivimos como
en una nube...» Y a Águeda, persiguiendo por habitaciones vacías la imagen extinguida de su hermano: «No
me abandones, por favor». El aire se había vuelto, en
torno a ellas, azulado y espeso, y las voces llegaban a
sus oídos en forma de burbujas: «¿Eres capaz de amar
a una mujer como Claude, por el simple hecho de que
tenga determinada forma anatómica? ¿Cómo puede un
hombre selecto gustar de estas cosas?» Vestidas de en-
cajes y de gasas, se defendían, frente al asalto de los
elementos, con un pulverizador de perfume: «En el

amor no hay sexos ni edades...» Palabras, siempre palabras, aprendidas en algún libro viejo, desprovistas de perla, como cáscaras.

Cuando abrió los ojos, el *Gallego* continuaba sentado en el lugar de antes. Habían transcurrido pocos minutos, pero a Abel le hacían el efecto de largos, larguísimos años. Se sentía cansado, y tuvo que hacer un esfuerzo para recordar quién era.

—¿Qué ocurre? —preguntó—. ¿Me he dormido?

El viejo dijo que sí con la cabeza y se puso de pie con ayuda de la caña.

—Ve a tu casa y come algún bocado. El sueño en ayunas es nocivo y recarga el cerebro con visiones de hambre.

Lo dejó aturdido y se encaminó hacia el pueblo con todos sus trastos.

Aquella amistad, surgida en tan extrañas circunstancias, se había fortalecido durante el decurso de las semanas siguientes. El niño se presentaba cuando menos lo esperaba y desaparecía igualmente, de improviso. Juntos, hacían funcionar las varitas de avellano e inspeccionaban en los observatorios diseminados por el bosque las variaciones del viento y la temperatura. Octubre deshojaba las ramas de los árboles, los atardeceres adquirían un tono rojo sangre y el grito desamparado de las aves presentía ya la desnudez del invierno, pero él y el niño apenas reparaban en el cambio: uno al lado del otro, seguían la pista a las ardillas y las zorras, recogían los cuerpos de las liebres sujetas en los lazos y los pájaros ahogados por el abrazo de las trampas.

Un día, Abel se presentó en compañía de otro chiquillo y, desde entonces, las cosas cambiaron. El niño no era el mismo de antes y parecía no tener ojos sino para su nuevo amigo. Aunque, a veces, venían a interrogarle sobre la significación de ciertos hechos («¿El cuerpo de una golondrina hallado al pie de una ventana, es signo de mala suerte?»), por regla general indagaban sus opiniones acerca de la guerra («¿Por qué la lucha en Cuba había sido más dura que en España? ¿Qué sensación se experimentaba al recibir un balazo?»).

El otro niño solía llevar la voz cantante y Abel se limitaba a hacerle coro. El hambre había afiligranado los rasgos de su cara acentuando su parecido con otro rostro infantil, olvidado desde hacía muchos años: de un niño que conoció en Lugo, violinista, dibujante y matemático. Como él, se movía con la gracia y ligereza de un felino, tenía los ojos claros, moteados de mica, y se rechazaba el rizo que le caía por la frente cuando saludaba a alguien. De vez en cuando se llevaba las manos a las sienes y decía:

—Tengo un dolor ahí...

Aquel niño enfermó, un día, de improviso, murió al siguiente y fue enterrado al otro, y el sobrino de doña Estanislaa le hacía pensar en él mientras hablaba:

—Ni Pablo ni yo estamos hechos para la vida de este valle. Dentro de poco, en cuanto reunamos algún dinero, nos iremos al frente a probar fortuna.

Luego, a medida que el invierno se echaba encima, las visitas se habían espaciado. Los niños pensaban en otras cosas. Más de una vez los había vislumbrado desde lejos, pero pasaban de largo y no se tomaban la molestia de saludarle.

Poco después de Año Nuevo volvió a sufrir una acometida de los chiquillos refugiados y, lleno de tristeza, descubrió a Abel entre ellos, armado con una honda.

Las señales de la lucha se advertían en su cara mientras evocaba la imagen entrevista hacía media hora: un grupo de niños atravesando el torrente en dirección al encinar. Vuelto hacia la escuadra de soldados que aguardaban sus informes para lanzarse en su búsqueda, pensaba sólo en la angustia de los niños y señaló sin vacilar el lado opuesto:

—Por allí.

Y, desde el asiento delantero del vehículo —dádiva inesperada del Cielo—, los contempló mientras se perdían por el camino que —como todos los caminos, por lo demás— no iba a conducirles a ningún lado.

Capítulo V

La noticia les llegó cuando estaban aún reunidos, meditando los efectos del desastre, e hizo aflorar las lágrimas a los ojos de todos: de Lucía Rossi y de su hermana Ángela y hasta del vigilante de la escuela que las acompañaba.

La expedición de la mañana había constituido un fracaso rotundo. Llenas de júbilo, las dos mujeres habían irrumpido en la carretera, en el momento más peligroso del avance, envueltas en la bandera roja y gualda. Lucía llevaba en la mano una copia de *La marcha triunfal* y un rosario de nácar. Ángela había cogido en la orilla del camino un puñado de flores y lo arrojó sobre el vehículo que abría marcha.

—Soldados de España... —arengó Lucía.

Pero la baraúnda de voces y de ruidos impedía comprender una palabra. El alférez había localizado en la colina un nido de resistencia y, en todo el trecho de camino que dominaban con la vista, cundía gran agitación.

—...en esta hora solemne...

Lucía arqueaba el cuerpo adelante, elevaba el brazo como para saludar al pueblo, sollozaba. Al fin, uno de los soldados saltó a tierra y Ángela le echó los brazos al cuello. Pero el soldado la izó por la cintura y la llevó a la cuneta en volandas. Era un hombre brutal, criado, sin duda, en ambiente inculto y ordenó a Lucía con voz resuelta que cesara de obstruir la carretera.

—Apártese de una vez, mujer. ¿No se da cuenta de que aquí obstaculiza el tráfico?

No, no se daba cuenta. Abrazada a la bandera que tanto amaba, sostenía la cuartilla con manos temblorosas y creía ser víctima de un horrible sueño. Los camiones y motocicletas estaban atestados de hombres que reían y las señalaban con el dedo. Ángela, haciéndose bocina con las manos, preguntaba por el general en jefe del ejército, pero nadie se había dignado contestarle. Los vehículos pasaban a su lado cada vez más aprisa y numerosos soldados de a pie se detenían a observarlas:

—¡Oh, fíjate qué par de loros!

—¿Has visto los sombreros?

—¿No hay mujeres más jóvenes en el valle?

Hasta que, cansadas de soportar sus improperios, tomaron la decisión de retirarse.

—¡Mal educados!

—¡Impertinentes!

—¡Ordinarios!

En el zaguán les aguardaba el vigilante de la escuela, que el día antes había ido a buscar refugio a su casa y, con los marchitos emblemas de su derrota, se sentaron en torno a la mesa de la sala, cabizbajas y llorosas.

—Unos groseros —afirmaba Lucía—. Eso es lo que son: unos groseros. Tratar así a dos grandes damas...

—Si nuestro padre levantara la cabeza... —sollozó Ángela—. Él, que recibía en su casa a todos los generales. —Se volvió hacia Pedro, el vigilante, y explicó con voz ahogada—: Pues no se vaya usted a imaginar, después de lo que ha pasado, que somos unas cualquieras. Mi padre tenía la dignidad de capitán general y la Reina Regente le invitaba a sus recepciones de Palacio.

—También a nosotras nos consideraba todo el mundo —dijo Lucía—. Papá fue gobernador militar de Baleares y cada vez que pasábamos delante del puesto de entrada el sargento, que era amigo nuestro, hacía formar la guardia.

—¡Ah, qué tiempos aquéllos! —suspiró el vigilante—. Hasta los hombres sencillos como yo eran más respetados. Mientras que ahora... Se han perdido las nociones de jerarquía y de clase.

—Esto es. Justamente —aprobó Ángela—. Cualquier soldadote se cree con derecho a insultarnos sin consideración a nuestra edad ni a nuestro sexo.

—Realmente no sé adónde iremos a parar. Las cosas no hacen más que empeorar a medida que pasa el tiempo. La gente parece haber perdido el poco sentido común que les quedaba.

—Cuando pienso en todo lo que he hecho yo por el ejército... —murmuró Lucía.

Ángela se despojó del abrigo morado y se volvió hacia el vigilante:

—Mi hermana dio en su juventud un gran recital de canto en favor de los soldados que venían de la guerra.

—...Después de la tómbola, todos se acercaban a estrecharme la mano y yo sola vendí más de la mitad de los números.

Ángela se volvió hacia el hombre: tenía el semblante brumoso y el sombrero de ala ancha le cubría la totalidad de la cabeza.

—Imagínese usted. Todas las calles estaban llenas de carteles con su nombre y esa fotografía grande que ve en la repisa.

Pedro se incorporó de la butaca y contempló la foto con expresión atenta: Lucía Rossi estaba tomada de cuerpo entero, con un traje de color blanco y un manguito de piel. Su figura, llena de juventud y de gracia, era más bien estilizada; envuelta en la argolla oscura de su pelo, la cara tenía una delicada forma oval.

—Maravillosa —murmuró el vigilante.

Ángela se había aproximado mientras miraba y le preguntó con celos:

—¿Verdad que nadie diría que es ella misma?

Observó de reojo a su hermana, como para establecer

un contraste entre la vieja de ahora y la bella muchacha del retrato, y devolvió la fotografía a la repisa.

—Aunque no lo parezca —explicó al hombre—, mi hermana era una de las muchachas más hermosas de su tiempo. Los periódicos la traían todos los días en las crónicas mundanas y tenía a sus pies una docena de títulos. Pero ya entonces era exactamente igual que ahora: sólo pensaba en sí misma y no quiso sacrificar su libertad.

—Tenía mi carrera —dijo Lucía— y no iba a abandonarla por el primer pretendiente que se me acercara. Mi profesor de canto no se cansaba de advertirme que las mujeres casadas no hacen carrera y preferí dedicarme a mi arte.

—Lucía siempre ha sido así. Ya desde niña sabía prescindir de todo el mundo e hizo perder la cabeza a la pobre mamá con su manía de independencia. No crea usted que existan muchas mujeres con las oportunidades que tuvo ella. Todo un Grande de España se había postrado a sus pies ofreciéndole sus castillos, yates y cuadras, y ella no quiso ni escucharle. ¡Ah, si le hubiese hecho caso, nuestra situación habría sido muy distinta!...

—No veo por qué habría de ser distinta —repuso su hermana—. Ya sabes que las cuestiones económicas no me han importado nunca lo más mínimo y, si no te refieres a eso, no sé qué quieres decir.

—¿Que no sabes a qué me refiero? —exclamó Ángela—. Después de lo de esta mañana, después de todas las humillaciones que hemos sufrido, aún tienes valor de decir...

Lucía le interrumpió con voz seca:

—¿Quieres explicarme qué tiene que ver Darío Costa con lo sucedido esta mañana?

Ángela le dirigió una mirada llena de dignidad.

—Puedes estar bien segura de que si hubiera estado allí les habría abofeteado. —Se volvió hacia el vigilante y prosiguió con voz apasionada—: Si usted lo hubiese conocido, señor... Él sí que era todo un caballero. Estaba perdidamente enamorado de mi hermana y le enviaba a diario canastas de flores. Era un hombre guapísimo, de gran fortuna, con un título que se respetaba en todas partes, y mi hermana, por no sé qué capricho, se empeñó en darle calabazas —sonrió sarcásticamente—. Bastante lo ha lamentado luego.

—¿Lamentarlo? —estalló Lucía—. No me hagas reír. Nunca me he arrepentido de lo que he hecho. Lo que he vivido, bien vivido está.

—No me irás a decir que si se presentara ahora volverías a rechazarlo...

—Pues claro que lo rechazaría. Lo que tengo me basta para vivir, y no necesito del apoyo de nadie.

—¿Lo ve? —dijo Ángela—. Terca como una mula. Tenía ocho años y ya era igual. Jamás ha querido admitir que se equivoca.

Lucía le volvió ostensiblemente la espalda y canturreó un aire de ópera italiana.

—¿No se lo digo? —suspiró su hermana—. Sólo quiere oír lo que le conviene, y cuando hablo claro se tapa los oídos para no escucharme. Y, sin embargo, gracias a mí no está en el arroyo.

Lucía dejó de silbar el aria y se volvió con el semblante demudado por la cólera.

—Esto es completamente falso. El dinero nos lo dejó papá a las dos y es tan tuyo como mío.

—Ella quiso malgastarlo y yo no la dejé. Si no hubiera sido por mí...

—Podría ganarme la vida dando clases. Mi voz es conocida en toda España; seguro que nunca me faltarían alumnos.

También ella se dirigió a Pedro y le mostró las fotografías que cubrían el piano.

—He tenido centenares de discípulos de dicción y de canto y no necesito hacerme propaganda. Mire alrededor de usted. No tiene más que levantarse.

Docenas de fotografías acuosas, manchadas de amarillo, como de nicotina, mostraban a muchachas sonrientes, vestidas a la moda de hacía treinta años, paseándose por jardines alfombrados de césped, sobre un telón de fondo de escaleras, fuentes y cascadas; sus brazos estaban cubiertos de gasas delicadas, como de espuma; sus pechos, de flores y de perlas. Pedro forzó la vista y comenzó a deletrear: «Para la señorita Lucía Rossi con todo afecto de...» «Para mi querida amiga Lucía Rossi, la gratitud de...» Ángela continuaba a su lado y murmuró:

—La pobre se imagina que vive con ellas y sueña todavía en darles lecciones; pero, como puede usted comprender, está totalmente acabada.

Lucía hablaba sin oírla.

—Mire. En todas las paredes, sobre el bargueño. Más fotografías aún. La casa entera está llena y hay todavía más.

—Nadie te discute eso —dijo su hermana—. Todo el mundo sabe que tenías una hermosa voz, pero estamos hablando del presente, de ahora.

Lucía no le hizo ningún caso y continuó mostrando las fotos a Pedro.

—Pues sí, yo canté varias veces a beneficio del ejército y ya ve usted cómo me lo han agradecido. Realmente tengo motivos para sentirme desengañada.

—Lo que te ha sucedido siempre —dijo su hermana— es que has sido demasiado cerebral. Yo, señor —añadió volviéndose al vigilante—, he sido, en cierto modo, más artista que ella. Me ha agradado soñar, fantasear, hacer proyectos...

—Para lo que sirven... —ironizó Lucía—. Dígame usted si no tengo razón en ser tan desconfiada.

—Mi hermana no ha tenido jamás apego a nadie; de haberla visto hace unos años, hubiera creído usted que no iba a poder vivir separada de sus discípulas. Pues bien, ¿me creerá si le digo que jamás se acuerda de ellas?

—Es natural —contestó la otra—. No se consigue nada con desesperarse. La vida es así y debemos adaptarnos.

—Eso es precisamente lo que admiro en ella: su facilidad en adaptarse a todas las situaciones. Una imaginaría que, después de lo que ha sido, se le hace difícil soportar la vida presente, pero, ¡quiá!, le da exactamente igual. Pediría limosna y su orgullo no sufriría lo más mínimo.

—Ángela —dijo Lucía— vive con la cara vuelta al pasado: que si esto, que si aquello, que si te hubieras casado, que si fuésemos ricas... Yo siempre he dicho que lo muerto...

La disputa proseguía inacabable desde hacía varias horas, pero ninguna de las hermanas parecía decidida a ponerle fin. Pedro seguía sus explicaciones con la cabeza gacha y, de vez en cuando, arriesgaba una mirada hacia la puerta. Fue en una de esas pausas cuando vio correr a la doncella y se enteró de la muerte del pequeño Abel Sorzano.

—¿Muerto?

—Sí, asesinado.

Las emociones cambiantes del día parecieron cristalizar con la triste noticia y, durante unos segundos, el salón se convirtió en un mar de sollozos y suspiros.

—¡Pobre criatura!

—Tan joven...

—¡Qué calamidad!

Las lágrimas se prolongaron durante una buena media hora y cesaron tan súbitamente como se habían producido. El desahogo los había avergonzado y ninguno se atrevió a alzar la vista. En medio de las sonrisas melancólicas de las discípulas, permanecieron unos segundos en actitud de plegaria.

—Habrá que dar el pésame a Estanislaa —dijo, al fin, Lucía—. La pobrecilla debe estar destrozada.

—Para la casa será un vacío horrible —observó Ángela.

—Es el tercer varón que se les muere.

—Tenía dos hijos —explicó a Pedro— y los dos fallecieron.

—También el chiquillo era huérfano —completó el vigilante—. Él mismo me dijo un día que sus padres murieron en la guerra.

—La guerra no respeta nada.

—Se nace para morir —murmuró Ángela.

—Todos tenemos que pasar por el tubo.

Suspiraron. Pero el silencio les molestaba y rompieron a hablar a un tiempo:

—¿Conoce usted a su tía abuela?

—Sí, la vi una vez en el camino de *El Paraíso* y, desde entonces, siempre nos saludamos.

—La pobre ha sido muy desgraciada. Con tantos accidentes...

—De todas formas —dijo Lucía mientras se secaba los ojos con el pañuelo—, hay que reconocer que también ella se ha buscado sus desgracias. Su forma de educar a los chiquillos...

—Era algo que verdaderamente daba lástima —suspiró Ángela—. Le había llenado la cabeza de ideas locas y se empeñaba en hacerle ir así por el mundo.

—Peor fue lo que hizo con Romano. Hasta los diez años, Señor, le obligó a ir por todos lados vestido con ropas de mujer y se peleó con el marido porque quería quitarle aquel traje.

—Estanislaa ha sido siempre una extravagante. Recuerdo que, cuando era niña, se dedicaba a ir disfrazada por la calle, y toda la gente hablaba mal de ella.

—Dicen que se escapó con unos cómicos antes de casarse —explicó Lucía a Pedro— y que ésa fue la causa de que su padre dejase el ingenio de Cuba y se embarcase para España.

—Lo cierto es que, al pobre marido, le hizo andar de cabeza. Con sus ideas acerca del amor y la madurez de espíritu. ¿Recuerdas lo ocurrido con Olano?

Su hermana guardó el pañuelo en el bolso y un conato de risa estremeció su arrugada piel.

—Nunca olvidaré la cara que ponía al relatárnoslo.

La risa había prendido también en la boca de Ángela.

—Pensar que Enrique permaneció siempre con ella...

—Es algo que no he podido explicarme nunca.

—La pobre no ha sido nunca nada extraordinario en materia de belleza.

—No, desde luego.

Volvieron a reír, felices y excitadas y, de pronto, se acordaron de Abel.

—Ahora, con lo del niño... ¿Por qué cree usted que lo habrán matado?

—Realmente no hay quien lo entienda.

—Era tan encantador ese pequeño...

—¡Pobre muchacho!

—Un ángel parecía.

—Un verdadero ángel.

—El Señor en Su Misericordia...

—Un alma más para tener a Su diestra.

—Siempre se lleva a los mejores.

Habían vuelto a callar y se dirigieron al hombre en demanda de ayuda. Pero Pedro no supo decir nada. Un suspiro brotó de sus gargantas.

—En fin, así es la vida.

—Eso digo yo.

Silencio.

—¿Y si fuéramos a visitarla?

—Sería lo más conveniente.

—¿No cree usted?

El hombre se rascó la cabeza:

—Ustedes, que tienen más intimidad...

—Está bien, salgamos.

Se pusieron de pie al mismo tiempo, pero ninguno dio un paso. Hubo una pausa.

—¿Sabes una cosa? —dijo Lucía, de pronto—. Tengo dolor de cabeza y no sé si podría resistir la caminata.

—¿Tú crees?

—No sé.

—Oye, será mejor que nos quedemos.

—Tal vez mañana...

—Sí, mañana.

Como criaturas automáticas se dejaron caer en sus asientos.

—¿Te molesta mucho?

—¿El qué?

—Pues la cabeza.

—Un poco. Ya se pasará.

Ángela tuvo una idea:

—Mira, lo mejor que puedes hacer es tomar algún calmante.

Conforme se esperaba, Lucía negó con un ademán. Entonces se volvió hacia el vigilante y comenzó:

—Aquí donde la ve, mi hermana...

Doscientos metros al sur de *El Paraíso* una compañía de soldados vivaqueaba en torno a las fogatas. El sol se había quitado y el bosque estaba lleno de susurros.

Mientras los ayudantes de cocina preparaban la pitanza en el carromato, los soldados iban de un lado a otro, arropados en sus capotes y en sus mantas, contemplando la contradanza ondulada de las llamas.

El tema del niño asesinado acaparaba la mayoría de las conversaciones. Todos tenían en su haber terribles historias protagonizadas por niños, de las que habían sido testigos o conocían de oídas, narradas por otras personas hacía mucho tiempo, difuminadas y empobrecidas al cabo de los años. «La noche que entramos en Castellón...», decían. O bien: «En el pueblo donde trabajaba...» Cuando llegó el turno al sargento González se apresuró a contar lo sucedido en San Feliu hacía unos días y, aunque la historia era bastante conocida, todos los soldados fingieron escucharla.

Sabían de memoria el paisaje descrito por el sargento y no tenían necesidad de imaginárselo. La ciudad acababa de sufrir el bombardeo de la escuadra y el barrio del puerto era sólo un montón de ruinas. Cuando las tropas llegaron a los arrabales, la gente había empezado a salir de los escondrijos. En seguida aquel lugar, en apariencia vacío, se pobló de una multitud entusiasta. Fueron momentos de gran emoción, en que hombres y mujeres, soldados y paisanos se abandonaron a una fraternidad tan fácil como necesaria, exigida casi después de tanta lucha. Los chiquillos subían a los coches militares y las mujeres abrazaban a los soldados con alegría.

Fue entonces, mientras las campanas agitaban alegremente sus badajos, cuando González descubrió, con gran asombro, que le habían sustraído la cartera. El hecho debía de haber ocurrido hacía sólo unos instantes y, mediante un esfuerzo, trató de evocar a las personas que le habían abrazado. Sus sospechas se concentraron de inmediato en un chiquillo con rostro de ángel y ojos de diablo, que parecía poseído de feroz alegría. El niño iba de un soldado a otro, cantando himnos y profiriendo gritos de entusiasmo, echándose en sus brazos y enlazándolos por el cuello. En medio de la multitud enronquecida, surgía, desaparecía y surgía de nuevo, con caretas distintas, lo mismo que un Frégoli.

González desesperaba ya de darle caza cuando lo descubrió, a medio centenar de metros, llorando entre los brazos de un soldado rollizo. Lleno de cólera, se abrió paso a codazos al tiempo que, con gritos, trataba de prevenir al incauto; pero los gritos no tuvieron otro efecto que el de advertir al pillastre, que se perdió entre la multitud al grito de «¡Viva España!».

El sargento se lanzó en su persecución. Todas las personas que cedían el paso al chiquillo se lo cerraban a él, con efusiones y abrazos. Se desprendió de ellas, maldiciendo. El niño le llevaba bastante ventaja, pero la perdía en sus escarceos y diabluras. En la escalinata de la plaza hizo una cabriola que el público acogió con aplausos. Sin cesar de dar vítores, huyó hacia las callejuelas derruidas de la zona portuaria. Allí, la gente era más escasa y González podía seguirle sin ninguna dificultad.

El niño debió de comprenderlo así, pues, de pronto, dio media vuelta y corrió hacia él, como para estrecharlo de nuevo en sus brazos. Se detuvo a dos metros, sonriéndole de modo cómplice y se vació los bolsillos, dando a entender que no tenía nada. Después, en vista de que ni aun así lograba convencerle, rompió a llorar.

Dijo que tenía a su madre gravemente enferma y que su padre había muerto a manos de los rojos. También a él, añadió, mostrando unas cicatrices que le señalaban todo el brazo, le habían infligido torturas horribles, con tenazas ardientes y pajas encendidas. Pero él creía firmemente en la causa nacional y se negó a entonar su himno. Lo decía siempre: antes morir que traicionar los ideales.

González le registró de pies a cabeza, pero había tenido la prudencia de desprenderse del botín. Mientras lo llevaba al centro, detenido, le prometió, con voz lastimosa, devolverle la totalidad de lo robado. Si deseaba dinero, le haría socio suyo y se partirían las ganancias. En serio. Lo juraba por el recuerdo de su madre.

Viendo que tampoco obtenía nada, invocó sus sentimientos de padre, asumiendo, con patético ademán de payaso, la representación de todos los niños de España. Y, ante el oficial de enlace, continuó jurando y proclamando su inocencia, valiéndose tan pronto de la risa como de las lágrimas...

—Jamás, mientras viva, me olvidaré de su cara —finalizó González—. Era vasco, como ésos de la escuela, y, según decían sus papeles, se llamaba Pablo Márquez.

Un día, Abel decidió romper el muro que le separaba del resto de los seres. La radical soledad de *El Paraíso*, tejida por el monólogo ininterrumpido de sus tías, había acabado por hacérsele insoportable. Estanislaa, Águeda y la misma Filomena hablaban idiomas distintos e imaginaban que, por una milagrosa cualidad de espíritu, él era el único que podría ayudarlas. «Después de haber pasado la vida rodeadas de personas vulgares —decían—, no sabes lo maravilloso que resulta sentirse apoyadas y comprendidas por un ser como tú.» Continuamente querían tenerle junto a ellas, impidiéndole vivir la vida propia de sus años.

Basta ya: Abel había salido de la casa dando un portazo y se encaminó lentamente hacia la escuela. Aunque no se lo había confesado abiertamente, los niños refugiados le atraían. Algo menores que él se movían con independencia absoluta. Muchas veces los veía correr desperdigados por el bosque de alcornoques y había sentido deseos de participar en sus juegos pero, por timidez, jamás se había acercado a hablarles y, cuando se cruzaban, no acertaba siquiera a devolverles el saludo.

Había algo en su aspecto que le hacía sentirse avergonzado del suyo. Los niños vestían trajes sucios y gastados; durante el verano se paseaban descalzos y medio desnudos. Su pobreza no parecía preocuparles lo más mínimo. Sus movimientos tenían toda la gracia de la edad. Sus cuerpos estaban llenos de vida. Enfundado en las prendas que confeccionaba Águeda, Abel se sentía, por contraste, engolado y ridículo. Deseaba mezclarse con ellos, hacerles olvidar sus diferencias. Los vestidos, de colores chillones, le estorbaban y los escondía entre las adelfas al salir de *El Paraíso*.

Desnudo de cintura para arriba y con las piernas cubiertas de arañazos, buscaba la manera de integrarse en sus juegos. Las tardes de *El Paraíso* eran terriblemente largas y, cuando no le veían, se dedicaba a espiarlos. Los niños se dirigían al bosque en pequeños grupos: allí, perseguían a los pájaros con tiradores y derribaban los nidos a pedradas. Abel los seguía a distancia, cuidando de no ser visto. Cada vez que volvían la cabeza, se ocultaba entre los arbustos del camino y, a salto de mata, los acompañaba a lo largo del trayecto.

Un día se aventuró demasiado. Los chiquillos estaban al borde de una balsa que había en el torrente: acababan de capturar algunas ranas y se entretenían en hincharlas con pajuelas. Protegido por un muro de cañas, había avanzado junto a ellos y observaba a través de una rendija las incidencias de aquel juego, cuando unas manos se atenazaron a sus hombros y le empujaron hacia el cauce encharcado del arroyo. Abel no había oído llegar a nadie y no tuvo tiempo de defenderse. Un chiquillo moreno, con el semblante cubierto de cicatrices, le había hincado la rodilla en el pecho y le contempló con orgullo.

—¡Al fin!

Gran número de niños habían surgido entre las cañas, desnudos como lombrices y con el cuerpo untado de barro.

Algunos habían cogido algas verdosas que crecían en el estanque y las habían extendido sobre sus cabezas a modo de peluca.

Todos lanzaban gritos de guerra y Abel comprendió que, al avanzar, había caído en una vulgar emboscada.

—Conque espiándonos, ¿eh?

El muchacho de las cicatrices le apretaba la garganta con tal fuerza que apenas podía respirar.

—No irás a decirnos que no lo hacías expresamente... Hace varios días que te venimos observando... ¿Crees que somos imbéciles?

Se sentó encima de su estómago y con el índice empezó a golpear las costillas, como había visto hacer en los interrogatorios policíacos, en el cine.

Abel sintió que los ojos se le inundaban de lágrimas e hizo un ademán con el brazo.

—Suéltame —suplicó.

Los restantes niños —unos doce o trece— se habían aproximado también y le observaban con ojos malignos.

El cabecilla había aflojado la presión de su mano y el prisionero pudo incorporarse.

—¿Qué carajo quieres?

Abel se disponía a responder, pero uno de los rapaces señaló con el dedo *El Paraíso* y dijo algo al oído de su jefe. Los dos muchachos cambiaron impresiones en voz baja.

216

—¿Es cierto que vives en la casa de ahí al lado? —preguntó el de las cicatrices.

Abel afirmó con la cabeza.

—¿No os lo decía? —exclamó el otro chiquillo—. El tipo es un faccioso y se dedica a espiarnos.

Hubo un clamor de voces. Los rostros de los niños se habían vuelto hacia el que le había acometido en primer término. El jefe escupió en el suelo y se encaró con Abel.

—¿Puede saberse qué quieres de nosotros?

Abel hubiera deseado decirles: «Quiero ser uno de vosotros, hacerme amigo vuestro», pero ante aquella asamblea de ojos hostiles comprendió la imposibilidad de proclamarlo. Su mente formó una excusa rápida.

—Mi tía me había mandado a buscar ranas —dijo con gran aplomo.

Hubo un gesto de desconcierto en el rostro de los niños y Abel creyó ganada la partida.

—Como vosotros estabais ahí, no quise estorbaros.

El muchacho pequeño le dirigió una mirada llameante:

—¿También te había enviado ayer tarde a cazar pájaros?

Hubo un murmullo aprobador y el cabecilla volvió a sujetarle por el cuello.

—Vamos, déjate de monsergas y dinos quién te envía a espiarnos.

—Nadie —dijo Abel—. Ya os lo he dicho...

Pero los gritos de la banda ahogaron sus palabras.

—Pégale un buen golpe, *Arquero*.

—Hazle cantar la Parrala.

—Enséñale al mariquita ese.

Animado por las voces de los suyos, el *Arquero* le atenazó por la garganta.

—Anda, confiesa o...

Entonces ocurrió algo inesperado. Uno de los chiquillos puso una mano sobre el hombro del *Arquero* y le espetó con voz dura:

—Anda, suéltale ya. Creo que la broma ha durado bastante...

Abel volvió la cabeza para contemplar al protector que tan oportunamente había acudido en su defensa. Era un muchacho de la edad del *Arquero* y casi tan robusto como él. Llevaba un pantalón largo remangado a media pierna y sus pies se asentaban, firmes, en el suelo.

El *Arquero* aflojó gradualmente la presión de sus dedos y se volvió hacia el aguafiestas.

—¿Qué diantre te pasa? —preguntó.

El otro hundió las manos en los bolsillos antes de responder.

—He dicho que basta ya. Si tienes ganas de pelearte, hazlo conmigo, pero deja en paz al chaval.

Estaban el uno frente al otro, con los cuerpos dispuestos para el salto, y los demás formaron un ruedo alrededor de ellos.

—¡Cobardes, gallinas!...

Era una incitación directa a la pelea pero, ni el *Arquero* parecía dispuesto a arriesgar su jefatura, ni su rival deseoso de llegar a las manos. Se limitaron a contemplarse a los ojos y aminoraron el tono de sus palabras como de común acuerdo.

—Te digo que el tipo es un espía —dijo el *Arquero*—. Si quieres dejarlo sin que nos afloje el buche, haz lo que te plazca. Tuya será la culpa si después pasa algo.

—¡Bah! —repuso el otro—. El chaval es amigo de Martín y no nos ha hecho ningún daño. ¿Qué carajo quieres que pase?

La luz del sol le daba en plena cara, pero su piel parecía refractaria. El niño tenía el cabello oscuro y anillado y un semblante de histrión, de ladronzuelo. Sus dientes eran blancos y afilados y, bajo el fino diseño de las cejas, sus ojos brillaban con astucia animal.

El grupo se había disuelto poco a poco en vista de que la sangre no iba a llegar al río y los niños regresaron a la balsa, donde sus compañeros seguían hinchando ranas. Abel quedó a solas con el muchacho que había salido en su defensa. El niño le vio sacar del bolsillo una petaca de cuero, cuyo contenido vació en el cuenco de la mano.

—¿Fumas?

—No, gracias.

—Son hierbas —explicó—. Ayer me fumé toda la picadura...

Encendió con un mechero de campaña semejante al de Elósegui y aspiró el humo a grandes bocanadas.

—¿Te han hecho daño?

Abel negó con la cabeza. Tenía todo el cuerpo manchado de barro y lo lavaba en el arroyo sin separar la vista de su amigo.

—No les hagas caso —dijo éste—. Son una pandilla de tunantes y, después de lo ocurrido, procurarán hacerte la santísima. Pero si te molestan en serio, no dudes en avisarme.

Aquél había sido su primer encuentro y, desde entonces, Pablo, el muchacho, se había convertido en su mejor, su único amigo. Todas las tardes iba a buscarle a *El Paraíso* y se deslizaba como un reptil hasta la arcada. Allí, agazapado entre las flores, emitía tres veces el canto del cuclillo. Abel, que aguardaba la señal con impaciencia, corría a su encuentro con el corazón lleno de dicha. El color matizado del paisaje, la límpida atmósfera de la tarde, el soplo inspirado de la brisa, le parecía consecuencia lógica de su amistad con Pablo. El muchacho era el centro de su universo y todo se lo debía a él. Los días en que no acudía a verle, Abel creía desesperarse. En poco tiempo le puso al corriente de sus planes y Pablo se adhirió en seguida a ellos: la guerra, la necesidad de ser útiles en algo, constituían el objeto de unas charlas que eran, para el niño, su verdadero sustento.

Pablo era un muchacho ingenioso, fértil en toda clase de recursos. Danzarín, boxeador, equilibrista, sabía montar diestramente a caballo y trepar por los árboles lo mismo que un mico. Con su tirador de goma derribaba los nidos de gorriones a más de treinta metros de distancia y era un experto lanzador de cuchillo. Vivir a su lado era tener acceso a un mundo misterioso, secreto. Siguiendo su consejo, Abel había arrancado las tuberías de plomo del garaje donde guardaban la tartana. En un rincón del jardín, encendieron una fogata con corteza de eucalipto y pusieron la tubería dentro de un cazo de aluminio. Abel contempló cómo se fundía el metal, convencido de que asistía a un milagro de la alquimia: la lata se había llenado de un líquido brillante, parecido al mercurio, y el plomo había desaparecido sin dejar ninguna huella. Pablo, entretanto, seccionaba longitudinalmente los canutos que acababa de traer de la rambla y volcó en el molde hueco el contenido del cazo. Al cabo de unos minutos, el metal había vuelto a endurecerse y su amigo extendió sobre un pañuelo una docena de lingotes de la longitud de un lápiz, que segmentó con la navaja en pequeños fragmentos.

El plomo constituía el material más adecuado para los tiradores de goma y Pablo reunió los proyectiles en una bolsa de papel. Aquella misma tarde, a modo de ensayo, se dedicaron a agujerear los nidos de golondrinas que poblaban el alero del garaje. Pablo tenía una extraordinaria puntería y enseñaba a su amigo los secretos del disparo. Después de fracasar muchas veces,

Abel consiguió derribar uno y, lleno de júbilo, contempló los huevecillos estrellados contra la acera de cemento. Doña Estanislaa le había enseñado a querer a los pájaros en los mismos términos en que trataba de inculcarle su amor a lo refinado, a lo selecto; pero, junto a Pablo, nada de lo que ella decía demostraba tener importancia. Todas las cosas tenían su lado bueno y malo; cada virtud implicaba la existencia de un vicio contrario. El espejo devolvía las imágenes deformadas e invertidas y, en el negativo fotográfico, lo blanco se volvía negro, y lo negro blanco. La misma historia presentaba dos vertientes y él era muy libre de elegir la que gustara.

Aquellas prácticas, prolongadas durante varios días, debían constituir el adiestramiento necesario para su admisión en el ejército. Sentados en un claro del bosque, leían las noticias de la guerra y elaboraban proyectos para el día de su alistamiento.

Sobre este asunto había una diferencia que estuvo a punto de dar al traste con sus planes: Abel deseaba ser piloto aéreo mientras que Pablo mostraba mayor afición a la Marina. Al fin, tomaron el acuerdo de servir en algún portaaviones. Las noches en que le era posible escuchar las informaciones de la radio, Abel se deslizaba hasta la escuela e imitaba a su vez el canto del cuclillo. Decía: «Belchite ha caído en poder de los republicanos», o «Los nacionales han llegado hasta Castellón». La idea de que la guerra se acercaba los hacía sentirse casi soldados y, juntos, daban rienda suelta a su alegría.

Abel había proyectado valerse de su amistad con Elósegui para robar en la batería un par de fusiles.

—Lo importante —dijo— es saber dónde los guardan y quién es el soldado que está de turno. Si es Martín, la cosa no ofrece ningún peligro.

221

Todos los días iba a la carretera a charlar con Elósegui durante su trayecto de regreso y, cuando se reunía con su amigo, le daba cuenta de los progresos efectuados. Acababa de adquirir por correo un libro de Táctica, y juntos devoraban página tras página.

—El día que tú y yo vayamos a la guerra... —decía siempre Abel.

Lo veía aún lejano, borroso, pero su amigo le infundía nuevas esperanzas.

—Ayer vi fotos en una revista —explicaba—. El campo estaba sembrado de cráteres de obuses y en las alambradas había una mano cortada, ennegrecida por la pólvora.

A veces, Pablo tenía ideas extrañas, que Abel escuchaba sin aliento. Estaba convencido de que ningún muchacho alcanzaba su mayoría de edad si no tenía en su haber al menos una muerte. Cuatro años antes, durante las luchas laborales, la fuerza pública había cargado sobre un grupo de obreros, y Pablo conoció por primera vez la emoción de ver sangre. Junto a su casa yacía un hombre joven, pobremente vestido, con una bala alojada en la cabeza. Una mujer de mediana edad se había arrodillado a su lado y le cubría el rostro de besos y lágrimas. Un grupo de hombres oscuros observaba el espectáculo con las manos crispadas y mascullaba amenazas con voz sorda.

«¡Asesinos! Un día nos las pagarán todas juntas. Entonces verán si somos hombres o chiquillos.»

Pablo recordaba aún el semblante del hombre que decía aquello: era un gigantón barbudo, ancho de espaldas y escurrido de caderas, a quien los otros llamaban el *Mula*. El niño había contemplado su cazadora de cuero, sus pantalones azules de mecánico y las botas de caucho que le llegaban a media pierna. Era un hombre, un hombre de verdad, que no vacilaría en dar muerte al que intentara cortarle el paso. Pablo lo miraba con admiración y sintió deseos de parecerse a él. «Cuando sea mayor —pensó—, mediré también dos metros y me dejaré crecer la barba. Tendré una pistola en el bolsillo de la chaqueta y dispararé sobre mis enemigos.»

Mientras la mujer sollozaba, aferrada al cadáver del muchacho, Pablo se había acercado y le estiró de la manga con ademán impulsivo.

«También yo mataré —dijo— e iré adonde usted vaya.»

El *Mula* había reído al verle y le pasó la mano por la cabeza.

«Aguarda, muchacho, aguarda —aconsejó—. Ahora eres sólo una cosa muy pequeña y no lograrías matar a nadie. Pero llegará un día en que, del mismo modo que tendrás deseos de mujer y nadie podrá detenerte, sentirás la necesidad de vengar asuntos como éste y entonces matarás al que te ofenda.»

Habían pasado cuatro años desde entonces y las palabras se habían grabado en su memoria con letras de fuego. Llegaría un tiempo en que la sangre empujaría dentro de él y Pablo Márquez se convertiría en un ser maduro: la muerte habría desarrollado sus pétalos poco a poco y aquel día se trocaría en un fruto palpable. Con un revólver en la mano, saldría a la calle y cometería *su* crimen. Luego, Pablo Márquez ingresaría para siempre en la comunidad de los hombres, de acuerdo con las palabras del *Mula*.

Desde entonces, el panorama de su vida había cambiado por entero. Pablo seguía a los obreros al trabajo, fumaba de su tabaco, les explicaba sus proyectos. Su padre tenía una pistola «Astra» en la mesita de su cuarto y, cuando estaba fuera, Pablo salía con ella a la calle. Oculta en el bolsillo de la chaqueta, le comunicaba, no obstante, parte de su poder y le hacía sentirse, en virtud de una metamorfosis mágica, un ser enteramente distinto. Estas excursiones se le subían a la cabeza como si hubiese bebido y le determinaban a realizar actos salvajes. Una tarde, al regresar a su vivienda, dejó caer un adoquín sobre el gato de la portera. El aullido del animal había despertado a su propietaria, que corrió por el patio dando gritos y llamándole asesino, y Pablo experimentó por vez primera la ilusión de ser un hombre.

En compañía de otros camaradas, había constituido una Sociedad del Crimen, cuyos estatutos ocultaban en una Virgen de yeso y cuya misión consistía en combatir los poderes benéficos que ordinariamente rodean la vida del niño. Amparada en la confusión de los primeros días de la guerra, la banda se había dedicado al robo y al pillaje. En un descampado de las afueras había un paredón de tres metros de alto, donde los milicianos fusilaban a los presos: durante largas horas, los cadáveres yacían bajo el implacable sol de agosto, entre montones de basura corrompida y cubiertos por nubes de moscas, en espera de los parientes que acudían a reconocerlos para la inhumación. Pablo y los suyos se mezclaban con ellos, con grandes ademanes de dolor y, cuando veían a un muerto abandonado, le despojaban de todos sus objetos. Luego, llorando siempre, abandonaban el lugar con disimulo.

A primeros del mes de diciembre, cuando empezaron los bombardeos nacionales, Pablo regresó un día a su casa y encontró un montón de ruinas. Su padre, su madre, todos habían muerto. Huyó de allí lleno de pánico. Durante algunos días estuvo vagando por los barrios obreros cercanos a Guecho, hasta que le detuvo un policía cuando robaba en un puesto del mercado. Entonces lo incluyeron en la expedición de niños huérfanos y lo enviaron a Cataluña a través de Francia.

Este percance, según le explicó a su compañero, le había vuelto desconfiado y reflexivo. Los niños de la escuela formaban ahora una banda semejante a la que él capitaneaba hacía un año, pero estaba desengañado del juego. Lo importante era participar en una guerra de verdad, y para ello era preciso prepararse. Abel le contemplaba con aire interrogante y sacudió la ceniza del cigarrillo que, durante todo el relato de su amigo, había conservado entre los dedos.

—Entonces, ¿qué podemos hacer?

—Aguardar —repuso Pablo—, prepararnos y obtener algún dinero. Sólo así lograremos abandonar el maldito valle y llegaremos a ser hombres de veras.

La propiedad de las hermanas Rossi se hallaba a mitad de camino entre la escuela y *El Paraíso*. Abel y Pablo acostumbraban a pasear por las inmediaciones y, un día, mientras leían, absortos, las noticias de la guerra, tropezaron de improviso con sus dueñas.

Al contrario que doña Estanislaa, el aislamiento en que vivían les resultaba antipático y, al descubrir a los chiquillos, se apresuraron a invitarlos a su casa.

—Querido Abel... ¿Tú por aquí?... ¿A visitarnos quizá?... ¡Cuán gentil de tu parte!

Las dos iban vestidas con largas batas de percal y se inclinaron sobre él para besarle. Pablo se había quedado atrás y las contemplaba con disgusto.

—¿Y este otro muchacho?... ¿Un amigo, tal vez?... Encantador, verdaderamente encantador... Casi un hombrecito.

Abel temía una explosión de ira por parte de su amigo; pero, con gran sorpresa suya, le vio sonreír de oreja a oreja. Había ofrecido una mano a Lucía mientras subían la pendiente y le deslumbró con lo versallesco de sus ademanes.

—¡Cómo no, señora, cómo no!

En el interior de la casa les aguardaba una espléndida merienda: la muchacha había llenado las tazas de una infusión aromática y les tendió una bandeja de tostadas con aceite. Las dos hermanas, entretanto, parloteaban sin cesar y no parecían preocuparse demasiado por la comida.

Pablo las contemplaba con fingida atención y aprobaba lo que decían con inclinaciones de cabeza. En un momento en que los habían dejado solos, le hizo comprender, en pocas palabras, el alcance de su proyecto.

—Mira —le dijo en un susurro—. Mejores que las del ejército.

Siguiendo la dirección del dedo, Abel descubrió una vitrina llena de material de caza, con dos soberbias carabinas cruzadas en forma de «equis». Se acercaron sigilosamente, pero no consiguieron abrirla: la armazón era de acero y estaba cerrada con candado.

En aquel momento, Ángela entró en el comedor con un paquete de golosinas y los niños volvieron hacia ella sus rostros asustados. Pero la mujer se había llevado el índice a los labios con misterio, y les tendió unas tabletas de chocolate.

—Guardároslas en el bolsillo —murmuró—. Pronto, ocultadlas... Si se entera mi hermana...

Cambió con ellos una mirada de inteligencia y la expresión de cariño que leyó en sus rostros le hizo sentirse feliz.

Al cabo de unos minutos, la escena se había repetido a la inversa: antes de entrar en la casa, Lucía se había apresurado a advertirles que su hermana era muy dura de oído, con lo que resultaba muy fácil reírse de ella a sus espaldas. Cuando regresó de la despensa, era portadora de una caja de galletas y miró a los muchachos con el rabillo del ojo.

—Yo os daría con gusto un puñado —murmuró—, pero como también son de mi hermana...

Después, alzando la voz, había preguntado:

—¿Me dejas que les dé unas galletas a los chicos? Sólo unas pocas, pierde cuidado...

Ángela lanzó un gruñido sordo y asintió con un movimiento de cabeza.

—Como si se las quieres dar todas. Lo que es a mí...

El resto de la velada transcurrió en medio de gran animación y, cuando al fin se hizo de noche, acordaron reunirse la tarde siguiente. Al despedirse, Pablo besó a las solteronas y, con un guiño del ojo, indicó a Abel que hiciera otro tanto. Como habían supuesto, el efecto de aquel beso fue magnífico y, desde el camino, las vieron decir adiós con sus pañuelos.

—¿Te has dado cuenta? —dijo Pablo—. Las tenemos a las dos en el bolsillo.

Sus ojos de felino brillaban como arrasados por lágrimas y, mientras bajaban por el sendero, empezó a brincar de alegría.

—Lo lograremos, Abel, lo lograremos.

La luna les hacía sentirse habitantes de un país fantástico y corrieron por el campo cantando a voz en grito. Abel comprendía la magnitud de su proyecto y le parecía que en los tobillos le habían brotado alas: pilotar un avión, calar en picado...

—Sí, lo conseguiremos.

Aquélla había sido su primera visita a las dos viejas y, a partir de entonces, acudieron a su casa con regularidad. Algunas veces asistía también un artillero de la batería llamado Jordi, que devoraba golosamente cuanto caía entre sus manos. Abel lo conocía, porque acompañaba a Elósegui frecuentemente a recoger los sacos de

Intendencia y, en uno de los viajes, Martín le había contado su historia.

La familia de Jordi regentaba en Olot un negocio de imaginería religiosa, cerrado a consecuencia de la guerra y del que Jordi era el heredero único. Al año de comenzada la lucha tuvo la desgracia de ser alcanzado por la metralla en la parte baja del cuerpo, con lo que había quedado imposibilitado para la vida marital. Este hecho le había revestido ante las hermanas de un prestigio radiante. Lucía y Ángela lo consideraban como un ser extraordinario, «muy por encima de la vileza y suciedad de los humanos» y se hacían lenguas, estando él ausente, de su honradez y pureza.

Reunidos los cinco, charlaban de modo incansable, cambiando de tema a medida que a las hermanas Rossi se les ocurrían ideas nuevas. Las meriendas, copiosas siempre, aun en aquella época de escasez, los mantenían agrupados sin dificultad.

También Pablo tomaba la palabra a menudo y contaba historias inventadas que las hacían desternillarse de risa. Con los ojos llenos de lágrimas, Lucía y Ángela exclamaban: «¡Bravo, bravo!», y le premiaban con aprobadores movimientos de cabeza.

Pero los dos niños preferían las veladas en que Lucía les daba la llave de la escalera y los dejaba vagabundear por las buhardillas con entera libertad. Aunque menor que la de *El Paraíso,* Abel la encontraba, con todo, más interesante. Compuesta de una pieza única, por su extensión y la cantidad de objetos que encerraba hacía pensar en un almacén. Cuatro vigas enormes, pintadas de verde, convergían en el centro desde cada uno de sus vértices y, a medida que se alejaban de él, descendían, siguiendo la inclinación del tejado, hasta rozar casi el suelo.

Según les contó Ángela, la habitación había pertenecido años atrás a un muchacho loco llamado Nino, cuya madre, una condesa italiana divorciada cuatro veces, había alquilado la finca para sustraerlo a las miradas ajenas. El muchacho era aficionado a la música y su madre le regalaba gran número de instrumentos que el hijo rompía en sus accesos de demencia. Llenos de respeto, Abel y Pablo contemplaban los amasijos de cuerdas, los rotos violines polvorientos, las despanzurradas guitarras: nada se había librado de sus arrebatos de furia.

En un rincón había un aparato extrañísimo, que Ángela llamaba heterófon, formado por un disco de metal cribado de agujeros y que, al rozar con una varilla, emitía una melodía marchita.

—El *Carnaval de Venecia* —exclamó Abel.

Se lo había oído tocar a su madre docenas de veces en la pianola y, al escucharlo de nuevo, después de tanto tiempo, le pareció entrar en contacto con un elemento de su vida remoto y olvidado.

En uno de los cajones de un bargueño encontraron una cajita de música, de madera laqueada: al abrirse, hacía sonar los acordes de una marcha pegadiza tocada por un conjunto de delicadas campanillas. Con gran sorpresa de él, Pablo cerró la tapa de un manotazo.

—¡Uf! —exclamó—. Es un himno fascista.

Abel no se separaba de su lado y aceptó el cigarrillo que le ofrecía. La oscuridad se adensaba en el jardín y hubo que encender. Una bombilla única, cubierta con una pantalla de porcelana en forma de sombrero japonés, destiló una luz lechosa, calmante. El mundo irreal de la buhardilla pareció adquirir entonces vida propia y algo más fuerte que ellos los impulsó a cogerse de la mano.

Deseaban permanecer allí y, sin embargo, tenían miedo. En los postigos de las buhardas había escenas de la Adoración de los Reyes Magos y, mientras se pasaban el cigarrillo del uno al otro, Abel le explicó en un susurro las razones de un resentimiento contra ellos. Había sido en la última Navidad, en el momento más crudo del invierno. Su abuela estaba ·ya mortalmente enferma y él vagaba todo el día por el piso sin saber en qué ocuparse. Entonces se le ocurrió escribir una larguísima carta a los Reyes, solicitándoles juguetes, vestidos y provisiones. Sus tíos vivían demasiado atareados para atenderle y él mismo depositó la carta en el buzón de correos. Había sido hasta entonces un niño rico y estaba acostumbrado a recibir cuanto pedía, de modo que regresó al piso cantando y se echó tranquilamente a esperar. Pero, aquel año, los Reyes no le hicieron ningún caso. Los zapatos que había dejado en la ventana los encontró al día siguiente empapados de lluvia, sin ningún regalo dentro.

Hablaba a Pablo como si se hablara él mismo, asombrándose de lo necesaria que había llegado a ser su presencia: «Aquel día —concluyó— me di cuenta de que ni los Reyes ni los padres existían, puesto que, en los momentos difíciles, me dejaban en la estacada». Y Pablo había apoyado sus palabras con un enérgico movimiento de cabeza.

Antes de irse, su amigo se llenó los bolsillos de objetos esparcidos por la estancia y le incitó a hacer otro tanto.

—Anda, aprovéchate. Nadie se enterará.

Era la primera vez que robaba algo y Abel sintió en las mejillas una sensación de sofoco. Pero observando los ademanes de su compañero, mientras se embolsillaba los objetos de valor, comprendió, de repente, que debía superar aquella prueba.

Los hombres verdaderos pisoteaban las leyes establecidas por los débiles y llegaban hasta el asesinato en caso necesario. Vivían en una época de violencias y de guerras y, el que no era verdugo, corría el fácil riesgo de ser sacrificado.

Imitando el ejemplo de Pablo, cogió unos gemelos de teatro y un rollo de cinta de seda. Todo podía tener algún valor en el momento en que quedaran abandonados a sus propios recursos, y cuanto más completo fuese el equipo que reunieran, tanto mayores serían sus posibilidades de éxito.

Las carabinas de la sala continuaban siendo su principal objetivo. Pablo aconsejaba a su compañero un poco de paciencia. Habían fijado como tope el día de Año Nuevo, fecha en que inexcusablemente dejarían el valle, y Abel se había acostumbrado a señalar en el calendario de su cuarto el número de días que le separaba de la guerra. A veces, en el cuaderno de deberes, hacía el cómputo de las horas y una vez se entretuvo en extraer el de los minutos.

Los objetos robados en casa de las hermanas y otros muchos que sustraían de *El Paraíso,* los confiaba a manos de Pablo quien, unos días antes de la partida, se encargaría de venderlos en el pueblo para obtener dinero líquido. Ante la imposibilidad de ocultarlos en la escuela, acordaron hacerlo en el molino, cuyas ruinas conocían palmo a palmo.

A cambio de ello, las molestias que les causaban las dos viejas carecían de importancia. Todos los días acariciaban los horribles gatos de Lucía, aunque en su interior ardieran en deseos de apedrearlos. Los dos mininos estaban llenos de pulgas y, al quejarse Abel de ello, Ángela expuso la teoría de que era él, con sus caricias, quien había infestado a los gatos, que eran limpísimos y jamás habían tenido parásitos de ninguna clase. Mientras la escuchaba, Abel sintió dentro de sí un impulso de cólera, pero Pablo le había hecho comprender con un guiño la inutilidad de todo esfuerzo, por lo que, humildemente, se excusó de su falta de higiene y prometió lavarse en lo futuro con mayor asiduidad.

Otras veces, alguna de las hermanas, envidiosa de su amistad con la otra, le preguntaba por ella, y era precisa cierta diplomacia para eludir sus celadas.

—He observado que hablas a menudo con mi hermana —le decía—. A un hombrecito como tú debe de contarle todo lo que ella piensa. Tú eres su confidente, estoy segura... Óyeme, ¿no te habla de mí a veces?

Abel comprendía en seguida adónde quería llevarle.

—¿De usted? No recuerdo. Me parece que no.

—¡Tonto! No quise decir que te hable mucho rato, sino frases al azar, qué sé yo... Indirectas o pullas, como tú lo llamas.

—¿Pullas?

—Sí, alusiones. ¿No te dice nada?

Abel ponía el semblante de profundo asombro.

—No.

—Que soy tonta, por ejemplo, o que tengo mal humor...

—Que yo recuerde, no.

—Me estás mintiendo, Abel. Te lo veo en los ojos.

El niño bajaba entonces la mirada y contemplaba la punta de sus sandalias.

—¿Lo ves? ¿A que no lo juras por el recuerdo de tu madre?

—Lo juro —decía Abel.

—Mientes. Sabes de sobra que es una mentira. ¿Tan horrible es lo que te cuenta para que me lo ocultes de ese modo?

Abel no decía nada y la mujer adelantaba hacia él su rostro apergaminado.

—Un juramento en falso es un pecado. ¿Lo sabes? ¿Te han enseñado esto, al menos, en la escuela? ¿Sí? Pues no sé cómo puedes estar tranquilo... Si te oyera tu madre... Escúchame, quiero hacer de ti un caballero. Un hombre de bien no miente. Eso lo hacen los niños de la calle... ¿Prometes decirme la verdad?

—Sí.

—Bien; así me gusta. Ya sabía yo que me querías un poquito. Dímelo, pues. No, todo no... Un poco, solamente. Lo que tú quieras.

—¿Qué quiere que le diga?

—¡Qué memoria, Jesús! ¿De quién estábamos hablando sino de mi hermana?

—Pero si no me dice nada...

Hasta que la mujer, desalentada, desistía de su empeño y se alejaba de su lado refunfuñando.

Durante aquel otoño lluvioso y triste continuó frecuentando regularmente su casa en compañía de Pablo. El botín reunido en el molino aumentaba poco a poco y pronto fue necesario habilitar otro escondrijo. Todas las noches, después de dejar la casa, bajaban a la rambla y levantaban la losa que ocultaba el tesoro. El material robado pasaba a engrosar el ya existente y constituía como una promesa renovada de su cercana evasión. Luego se separaban, cuadrándose como si fueran dos oficiales, y Abel subía el camino de su casa silbando de contento: el día concluía para él al despedirse de su amigo y, al llegar a su dormitorio, se apresuraba a arrancar la hoja del calendario que pendía encima de su cama.

A la maestra de la escuela le estaba ocurriendo algo extraño. Ligera y alegre como era, su carácter y su físico habían sufrido grandes cambios desde el principio del otoño. El rostro se le había tornado lacio y flojo; los labios, tirantes y resecos. A menudo, sucedía que, a mitad de una explicación, interrumpía su charla como para escuchar una voz que brotaba desde dentro: su mirada se perdía, desvaída, y unas volutas de espuma salpicaban la comisura de sus labios.

Los niños hacían multitud de cábalas y sus miradas se habían vuelto suspicaces. Cuarenta pares de ojos contemplaban cada mañana el notable crecimiento de su vientre. Había algo anormal y lo olfateaban a distancia. Por la noche, después del toque de silencio, sus cabezas se asomaban como culebras astutas por la cobertura de sus lechos: era la hora del misterio y las historietas se entretejían en voz baja. Versiones: un tumor, un empacho, un ángel, un niño. La culpa de todo la atribuían a Elósegui, cuyas relaciones con Dora no eran un secreto para nadie.

Durante sus paseos otoñales, Abel y Pablo habían tropezado a menudo con la maestra. Vestida con su uniforme de mecánico, Dora caminaba siempre abstraída, como ausente. Un día, poco después de Difuntos, se acercó a ellos y les pidió permiso para acompañarlos. Elósegui estaba entonces encargado del servicio entre Palamós y Gerona y únicamente venía a verla una vez por semana. Por ello, las horas libres las empleaba en sus vagabundeos solitarios.

Aquella tarde, reunidos con Quintana junto al cañizal de la rambla, había hablado largamente de la guerra. Dora era muy pesimista en cuanto a las consecuencias de una prolongación de la lucha y se mostró partidaria de una inmediata deposición de las armas: «La gente —dijo— está cansada de luchar y aspira a poder vivir un poco tranquila. La guerra ha sido útil en cuanto ha facilitado nuestro propio conocimiento y, en cierto modo, ha contribuido a purificarnos. Su prolongación es innecesaria. Todos los hombres y las mujeres deberían volver a sus casas y trabajar. El país anda necesitado de gente joven y laboriosa, y será preciso un gran esfuerzo para ponerlo de nuevo en marcha».

Quintana, a su lado, era aún más pesimista: decía que los jóvenes se habían educado en una atmósfera de sangre y de desorden y que sería difícil convertirlos en buenos ciudadanos. Después, la maestra aludió con gran dureza a aquellos para quienes la guerra había constituido una coartada y, aunque Dora no mencionó a nadie, los dos niños comprendieron instintivamente que se refería a Elósegui.

A medida que transcurrían aquellos meses, su antiguo amor había experimentado un gran cambio: Martín se limitaba a vivir al día, mientras que Dora pensaba en el mañana. Preveía el fin de la guerra para una fecha próxima y la irritaba la tozudez de Elósegui negándose a aceptar el hecho consumado. A solas, durante la semana, con el hijo que sentía crecer en ella, hacía proyectos para el momento en que regresara Martín. Deseaba oírle hablar de lo que harían después; del empleo que tendría, de su futura carrera. A veces, fantaseando, repetía mentalmente conversaciones inventadas, en las que un Martín emprendedor y decidido le exponía sus planes para el momento en que pudiesen regresar a La Rioja. Él sería abogado y ella su ayudante; trabajarían como dos compañeros y afrontarían la vida con la cabeza muy alta.

Martín no sabía expresarse por medio de palabras. Quería regresar al valle para abrazarla, para calmar la impaciencia de sus deseos. En lugar de hablarle, la oprimía estrechamente entre sus brazos y cada vez que ella abría la boca para decirle algo, la cubría de apasionados besos. A la verdad, era incorregible; ni la amaba a ella, ni era capaz de amar a nadie; en el prado, junto a la fuente, deseaba abrazarla, pero hubiera podido hacerlo con otra mujer cualquiera. La idea le había traspasado poco a poco, como una daga, y un día acabó por formularla ante el propio Elósegui: Martín sonrió sin darle ninguna importancia («sutilezas de mujeres») y Dora se abandonó cobardemente a sus caricias, con la conciencia íntima de su fracaso.

Una semana después de este encuentro, la profesora acompañó a la playa a los dos niños. La tarde era gris, plomiza, y una luz dura maltrataba su rostro avejentado. Mientras hablaba, los niños habían contemplado el horizonte cargado de nubes negras. Las aguas eran oscuras, escamosas, cubiertas de babas sucias. Las olas avanzaban hacia las rocas, como empujadas por un tropel de morsas, cuyo pelaje parecía emerger, a veces, entre el remolino de la espuma. De vez en cuando, una ola más alta que las restantes dibujaba una silueta barbada, el dorso de un gran pez. Los niños dejaban entonces de atender a sus palabras para fijar la vista en los caprichosos dibujos de las crestas. El viento arrastraba hacia ellos un remolino de gotas microscópicas: a su lado, los tallos marchitos de un arbusto de retama se agitaban en una danza salvaje; las gaviotas pirueteaban locamente encima de sus cabezas y, en el momento en que Dora empezó a hablar de sí misma, se lanzaron sobre la escollera en furiosa calada.

—El motivo que me dedicase a la enseñanza —dijo— fue una desavenencia que tuve con mis tíos a propósito de mi propia educación. Mi madre vivía con otro hombre desde que yo era niña y mi padre falleció cuando cumplí los ocho años, de modo que, como desde esta fecha viví con aquéllos, acabé por considerarlos mis padres. Mi infancia transcurrió en el cigarral que poseían en la provincia de Toledo y fue allí donde advertí que por mis venas corría distinta sangre y, pese a sus esfuerzos y obstinación en someterme, el destino había dispuesto para mí nuevos rumbos.

»En el cigarral se vivía de igual modo que doscientos años atrás, cuando mis primeros antepasados se afincaron en la comarca : el trigo permitía a mis tíos vivir desahogadamente y dos de mis primos seguían una carrera universitaria en Madrid. También yo hubiera podido estudiar con ellos, como hizo mi prima Rosario, pero desde niña había experimentado un verdadero horror por el estudio, y lo que mi tío llamaba la "parte mala de mi sangre" me impulsaba hacia otro tipo de cxistencia.

»El caserón donde vivíamos evocaba, a la vez, por su aspecto, un cuartel y un convento. Era inmenso, cuadrado e inhóspito : ningún pájaro quería anidar en él. De acuerdo con la fachada, su interior era asimismo severo y asfixiante : poblado de horribles estatuillas, retratos e imágenes que, aun ahora, bajan de sus repisas y sus marcos y obsesionan mis horas de sueño. Cuatro generaciones de tías solteronas habían penado y envejecido entre sus muros y la casa entera parecía estar impregnada de su olor, de sus deseos fallecidos, de su belleza y esperanzas marchitadas.

»Desde niña había comprendido cuán horrible sería vivir en ese círculo, desarrollarse y morir en él. Cuando llegué a la casa, me asignaron una habitación ; siempre dormiría en ella, frente a un paisaje de calendario y una imagen piadosa, con las manos enlazadas sobre el pecho y los ojos como arrebatados a lo alto. Sería sólo un nombre en la genealogía familiar ; un nombre que consultarían las generaciones nuevas con simple curiosidad arqueológica. Acabaría como cualquiera de mis tías, vestida de luto, y me quedaría en casa para vestir santos.

»Imaginaba mi vida en el interior del cigarral. Poco a poco, pensaba, adquiriría los hábitos de la familia. Contemplaba a mis primas y las veía ya viejas, disfrazadas de negro, arrastrándose por la casa en zapatillas, siempre murmurando. Yo había querido en un principio hacer proyectos con ellas, pero nada de lo que les decía parecía interesarles. Me escuchaban con amabilidad, levemente escandalizadas, y proseguían la vida de siempre.

»Hace dos años, durante el mes de julio, todo aquel mundo se vino abajo como un castillo de naipes. Desde hacía días, los informes eran cada vez más alarmantes. Los rumores anunciaban la próxima quema de iglesias y palacios, el pueblo en armas, el ejército descontento. Yo tenía entonces veintitrés años y a las jóvenes se nos apartaba del consejo de familia. Desde la habitación vecina, con el oído pegado a la puerta, seguía sus conversaciones y disputas, de las que sólo conservo un recuerdo turbio y fragmentario.

»Los braceros realizaban la siega de los campos durante esta época del año y yo me asomaba todos los días a la ventana para verlos marchar. Eran hombres de edad indeterminada, con sombreros de paja de anchas alas, camisas descoloridas por el sol y pantalones remangados a media pierna, embaldosados de remiendos. Durante el verano, los veía dormir en la era, envueltos en una manta, soñando en voz alta con sus novias, sus mujeres y sus hijos. Nunca los vi optimistas y alegres. Con los aperos de la siega al hombro, se extendían en abanico por los campos, como un ejército de aves funerarias, sus siluetas encorvadas bruñidas por el sol.

»También ellos parecían estar al tanto de lo ocurrido y durante la noche se reunían bajo una bombilla, frecuentada por mariposas y mochuelos, que giraban en torno como satélites alrededor de un astro. Unos hombres del pueblo habían venido con noticias de Madrid y yo los veía despachar su escaso yantar con los dedos, sin manifestar señales de inquietud o entusiasmo.

»La noche del diecinueve ninguno durmió en el caserón, y yo menos que nadie. Permanecí en la cama, medio desnuda, enferma de calor, acechada por oleadas de mosquitos que se encarnizaban detrás de la mosquitera. Oía charlar a mis primos en voz baja en la habitación vecina y el reflejo encendido de la bombilla de la era acabó por desvelarme. De vez en cuando me levantaba de puntillas, con el pie desnudo sobre el mosaico y me acodaba en el antepecho a espiar: los hombres seguían allí, inmóviles, sentados en cuclillas, con una manta echada sobre los hombros y el sombrero de paja calado hasta las cejas.

Mientras hablaba, las nubes habían adquirido un tono amenazador. Frente a ellos, el cielo ofrecía, a trechos, una tonalidad ácida y blanca: era como si hubiesen lavado con manguera una pared polvorienta, cuyos churretes se escurrían, mezclados con las nubes, hasta un horizonte difuminado e impreciso. Dora lo contempló con aire absorto, y prosiguió como impelida por una fuerza espectral:

—El alba se anunciaba, azul y rosa, sobre los campos, y los hombres continuaban allí, como dormidos. Un perro esquelético recorría la era agitando su rabo y nadie le hacía caso. Yo oía otra vez los susurros en el dormitorio de mis tíos, ahora como si discutiesen en voz baja, y recuerdo que me temblaba todo el cuerpo. El alba comenzaba a eclipsar la bombilla y, desde mi refugio, la vi palidecer y palidecer sin que ninguno de los hombres se preocupase por apagarla.

»Nunca había visto un amanecer como aquél. Sin saber por qué, tenía la impresión de hallarme en un lugar extraño. Aunque la luz que entraba por la ventana iluminaba débilmente los objetos, suplía con clisés de la memoria los detalles cuyo relieve no se perfilaba aún: las macetas oscuras del rincón; el cromo que colgaba de la pared opuesta; un calendario azul de propaganda. Me parecía que todo estaba forzadamente inmóvil, como si aguardara la llegada de un fotógrafo.

»Al fin, cuando resultó evidente que los hombres no iban al trabajo, mi tío bajó por la escalera de baldosas con sus botas tachonadas, y sus pisadas resonaron como los golpes de un martillo en el tambor vacío de la casa. Le vi salir, erguido, con su ropa de trabajo y recuerdo que el corazón se me subió a la boca.

»Lo que ocurrió entonces todavía me parece increíble. Mi tío se había detenido en mitad de la era y se llevó las manos al pecho. Luego se derrumbó a cámara lenta, pugnando por decir algo que no alcanzaba a subir a sus labios. Aquel cuerpo que tanto había temido se retorcía en el suelo de la era y los hombres lo contemplaban sin decir una palabra.

»Yo estaba acodada en la ventana y no acababa de comprender. En la habitación de al lado había resonado un grito horrible; entretanto, una patrulla de hombres armados, que yo no había visto en un principio, entró en casa y, uno tras otro, sin que mediaran explicaciones, eliminó a todos mis primos. A las mujeres, a mi tía, a mis primas y a mí misma no nos hicieron nada. Las oí aullar, descompuestas, enloquecidas, y un terrible deseo de huir me sacudió como un vendaval.

»Abrí el armario, dispuse una maleta y bajé a la era. Mi tía estaba allí, abrazada al cadáver, y no miró siquiera cuando le dije que me iba. Tampoco los hombres se movieron cuando me abrí paso entre ellos. Corría por el campo bajo el ardiente sol de julio, y era como si el aire me empujara por la espalda. Desde niña me creía dotada para hacer algo útil, pero nunca, hasta entonces, me había preocupado con averiguar de qué modo podría serlo. Sabía que en Madrid hacían falta enfermeras y me fui allí, a probar fortuna.

»Eran los primeros meses de la guerra y la ciudad se había poblado de gentes extrañas. Una humanidad frenética recorría las plazas y las calles. Los «paseos», las muertes, las detenciones estaban a la orden del día y, en las esquinas, los niños vendían desvergonzadamente a los transeúntes los objetos recién pillados. Lo único que me aliviaba era la idea de que, en el interior de aquel avispero, no me sería posible ningún tipo de existencia personal. El clima de angustia que respiraba la ciudad me fascinaba y atraía. Fue allí donde aprendí a conocerme. En lugar de buscar el recogimiento, prefería las aglomeraciones en las que mi individualidad se disolvía como una gota en un mar de agua. Vestía un traje sastre medio hombruno y me arreglaba con desaliño. Era delicioso vagar así, sin hacer nada, por las calles batidas por la artillería, sabiendo que la muerte acechaba a cada paso.

Se detuvo y contempló el cielo llena de temor: la lluvia aparecía a punto de desatarse, y prosiguió su relato con mayor rapidez, en un esfuerzo desesperado por adelantársele:

—Yo era entonces, a causa del hambre, una muchacha alucinada, enfermiza. Un día, a mediados de diciembre, salí a la calle con una idea fija. Recuerdo que llovía a cántaros y no llevaba impermeable. Caminaba de prisa, al azar. De pronto, al llegar junto a la verja del Retiro, me detuve frente a un cartel cuyo dibujo, no sé por qué, llamó mi atención: representaba a un niño regordete, rosado, tendiendo las manos ávidamente hacia una enfermera. Una leyenda decía: «Proteger a la infancia es el deber más sagrado del ciudadano. Mujer: la Cruz Roja te espera».

»La lluvia se escurría sobre mi cuerpo y empapaba mis vestidos andrajosos, pero yo estaba inmóvil, como paralizada. Comprendí, de improviso, que mis vacaciones habían durado demasiado. Había dejado atrás mi egoísmo, y deseaba tan sólo eso: ser útil, hacerme valer en algo. Aquella tarde fui al Centro de Ayuda y me apunté voluntaria...

Un golpe de viento, más fuerte que los anteriores, le segó la frase a la mitad. Las gaviotas volaban enloquecidas encima de sus cabezas y un estremecimiento de pánico sacudió la superficie del mar.

—La lluvia, la lluvia —exclamó Abel.

Habían corrido hacia la barraca abandonada, que los soldados empleaban antiguamente de depósito, y un relámpago iracundo iluminó todo el paisaje con su terrible fogonazo de magnesio. Las cañas agitaban delante de ellos sus despeinadas crines y las gotas estallaban como frutas maduras en los charcos recién formados.

Avanzaron ciegamente hasta el refugio y sólo allí se percataron de que la profesora no iba con ellos: Dora se había quedado atrás, a mitad del camino y, cuando volvieron a su encuentro, les hizo una seña con la mano.

—No es nada, no es nada —balbuceó—. Absolutamente nada.

Torpemente, la tendieron sobre el suelo y la acomodaron en un lecho de hojarasca. La profesora tenía el semblante descompuesto: los miraba con los ojos vacíos y se mordía los labios con gesto de dolor.

—¿Le ocurre algo, señorita? Diga: ¿le ocurre algo?

Dora se convulsionaba silenciosamente y no parecía atender a sus palabras. Se limitaba a mirarlos, abstraída, y, de vez en cuando, se pasaba la mano por la falda.

—No es nada —decía—. Cosas de mujeres. Me encuentro indispuesta y necesito un poco de descanso.

Y, sin hacer caso de sus protestas, les ordenó que se marcharan.

El día siguiente, víspera de Año Nuevo, la profesora hizo las maletas y abandonó la escuela sin despedirse de nadie. En la sobremesa de la cena había sostenido una larga conversación con Quintana, a quien notificó su decisión irrevocable de dejar la función docente. Dora tenía los ojos inflamados, como una persona después de haber llorado.

—Despídase de los niños en mi nombre —dijo—. Dígales que los echaré mucho de menos.

De amanecida, Quintana la acompañó hasta la puerta, y, mientras le tendía la mano, Dora bajó la vista al suelo.

—Si Elósegui pregunta por mí —murmuró—, dígale usted que lo que he hecho era inevitable. Nada más. Él ya comprenderá lo que quiero decirle.

Era la última vez que la había visto con vida y su recuerdo no le había abandonado: una luz azulina bañaba el sendero de alcornoque y Dora parecía beneficiarse de ella, recortada sobre un fondo de sombras verdeantes. La falda del abrigo flotaba muellemente en torno a sus bien formadas caderas. Su frágil silueta se hacía más pequeña a medida que aumentaba la distancia y, antes de perderse en el recodo, se había vuelto hacia él y le hizo un saludo con la mano.

La noticia de su marcha, seguida inmediatamente de la de su muerte en Palamós durante el bombardeo de la escuadra, produjo una conmoción terrible en el mundo de los niños. Había algo en la atmósfera que les hacía olfatear con mayor fuerza la vecindad de la catástrofe: la guerra se aproximaba a pasos agigantados; los resortes de la disciplina enmohecían progresivamente y una serie de ideas que, desde hacía algún tiempo, flotaban en el ambiente, habían cobrado realidad.

El entierro de la maestra constituyó una fiesta extraordinaria. Una furgoneta la había conducido hasta la escuela la misma tarde, cuando no se habían extinguido todavía las conjeturas y rumores suscitados por su partida, y su presencia obró el milagro de polarizar las emociones en una sola y violenta marejada. A cada uno de los lados del ataúd, el vigilante había encendido un cirio y unas llamas exiguas se aferraban tenazmente a la sinuosa cinta de los pabilos. Era inútil llamarla, tocarla, pincharla con alfileres; el ídolo había caído y su eclipse los dejaba en libertad.

La procesión se formó delante de la escuela y siguió al cadáver los ocho kilómetros que le separaban del camposanto. Todos los niños llevaban uniforme azul marino y trazaron un apretado anillo en torno a la fosa. El vigilante y la cocinera cerraban la comitiva con sendos ramos de flores y, al meter el ataúd en el hueco, los arrojaron sobre la tapa barnizada. Luego, el sepulturero echó la primera paletada y la maestra se alejó de su mundo para siempre.

El regreso fue algo más alegre. Quintana andaba silencioso y abstraído, y dejó que los niños se enzarzaran a pedradas. Algunos habían robado coronas y ofrendas mortuorias y las fueron arrojando por la carretera a medida que se cansaban de ellas. Antes de alcanzar el camino de la escuela, Abel y Pablo, acompañados de un chiquillo al que todos llamaban *Arcángel,* se desviaron por el sendero del torrente y se tendieron al sol como lagartos.

Arcángel había sustraído del camposanto una corona que imitaba la rama de un laurel y la había ceñido en torno a su ensortijado cabello. Una cinta de seda con las iniciales de la difunta y la inscripción: LO QUE TÚ ERES YO HE SIDO. LO QUE YO SOY, SERÁS, le hacía cosquillas en la oreja. Sobre el pecho, prendida con un alfiler, tenía la borrosa fotografía de un bebé, muerto recién nacido, amarilla por la lluvia y los años. *Arcángel* vació sus bolsillos, repletos de lagartijas desventradas y cintas mortuorias, y, mientras los niños hablaban, se entretuvo en jugar con ellas.

Pablo amplió su relato de los primeros meses de la guerra, cuando con sus pequeños camaradas arrancaba los botones y los gemelos a las personas recién fusiladas. «Entonces —dijo— comprendí que los muertos eran los tipos más jodidos del mundo y pensé que sería capaz de hacer cualquier cosa con tal de no estirar la pata.»

Abel, por su parte, se hizo eco de las historias de doña Estanislaa. El recuerdo del niño brumoso muerto en América Central obsesionaba sus horas de sueño: cogidos de la mano, descendían por chirriantes escaleras mecánicas a través de galerías adornadas de borrosos espejos, en los que se veían reflejados como en lo hondo de un paisaje acuático. Los candelabros, amarillentos y retorcidos, eran helechos submarinos; los tapices deshilachados de *El Paraíso* se transformaban en guarida de flexibles y astutos animales.

Se lo había explicado todo: el féretro cubierto de flores y banderitas de oro volador; los niños vestidos de blanco, bailando a los compases del vals *Dios nunca muere;* el muertecito, con las alas de cartón plateado y un gualandalle azul entre los dedos; los negros medio desnudos, entonando preces entre trago y trago; las mujeres llorando en el patio ante una gigantesca fuente de rosquillas.

La muerte terrible, descrita por Pablo, se adornaba en Abel de una aureola mágica. El cortejo fúnebre de sus sueños, era casi el de unos esponsales: los deudos y el muerto vestían traje blanco y sembraban el camino de un rastro de flores. *Arcángel* seguía la historia con ojos maravillados y, al partir, preguntó a Abel si conocía la letra del vals. Abel negó con la cabeza y, al separarse, aceptó la fotografía que le brindaba el chicuelo.

La muerte de Dora había abierto una pausa en medio de su ocupación más importante: la expedición que, dentro de poco, iban a realizar.

El robo de las carabinas de casa de las hermanas Rossi se llevó a cabo a comienzos de año, sin ninguna dificultad. Pablo había averiguado días antes el lugar en que dejaban el llavero y, mientras las solteronas los escoltaban por la buhardilla, fingió, con su mímica de payaso, una urgente necesidad de orden físico. Una vez en la planta, vació la vitrina en un abrir y cerrar los ojos y ocultó las carabinas en el macizo de adelfas del jardín. Tras despedirse de las viejas con sus sonrisas más galantes, corrieron al escondrijo con su precioso cargamento. Allí, a la luz de la luna, procedieron a la revisión del arma: las dos carabinas estaban en perfecto estado y sólo les faltaba la correspondiente munición.

Las noticias de la guerra, que Abel recibía a través del receptor de Águeda, daban cuenta de la ruptura del frente del Ebro y la irrupción de las tropas nacionales en Cataluña. El niño las escuchaba con creciente emoción y las repetía a Pablo cuando se veían. La radio hacía continuos llamamientos a las armas y, al escucharlos, la propia Filomena había dicho que pronto llamarían a los niños.

«Si no nos adelantamos —dijo Abel a Pablo—, nos obligarán a alistarnos por fuerza.»

El día de Reyes adoptaron el plan definitivo: Pablo iría a Gerona, oculto en el camión de Intendencia, para obtener algún dinero con la venta de las cosas robadas. Después, regresaría en el mismo camión y se reuniría con Abel en el cruce de caminos. Una vez allí, los dos marcharían en dirección a Palamós, andando a campo traviesa.

Una maraña de aulagas, zarzas, nopales y retama cubría la incierta superficie de hojas secas en que habían ocultado su tesoro. Toda aquella hojarasca, arrastrada hasta las ruinas del molino por el viento y la lluvia, estaba poblada de un universo misterioso de animalillos y de insectos: gusanos rojizos del tamaño de sanguijuelas; huevecillos aglutinados, envueltos como un capullo de algodón en rama; telas de araña de aplicada estructura geométrica. Tras el declive ondulante de los campos, el mar era una masa oscura y densa. La noche había caído sobre ellos mientras trabajaban y el paisaje entero se hundía en un lecho de sombras.

—¿Crees que se darán cuenta?

Pablo estaba sentado en cuclillas y la rosada punta de la lengua asomaba entre sus dientes, mientras se esforzaba en ligar la boca del saco.

—No —dijo—. Una vez arrancan, no se detienen hasta Gerona.

Había concluido su trabajo y sacó del pantalón dos cigarrillos de hierbas.

—¿Quieres?

Abel encendió sin decir palabra: la llama iluminó por un momento el rostro de su amigo y, al extinguirse, hizo más patente la oscuridad que los rodeaba.

—¿Y si te descubrieran al llegar a Gerona? —preguntó.

A última hora, su espíritu era un mar de dudas y necesitaba la presencia de su camarada para disiparlas. Pablo tenía algo de payaso, de curandero y de charlatán. Sus astutos ojos brillaban como si tuviesen dentro una llamita encendida, y su sonrisa, poblada de dientecillos de lobezno, sabía devolver la confianza.

—No te preocupes —le decía—. Todo saldrá a pedir de boca.

Ahora parecía más excitado que de costumbre. Antes de cargar el saco sobre sus hombros, escupió en las manos como había visto hacer a los estibadores.

—Llevaré toda esta porquería a casa de un anticuario y regatearé hasta que me pague un precio decente —dijo—. Que me parta un rayo si no le hago soltar al tío baboso hasta el último pavo de lo que vale.

Se habían puesto en marcha en dirección a la playa y bajaron por el camino de herradura. Una banda de cuervos agitaba sus alas como remos y alborotaba la tarde con sus gritos. Las palas de las chumberas absorbían la luz con un reflejo mate. Los niños caminaban con lentitud y, cada cincuenta metros, se turnaban el fardo.

—¿Estás seguro de que en la escuela no sospechan nada? —preguntó Abel.

Sabía que la operación de retirar la ropa del armario no ofrecía ninguna dificultad, pero la pregunta había asomado a sus labios a pesar de él; una necesidad de tranquilizarse, más fuerte que su propia voluntad, le poseía por entero.

—¿Quién quieres que se haya dado cuenta? —repuso Pablo.

Estaba congestionado por el esfuerzo y se detuvo a tomar aliento.

—Bastante trabajo tiene el profesor con darnos de qué comer, para preocuparse encima de lo que hagamos nosotros.

—Yo creo que el *Arquero* se huele algo.

Pablo se llevó a la boca un mendrugo de pan y lo mordisqueó igual que un ratonzuelo.

—Pues bien: que se lo huela. A nosotros ¿qué nos importa?

Había vuelto a cargarse el saco sobre los hombros y Abel le miró lleno de gratitud. A fuerza de repetirse el proyecto, había llegado a perder la fe y requería que Pablo viniera a avivársela.

—Te esperaré en la carretera —dijo por enésima vez—. Aunque no me veas, ten por seguro que yo estaré allí, aguardándote.

La luna condecoraba el firmamento como una medalla de plata. Un mochuelo ciego voló sobre sus cabezas batiendo furiosamente las alas y el graznido siniestro de un cárabo parodió la agonía de un estrangulado.

—Es extraño —dijo Abel, de pronto—. Esta noche es la última que duermo en *El Paraíso* y, sin embargo, no noto ninguna diferencia.

A partir del día siguiente, se iniciaría para él una carrera de heroísmo. Vestido con su uniforme de oficial, recorrería los campos de batalla en los momentos más duros del combate: los obuses abrirían cráteres lunares y convertirían la campiña pacífica en un paisaje desértico; los soldados se cuadrarían al verle y le pedirían consejos antes de emprender la ofensiva: «Lo que usted quiera, mi coronel», «A la orden de usted, mi general».

—¿Extraño? —dijo Pablo—. ¿Por qué extraño?

Abel deslizó la lengua sobre sus labios resecos.

—No sé, sería difícil explicarlo. Es la idea de que ahora estamos ahí, los dos, hablando como siempre, y de que mañana la idea será una realidad. Hace tanto tiempo que esperaba este día... Yo imaginaba que sería algo terrible, que tendría ganas de gritar y dar saltos, pero estoy tan tranquilo como siempre y no logro explicármelo.

Las pupilas de Pablo relucían como charquitas de agua

helada. Abel creyó adivinar un viso de comprensión y prosiguió con voz temblorosa:

—Suponía que iba a correr de un lado a otro, hecho un manojo de nervios, pero creo que ni el corazón me palpita más aprisa. Me gustaría que hubiese alguien que me aclarase esto: por que hay tanta distancia de lo vivo a lo pintado. Se lo he preguntado a muchísimas personas y nadie ha sabido qué contestarme.

Sentía como un vacío en el cerebro y detuvo la cháchara a la mitad. El camino del valle estaba jalonado de luciérnagas que transmitían la noticia de su paso con señales luminosas; el disco de la luna arrancaba reflejos plateados de la encharcada arena. Abel seguía el sendero como una de tantas veces y, no obstante, era la última vez que lo cruzaba. Las cosas tenían el mismo rostro familiar de siempre y parecían ignorar su decisión irrevocable. La luna le sonreía, redonda como un ojo de buey, los mochuelos surcaban el aire con sus gritos y en los confines de la escollera llamaban las fogatas de los soldados. La vida continuaba igual que de costumbre, ajena al cambio que se operaba aquella noche y proseguiría inmutable cuando él se fuera, como si nunca hubiese existido.

Habían llegado a las cercanías del campamento y se acercaron con precaución a los depósitos: la camioneta de Intendencia estaba en el sitio habitual, sin vigilancia. Mientras Abel custodiaba el camino, Pablo subió con el fardo a la plataforma y lo ocultó entre los sacos. Después saltó otra vez a tierra y se reunió con su amigo.

—¿Qué hora tienes? —dijo.

Abel consultó la esfera del reloj.

—Las siete y cuarto.

—No pueden tardar ya.

El proyecto estaba ultimado hasta el detalle más insignificante, pero Abel experimentaba la terrible necesidad de hacer preguntas. La impaciencia de la aventura empezaba a ganarle y aceptó con agrado el cigarrillo que su camarada le tendía.

—Tal. vez sea el último que fumamos juntos —dijo Pablo.

Después, al tropezar con los ojos de su amigo, añadió apresuradamente:

—Es decir, aquí, en el valle.

Tomaron asiento en un rincón bien camuflado y Abel le tendió el sobre con sus ahorros. Pablo lo dobló en dos mitades y lo guardó en el bolsillo. Durante unos minutos ninguno dijo palabra.

Luego, cuando menos lo esperaba, Pablo comenzó a hacer payasadas: sus ojos se inmovilizaron igual que dos botones, su lengua asomó yerta como la de un ahorcado, sus manos simularon aleteos de mariposa sobre el fondo lunar del paisaje: «Estás acabado, Abel Sorzano, a-ca-ba-do —y al pronunciar cada sílaba, su boca se abría como un estuche de joyería, como el molusco guardián de una perla—. Pablo, el canallita, se va con el dinero y el botín y te deja ahí plantado; se va el canallita Pablo, se va, se va». Y, aunque en el corazón había sentido frío, Abel se vio obligado a reír. Pablo, el payaso, removía sus ágiles dedos, hechos para robar, para hacer trampas en el juego, y repetía su sentencia con los ojillos en blanco: «A-ca-ba-do, ¿me oyes? A-ca-ba-do».

Nunca había podido explicarse el porqué de aquella explosión. Pablo se llevaba su dinero, su tesoro, su amistad, sus esperanzas. Enriquecido con todos sus despojos, ¿había sentido necesidad de ser sincero? ¿Se había confesado de verdad, fingiendo hacer teatro? Abel rió hasta saltársele las lágrimas. Pablo el canallita, Pablo el payaso, Pablo el ladronzuelo, el mejor, el más bueno, el más amigo... Contempló sus deditos de ratero y no pudo menos que admirarlo. Todos los objetos de las hermanas Rossi habían pasado a través de ellos a su bolsillo siempre hambriento. Mientras se despedía de las viejas, diciéndoles cosas exquisitas, sus pantalones estaban llenos de reliquias y objetos familiares. Desde su encuentro en el verano, ¿había dejado de hacer teatro?, ¿le había hablado una sola vez en serio? Pablo estaba sentado frente a él, parodiando sucesivamente a Lucía, a Filomena, a Ángela y, sin hacer caso de su miedo, repetía con aire de burla su tonadilla obsesionante: «Se va tu amigo Pablo, se va, al mar, a la montaña, a la llanura. Se va y no volverás a verlo nunca, nunca y nunca».

Los dos andaluces de Intendencia bajaban por el camino en aquel momento y Pablo se vio obligado a interrumpir su pantomima. Era la hora de la despedida y Abel sintió que los ojos se le nublaban. Se iba Pablo; lo sentía a su lado, al acecho, dispuesto para el salto. Sus astutos ojillos brillaban como chispas. «Iré con él, a la guerra —pensaba—; vendrá mañana a buscarme y marcharemos los dos juntos.» Pero no podía decírselo ya en voz alta y se contentaba con mirarle mientras se aproximaba con sigilo a la camioneta.

Pablo trepó a la plataforma en el momento en que el motor se puso en marcha. La luz de la luna afinaba sus rasgos y, mientras Abel suplicaba en voz baja: «Ven, ven», había hecho juegos malabares, como agitando pañuelos invisibles: «Adiós, adiós, Abel». Se iba. El camión había adquirido velocidad y lo alejaba de su lado, con todo su cargamento de sueños. Pronto no fue más que un fantoche blanco que sacaba la lengua, bizqueaba y hacía reverencias, antes de que el telón oscuro de la noche cubriera definitivamente la boca del teatro.

Abel había llegado al cruce una hora antes de la fijada y aguardó la llegada de su amigo en continuo sobresalto. La luz se había evaporado en el intervalo de unos momentos. Las sombras salieron de sus rincones y disolvieron el perfil de los objetos. Una débil claridad lunar se colaba entre las masas flotantes de nubes, la suficiente para indicar la línea de la carretera; pero, antes de que el reloj señalase las ocho, se ocultó tras un nubarrón amenazante. Casi en seguida, comenzó a lloviznar.

Hacía mucho rato que había abandonado definitivamente *El Paraíso* y sentía tan sólo una curiosa sensación de despego. La ignorancia colectiva de sus propósitos de fuga continuaba torturándole y acentuaba la sensación de divorcio con las cosas que experimentaba desde la víspera. Meses antes, cuando tomaba una resolución importante, la comunicaba a todo el mundo con la certeza de ser inmediatamente comprendido. También ahora hubiera podido decir: «Me voy, no volveré jamás a estos lugares», pero su antigua comunión con el prójimo se había desvanecido. Los seres vivían en esferas distintas y nunca lograban entrar en contacto.

Mientras permanecía en su refugio, algunos automóviles habían surcado la carretera a gran velocidad. Sus faros proyectaban unos conos amarillos que barrían a brochazos el bosque de alcornoques y, de vez en cuando, una débil ráfaga de viento desgranaba las gotas de lluvia que pendían de los árboles.

A las ocho y media, la tempestad se desató con inesperada violencia. Era como si el aire se hubiese vuelto agua. Los arbustos del bosque se contorsionaban como enloquecidos danzarines y un rumor tan intenso como el fuego de metralla amordazó el espanto de los pájaros. Luego, la luna reapareció entre las nubes y el vendaval cesó con la misma rapidez con que había comenzado.

El eco difundía el rumor de los vehículos quinientos metros antes de su llegada al cruce y Abel creyó perder el aliento cuando percibió el de la camioneta. Era inconfundible; lo habría reconocido entre otros mil. Antes de abandonar la carretera para torcer por el camino, debía tomar una curva muy cerrada que le, obligaba a disminuir la velocidad. Allí debía encontrar a Pablo.

Abel bajó a la cuneta y se ocultó tras un arbusto. El vehículo estaba en la ladera opuesta de la colina. Después, oyó el chirrido de los frenos en la curva sin peralte y los faros proyectaron una claridad amarilla sobre los recientes charcos. Eran las nueve en punto. La camioneta se había retrasado una hora escasa.

Abel se incorporó de su escondrijo y tuvo que agacharse cuando el vehículo frenó. Oía perfectamente la conversación de los dos andaluces mientras realizaban la maniobra, y cuando la onda luminosa se corrió hacia delante saltó a la carretera en busca de su amigo y no lo descubrió por ningún lado.

La camioneta marchaba ya por el camino y se perdía a lo lejos con su burlona lucecilla. No, no cabía duda, allí no había bajado nadie. Desorientado, avanzó cincuenta metros por la pista, esperando verlo surgir tras cualquier matorral, con su travieso rostro de títere: «Vaya susto que te has dado, ¿eh, Abel? Creías que te había dado el pego, ¿no es eso? Pues, no, chico, no, chico, no; aquí me tienes, vivito y coleando». Era una broma de las suyas y quería hacerle pasar un mal rato.

Los ojos le escocían a fuerza de mirar, pero no se atrevía a llamarlo por miedo a tropezar con un silencio. Estaba en medio de la carretera y la luna se reflejaba en todos los charcos. Abel la pisoteó a medida que aminoraba la velocidad de sus pasos: primero, distraídamente; luego, para calmar su impaciencia, casi con rabia. Sentía un gran vacío en el corazón, y la lengua que deslizó sobre los labios le sobrecogió de frialdad.

—¡Pablo! —gritó—. ¡Pablo!

Una banda de grajos atravesó, graznando, el bosque, oscura como un presagio de muerte. Abel sintió que las rodillas le temblaban y se sentó en el mojón indicador de los kilómetros. Necesitaba reposar, dar calma a sus nervios. Sentado aún, y ya sin esperanza, repitió de nuevo el «¡Pablo, Pablo!» coreado por los chillidos de aves histéricas y el rumor negro del viento al estrellarse sobre los árboles.

No lloraba. Se sentía yermo, incluso para el llanto. Estaba en el lugar de la cita y Pablo no se había presentado. Como un sonámbulo, regresó a su antiguo emplazamiento y ocupó el mismo lugar de antes, sobre la panorámica de la carretera.

La luna había inyectado nueva vida al bosque; las gotas de lluvia emitían destellos parpadeantes; las enredaderas que brincaban entre las ramas de las encinas oscilaban al viento, como las serpentinas desgarradas de alguna verbena muerta.

Abel continuaba al lado de su equipaje, con la vista perdida en el cruce. Sabía que Pablo no regresaría nunca y se sentía excluido, condenado. Permaneció absorto, con la cabeza completamente en blanco, y sólo cuando el reloj marcó las once regresó lentamente a casa.

La velada transcurrió entre treguas y suspiros, disputas y plegarias. La electricidad no funcionaba a causa de una avería en el tendido y había sido preciso encender unas velitas, residuos de un pastel de cumpleaños. En el comedor decimonónico, las llamas proyectaban sus sombras vacilantes: era como si una bandada de murciélagos se hubiesen puesto a batir las alas sobre el empapelado de frutas y de flores.

Hacía largo rato que ninguno de los tres decía nada: ni Pedro, ni Ángela, ni Lucía. Se contentaban con engullir los bocadillos de la fuente y enjugarse discretamente las lágirmas.

Ángela tenía el codo apoyado encima de la mesa y observaba el mobiliario con el semblante adormilado. De pronto, se volvió hacia su hermana y apuntó con el dedo a la vitrina.

—¿Has visto? Faltan las carabinas de caza.

Lucía siguió la dirección con la vista y sus cejas se enarcaron con gesto de sorpresa.

—Pues es verdad —reconoció—. ¿Quién puede haberlas quitado?

El viento silbaba entre las copas de los árboles y hacía chirriar el cable del pararrayos. Un mochuelo obstinado batía sus alas contra el postigo y una ave nocturna emitía graznidos extraños.

Lejos, las campanas del pueblo, seguían tañendo a júbilo.

Capítulo VI

Los cadáveres de los soldados muertos durante el combate de la mañana estaban extendidos al borde de la cuneta, entre los desperdicios nauseabundos arrojados por los vecinos y los cascotes de yeso de una cercana fábrica de aislantes. El soldado encargado de su custodia sentía vivos deseos de descabezar una siesta y aguardaba con impaciencia la llegada del capellán para enterrarlos. La gente del pueblo iba allí en traje de gala; los viejos, con sus chaquetones de cuero y la gorra encasquetada hasta las cejas; las mujeres, con trajes que olían a naftalina y el pelo recién mojado. Algunos formaban un anillo de curiosos en torno a los cadáveres; otros hablaban en voz alta y se reían.

El soldado se había sentado en el estribo de la camioneta y seguía el espectáculo con aire ausente. Hacía unos minutos que, con el brigada de su compañía, había procedido a la identificación de los cadáveres. Unos al lado de otros, formaban una mancha parda de imprecisos contornos, entre los escombros polvorientos; enjambres de moscas negras paseaban por encima de sus rostros sin que nadie se preocupara con apartarlas. Arrodillados a su lado, habían procedido a un minucioso registro de los bolsillos: todos los documentos, cartas, tarjetas y retratos pasaban a manos del brigada, que los sujetaba con una gomita y los señalaba con un número.

El rostro de uno de aquellos cadáveres le había producido una impresión particularmente penosa: era un tipo redondo, de factura eunucoide, cuyos rasgos parecían flotar en un mar de grasa. Las mejillas, la barba eran bulbos sonrosados y lisos. Tenía la boca entreabierta, con gesto de engullir algo, y una avispa listada de amarillo rondaba en torno a sus labios.

Al entregar los documentos al brigada, había leído su nombre encabezando un paquete de larguísimas cartas: Jordi. La muerte debía de haberle sorprendido de improviso y la expresión de su semblante denotaba más bien cierto asombro. La idea le había penetrado en el cerebro al mismo tiempo que la bala, sin darle oportunidad de madurarla.

«Como un perro —pensó el soldado—. ¡Pobre diablo!»

Contemplaba aún las evoluciones de la avispa sobre su boca, cuando el rumor de un vehículo que frenaba le sacudió de su modorra: a pesar del frío que hacía a aquella hora, el capitán Bermúdez iba en mangas de camisa y contestó a su saludo apresurado con sonrisa campechana. Un curita con cara de novicio —el pelo cortado en cepillo, gafas de miope y orejas en forma de asa— descendió detrás de él, mediante un ágil brinco. Como era el primer cura que veían desde hacía varios años, los vecinos allí reunidos lo contemplaron con la boca abierta.

El curita marchó hacia ellos con las manos tendidas y, con una sonrisa, permitió que se las besaran. Las madres le acercaban sus niños de pecho y él les acarició la cabeza con sus dedos gordezuelos.

—¿Están bautizados? —preguntaba.

Las mujeres inclinaron la frente: ellas no entendían de aquello. El último cura párroco había huido en el automóvil del terrateniente cuando los milicianos fueron a buscarle y la capilla se había convertido desde entonces en el almacén de abastos. La vida del pueblo había seguido el curso de siempre: los soldados engendraban a sus hijos durante los permisos y, cuando nacían, las mujeres se olvidaban de bautizarlos.

—Si se hubieran muerto antes de nuestra llegada —dijo el curita—, ustedes serían las culpables de su exclusión del Reino de los Cielos.

En pocas palabras, las puso al corriente de la doctrina de la Iglesia sobre esta materia, hasta que el capitán Bermúdez le detuvo con un golpecillo en la espalda.

—Está anocheciendo ya, señor cura...

El curita sacó entonces el breviario del bolsillo de la sotana y la media docena de viejos allí reunidos se descubrieron. Con la delicada unción de un canónigo, leyó una oración en voz alta. Luego, otorgó su bendición a los cadáveres.

—*Dómine, qui, innefabili providentia...*

El capitán Bermúdez seguía la ceremonia desde lejos y se guardó el estadillo que le tendía el brigada.

—¿Catorce? —preguntó.

—Sí, mi capitán. Y dieciséis heridos en la enfermería.

Regresó hasta el vehículo y puso en marcha el motor. Desde allí, dirigió una última mirada al grupo de curiosos que rodeaban los cadáveres: recortado a contraluz, en el ocaso, el curita estaba aureolado de un halo color de rosa, lo mismo que un santo de estampa.

—Dígale que le enviaré el coche en cuanto llegue a la escuela —dijo al brigada, señalándole.

Durante el trayecto, la noche se le había echado encima sin que se diera cuenta. El aire se fue espesando, a medida que se alejaba del pueblo y una luz incierta aquilató la sorprendente inmovilidad de los árboles.

En el cruce, había coincidido con el automóvil del capitán médico. Las enfermeras, al divisarle, se asomaron a la ventanilla, y le hicieron saludos con las manos.

—¿Cena usted también aquí?

Bermúdez contestó con un ademán afirmativo y aceleró la marcha para alcanzarlos.

—¿Qué tal el trabajo?

Antes de bajar, Begoña se desperezó voluptuosamente, extendiendo los brazos hacia arriba. Inscrita en la Cruz Roja desde hacía cinco años, había hecho toda la guerra en el Regimiento, donde era tan reputada por su pericia de enfermera como por su belleza de mujer. Algo gruesa para sus años, tenía, sin embargo, la agilidad y la gracia de movimientos de una adolescente. Su aire despabilado, su sonrisa fácil y el retintín burlón de sus palabras le habían dado un prestigio inmenso entre los miembros de su unidad. La radio la había interviuado varias veces durante el curso de la lucha, y un periodista americano, que la vio curar en un solo día a más de cien heridos, no vaciló en escribir un artículo en su semanario llamándola la *Novia del Ejército*. Pero Begoña acogía estos elogios con cierta indiferencia y únicamente parecía satisfecha de su universal apodo de *Mamá*.

Delante del edificio de la escuela, los soldados habían encendido una fogata. Sentados en cuclillas en torno a un cazo de rancho, hundían en él la cuchara, digna y reposadamente. Una pareja de mozos que cantaban apoyados contra las jambas de la puerta detuvieron su letanía al descubrir a los capitanes. La tramontana volvía a soplar después de un breve paréntesis de calma y los reflejos sinuosos de las llamas comenzaron a hurtar en el aire sus formas cambiantes convulsas.

Begoña contempló al alférez Fenosa mientras se cuadraba ante los capitanes y acogió con una sonrisa la observación que, en voz baja, le hacía su compañera. El interior del edificio estaba a oscuras, a causa de la avería en el tendido de los cables, y los asistentes del Regimiento acudieron a recibirlos provistos de palmatorias.

—¿Has visto? —dijo Begoña—. Parecen almas en pena.

Canturreando, se había acercado a la fogata y aproximó las manos a las llamas.

—¡Hola, *Mamá!*

—¡Hola, muchachos!

Le señalaron el caldero del rancho:

—Si gusta...

—Gracias.

La luz inventaba arrugas en el rostro de los hombres y se reflejaba en sus pupilas como en la lente inversa de unos prismáticos.

—¿Hay apetito?

—¡Psé! Bastante.

Begoña les dirigió una amplia sonrisa y se reunió con el grupo de oficiales. El alférez proseguía con voz monótona el relato de lo sucedido al niño, a quien sus compañeros habían pegado un tiro. En aquel momento se les había acercado el brigada para decirles que la cena estaba lista.

El comedor se hallaba iluminado por media docena de candelabros que el brigada había distribuido sobre la mesa. Dos tenientes del Regimiento charlaban con voz baja con el comandante y al entrar los capitanes se incorporaron prestamente. Hubo un intercambio de taconazos.

Begoña comenzó a distribuir el guisado y permaneció como abstraída mientras Fenosa exponía lo sucedido.

—...cuando el soldado, un tal Martín Elósegui...

La enfermera detuvo el tenedor a mitad de camino entre el plato y la boca, y se volvió hacia el alférez.

—¿Martín Elósegui?

Su voz reflejaba tanta sorpresa, que todos los oficiales se volvieron a mirarla. Fenosa hizo un guiño con sus ojos miopes y carraspeó antes de responder.

—Sí, Martín Elósegui.

Begoña había dejado el tenedor sobre el mantel.

—Un muchacho alto, moreno, con cara de pocos amigos.

—El mismo.

Ella rompió a reír de modo brusco.

—¡Cristo! —exclamó—. Eso sí que tiene gracia. Es, es...

Se detuvo como para encontrar un adjetivo que calificara y definiera aquel momento, pero se contentó con rechazar el tirabuzón que le caía sobre la frente.

—Un chico de unos veinticinco años —dijo Fenosa—. Estudiante de leyes, me parece.

Begoña reía sin decir nada.

—¿Puede saberse qué misterio es ése? —dijo uno de los tenientes, con la boca llena de guisado.

—Va usted a hacer que nos sintamos celosos...

Begoña paseó una mirada triunfal sobre el grupo de hombres; hacía mucho tiempo que tomaba en serio el nombre de *Mamá* y consideraba a los oficiales como una pandilla de chicos crecidos.

—Elósegui fue mi primer novio —rió—. Vivía en mi misma calle, en Logroño, e iba todos los días a buscarme a la salida del colegio. —Se volvió hacia el alférez y le preguntó con voz burlona—: ¿Dónde diablos lo ha metido usted?

Fenosa sonrió desconcertado:

—Debe de estar en el cobertizo, con los otros...

—¡Pobre *Bichito!* —exclamó ella—. Con el frío que hace...

Adelantándose a sus intenciones, el comandante la detuvo con un movimiento de la mano.

—Vamos, *Mamá.* No irá usted a dejarnos...

—Aguarde usted, mujer. No sea impaciente.

Pero Begoña no les hizo ningún caso. Instintivamente se había alisado la blusa del delantal y los dominó con una mirada.

—¡Ah, no! Créanme: no soy mujer para estarme ahí de charla, sabiendo que un amigo está en un apuro; se me indigestaría la cena.

Había tal firmeza en sus palabras, que ninguno se atrevió a replicar. Satisfecha de sí misma, Begoña se volvió hacia Fenosa.

—Señor alférez —dijo—. ¿Quiere usted acompañarme?

Fenosa vaciló, como siempre que Begoña pedía algo; el tono protector que asumía respecto a sus diecinueve años le sacaba de quicio. Para colmo, esperaba que el teniente explicara a Bermúdez su gesta de la mañana y aquella interrupción desbarataba todos sus planes.

—Está bien —gruñó—. Si usted se empeña...

El asistente alumbró el trayecto con una linterna de campaña. El cobertizo estaba a treinta metros de distancia y para llegar a él era preciso cruzar un sendero de pálidas mimosas. En la puerta había dos centinelas que, al ver a Fenosa, se cuadraron como autómatas.

—¿Quiere usted abrir la puerta?

—Sí, mi alférez.

El cobertizo era una habitación estrecha y larga, refugio de murciélagos, de inmundas, pálidas alas. Sobre los sacos, entre las cajas de madera vacías, una docena de prisioneros dormía a pierna suelta. Al oír el crujido de los goznes, algunos se incorporaron y un brochazo de luz amarillenta seleccionó sus rostros temerosos. Otros dormitaban con el brazo apoyado en la rodilla y, al oírlos, alzaron ligeramente la cabeza.

—Martín Elósegui —tronó el alférez.

Uno de los que estaban estirados se incorporó con lentitud, asediado por los haces luminosos. Martín tenía la expresión malhumorada, soñolienta y, desde su rincón, dirigió miradas ciegas al grupo de recién llegados.

—A la orden.

El timbre familiar de su voz fue como una revelación para Begoña. Elósegui había enflaquecido mucho desde su último encuentro, pero la expresión de su semblante no había cambiado.

—Le aguarda una visita —dijo, con sorna, el alférez.

Martín la miraba sin verla aún, deslumbrado como estaba por el foco, y Begoña sintió que el corazón le palpitaba más aprisa.

—¿No me conoces? —preguntó con una voz cuya fragilidad la hizo avergonzarse.

Martín la veía sin dar apenas crédito a sus ojos. Tenía el mismo rostro duro, granítico, de siempre y una barba de dos días que le hacía parecer avejentado.

—Begoña —balbuceó—, ¿eres tú?

Entonces, toda la ternura almacenada en el corazón de la enfermera se derramó de golpe.

—*Bichito* —exclamó—. ¡Oh, *Bichito*...!

Durante el resto de la tarde, los chiquillos de la escuela que vagabundeaban por el valle se fueron entregando poco a poco a las patrullas destacadas en su busca.

Una primera expedición de dieciséis había partido hacia el pueblo antes de anochecer, bajo la vigilancia del sargento Santos. Entre ellos se encontraba su hijo Emilio, quien, al verle, había intentado escabullirse, pero concluyó por echarle los brazos al cuello con los ojos llenos de lágrimas. Gracias a sus confesiones, completadas con los informes del profesor Quintana, había logrado esclarecerse la historia de aquellos últimos días, y con ella los hechos que indujeron a dar muerte al pequeño Abel Sorzano.

La huida de Pablo, al parecer, produjo entre los niños refugiados impresión muy honda. Quintana partió en su busca por los pueblos vecinos y el centro de gravedad de la escuela pasó a manos del *Arquero*. La propaganda transmitida por la prensa y la radio había llevado al corazón de los niños el desorden y la anarquía reinantes en el campo republicano. La locutora repetía continuamente su advertencia: «Vigilad; formad vosotros mismos vuestra policía: aprended a delatar a los traidores; si vuestros compañeros son facciosos, descubridlos», y sus consignas, recibidas por algún niño oculto tras las cortinas del cuarto de Quintana, corrían de boca en boca en cuanto el espía trepaba hasta el dormitorio sujeto al cable del pararrayos. Los niños sabían leer entre líneas: en cualquier recorte de periódico arrinconado en el lavabo descubrían lo mágico, lo inesperado, lo milagroso; subían al dormitorio pensando en ejecuciones, atentados y golpes de mano y, durante el día, eludiendo la vigilancia del maestro, se entregaban a lo sangriento de sus juegos. El *Arquero* los instruía en las reglas del combate y adiestraba sus fuerzas en la toma del poder.

Desde la terraza de *El Paraíso,* Abel contemplaba a menudo las evoluciones del pequeño ejército. Las horas transcurrían con lentitud desde la huida de su amigo y los días se le antojaban desesperadamente iguales. Las noticias de la radio habían dejado de interesarle desde que se sabía excluido del mundo de los hombres, y oponía a las preguntas de Filomena un silencio de estatua.

El mes de enero había sido nuboso y desapacible y el niño pasaba la mayor parte del día errando por los alrededores de la casa. En una de sus correrías solitarias se encontró con Elósegui: el soldado estaba ausente del valle desde hacía unas semanas y le pidió que le acompañara al cementerio, donde habían enterrado a la maestra. Abel le obedeció sin rechistar; Martín era también un excluido, pero al menos tenía la prueba del cadáver; podía arrodillarse junto a él, ofrendarle ramos de flores. Se acordaba de las palabras de doña Estanislaa: «La gente se preocupa de los niños que mueren cuando nacen, pero yo te pregunto: ¿qué es de los niños que no mueren? ¿Dónde está su cuerpo, la prueba, la coartada?» y se sintió mucho más pobre y desnudo que Martín, puesto que no podía compartir su pena con nadie.

Las encinas del torrente estaban infestadas de ardillas y Abel se entretenía en contemplarlas mientras brincaban por las ramas. Vestía el ridículo traje de terciopelo confeccionado por Águeda, pero ahora no le importaba llevarlo. Todo lo que le rodeaba se le había vuelto odioso desde que se sabía condenado a morir en *El Paraíso* y, al destrozar las fotografías que constelaban de sonrisas las paredes de su cuarto, le había asaltado la impresión de desembarazarse de algún testigo molesto. Al llegar la noche, regresaba a casa con las manos hundidas en los bolsillos y despachaba en silencio la comida que le había preparado Filomena.

En *El Paraíso* la vida seguía su curso habitual: doña Estanislaa pasaba todo el día en cama, con un pañuelo empapado de colonia sobre la frente, y Águeda leía novelas de amor y de aventuras encerrada en su habitación del piso alto. La penuria de alimentos se hacía notar de día en día; Filomena despotricaba contra la guerra y sollozaba ante sus cocidos de nabos y castañas.

—En mi pueblo, en Galicia —gemía—, ni los mismos cerdos hubiesen querido probarlo. ¡Ay, esto es el fin del mundo!

Una tarde, mientras el niño se entretenía en arrancar las cortezas harapientas de los eucaliptos de la terraza, apareció un grupo de chiquillos de la escuela, con el pelo rapado y la cara llena de carbonilla. El más pequeño tenía el rostro astuto de ladronzuelo y escupió en las palmas de las manos antes de hablar.

—Venimos a que nos des las carabinas, Abel Sorzano —dijo—. Tenías que habérselas entregado a Pablo el día que se largó del colegio, y ahora nos pertenecen por derecho.

Estaban erguidos frente a él, oscuros y desconfiados y sus ojillos brillaban de codicia. Abel fue a su habitación y regresó con las dos armas. Los chiquillos se las arrebataron de las manos y regresaron a la escuela sin darle las gracias.

El niño los vio partir con aprensión. Su visita le había dejado en la boca un sabor amargo: ¡qué hermosos eran sus cuerpos, qué gracia tenían sus movimientos! A su lado, todas las personas mayores parecían desprovistas de misterio y belleza. Un amor hondo, tristísimo, le quemaba las entrañas. ¡Ah, ser uno de tantos, borrar las diferencias, intercambiar la sangre!

El día siguiente, Abel recibió la visita del *Arcángel*. El chicuelo llevaba un mechón de plumas en la cabeza, semejante al de los indios pieles rojas y un jersey cubierto de vestigios mortuorios que había sustraído del camposanto.

—¿No te aburres ahí, tan solo? —preguntó—. Anda, ven; con nosotros, te divertirás.

Indicaba el camino con el dedo y Abel le siguió en silencio. Los chiquillos jugaban a la guerrilla. En el bosque vecino a la escuela acogieron su presencia sin dar muestras de asombro. Le admitieron en sus pruebas como uno de tantos y nadie hizo preguntas acerca de la huida.

Las pruebas consistían en trepar a la copa de los árboles y buscar un escondrijo entre sus ramas. El descubierto era sometido a un correctivo, cuya gravedad se

apreciaba según el grado de la falta. También Abel
se había ocultado en la cima de un alcornoque y, aunque el *Arquero* le vio en seguida, no respondió a sus
esperanzas de castigo.

—¡Eh, tú! —gritó—. Baja, te he visto.

Abel se dejó deslizar por el tronco y al llegar abajo se
encontró con el *Arcángel.*

—No temas —le susurró éste al oído—. A ti no te
harán nada.

Excluido. Basura. Aparte siempre.

—¿Por qué? —balbuceó—. Si me han visto...

Pero sus preguntas se perdían en el silencio: aunque
los niños fingieron considerarlo como uno de ellos, ninguno le dirigía la palabra a menos que fuera indispensable. Un muro, más fuerte que sus propios cabezazos,
le separaba de los otros.

En la escuela, según pudo darse cuenta, imperaba una
situación cada vez más anárquica. La delación, el miedo
y el castigo estaban a la orden del día y nadie se atrevía
a franquearse con Quintana. Abel le vio una vez mientras regresaba a *El Paraíso,* y a regañadientes consintió
en acompañarle. El maestro le había dado cuenta de
algunos de los rumores que corrían y le aconsejó que
no saliera de su casa hasta la llegada de las tropas nacionales.

—Óyeme bien, déjalos antes que sea demasiado tarde.
Exaltados como están, son capaces de cualquier locura
y no quisiera que pudiese ocurrirte nada.

Abel se alejó de su lado con la cabeza vacía y el cuerpo flotante. Aquella noche soñó con David y con Romano. Los veía a escasos metros, separados por un arro-
yuelo, y con ademanes desesperados de los brazos le
pedían que cruzara: «Vamos, decídete, es fácil, y, una
vez que estés con nosotros, serás perpetuamente joven».
Cuando despertó, su corazón latía con violencia y su

frente transpiraba. Luego, volvió la vista a la ventana y no pudo evitar un grito: la cabeza rapada de un niño, velada hasta la boca por una horrible máscara, le contemplaba con ojos malignos y desapareció como por ensalmo entre la espesura del follaje cuando Abel hizo ademán de incorporarse.

Por la tarde el *Arcángel* vino a buscarle como si nada hubiese ocurrido; el resto de los chiquillos les aguardaba en el torrente y, juntos, emprendieron su marcha rambla abajo. Durante el trayecto, el *Arcángel* le había hecho preguntas acerca de David, pero Abel no se sintió con fuerzas para contestarle. Tal vez había intuido su destino, y su mirada era honda, como si en lugar de detenerse en la envoltura de los objetos tratase de penetrar en su esencia. Mientras escalaba la ladera que llevaba hacia la fuente, le había asaltado una impresión curiosa. Todo estaba al acecho: animales, árboles y seres humanos. El mar era una lámina de color plomizo en la que el oleaje parecía petrificado. En el cielo, las nubes se agolpaban amenazantes y, como surgido de toda aquella espera, un avión con la bandera roja y gualda voló sobre sus cabezas, igual que un aerolito de color ocre, y se lanzó hacia la batería en vertiginosa calada.

—¡La guerra, la guerra! —exclamaron los niños.

La aparición del bólido había provocado un efecto de catástrofe: ráfagas de viento despeinaron los pinos del sendero y el mar se cubrió de un reguero de baba espumeante. El avión pirueteaba encima de la bahía y el corazón de los niños latió de miedo cuando vieron soltar las bombas: una, dos, tres, cuatro. Casi al mismo tiempo, nubecillas en forma de copos se elevaron desde la escollera hasta fundirse en el color gris ceniza del crepúsculo.

Los antiaéreos de los fortines dispararon, pero ya el

avión había tomado altura. En la batería ardía uno de los barracones y los soldados llevaban un herido a la ambulancia. Mientras ellos se acercaban a husmear lo que pasaba, oyeron la bocina de la camioneta conducida por Elósegui, y Abel hizo seña de que parara. Se había distanciado del grupo sin que los demás se dieran cuenta y acogió la presencia del soldado como una tabla de socorro...

—¿Imaginaba ya lo que iba a ocurrirle? —preguntó Santos.

El niño vaciló antes de responder. Hablaba con la cabeza baja e interrogaba a su padre con los ojos temerosos.

—Creo que sí —contestó—. La mayor parte de nosotros lo sospechábamos desde hacía tiempo y él mismo dijo al *Arcángel* que el profesor le había avisado.

—Entonces —dijo Santos—, ¿por qué volvió con vosotros después de esa tarde?

—No lo sé. No tengo la menor idea.

Sin atreverse a alzar la vista de la alfombra, Emilio prosiguió con la exposición de los hechos: los planes de matar a Abel —dijo— se habían retrasado varias veces a causa de la presencia de soldados en el edificio de la escuela. Después del bombardeo de los fortines por los nacionales, el oficial había ordenado el traslado a su edificio civil y, con el permiso de Quintana, requisó la totalidad de las habitaciones de la planta baja del colegio. Aquello constituía un serio contratiempo para los proyectos del *Arquero* y el mismo día quedó decidida la eliminación del profesor... «Desde hacía algún tiempo, nosotros teníamos en el bosque un depósito de armas y esperábamos la marcha de las tropas para hacernos también cargo del suyo.»

Entretanto —dijo— se dedicaban al pillaje del material que los fugitivos abandonaban al borde de la cuneta. Carricoches, mantas, sacos, colchas, trastos viejos. Un día, en las cercanías del puente, encontraron un automóvil. Lo recordaba bien: había llovido durante la mañana y un intenso olor a tierra fresca embalsamaba la orilla del torrente. El sol proyectaba una luz rubia sobre la hierba empapada y alevillas efímeras moteaban el paisaje de blanco. El automóvil tenía levantada la tapa del motor y desde lejos era como un monstruo de mecánicas fauces. Ellos se acercaron indecisos, temiéndose una emboscada y prorrumpieron en vítores al descubrir que no había nadie. En la maleta hallaron un saco de azúcar y un viejo aparato de radio. El azúcar fue devorado allí mismo, a puñados, y la radio destrozada a culatazos. Una vez revisado el coche, sirviéndose de una lata de petróleo, lo incendiaron.

Oscurecía y las llamas se elevaban ligeras y voraces. Oleadas de aire caliente se estrellaban contra sus mejillas y una constelación de chispas danzarinas evolucionaba alegremente hacia lo alto. Era la primera operación incendiaria que realizaban y su facilidad infundió ánimo a todos. Después, a medida que el tráfico se hacía más intenso y mayor era el número de objetos abandonados, los chiquillos habían corrido por el bosque provistos de ruedas de automóvil, neumáticos, volantes y bocinas. Los despojos cubrían las orillas de la carretera, como arrojados allí por una subida de las aguas, y el paisaje entero parecía atestiguar una fabulosa catástrofe.

Precisamente, en una de esas incursiones, Emilio se enteró del complot que se fraguaba. Había ido a la carretera a charlar con los soldados fugitivos y, al regresar, oyó voces en un claro del bosque. Desde el lugar en que se hallaba se dominaba gran parte de la escena y el niño se acurrucó detrás de una roca para no ser descubierto.

El *Arquero* estaba sentado en el suelo y sacudía con el dedo la ceniza de su cigarro. Las cicatrices de su rostro eran, a la luz del sol, como sinuosas cintas blancas, y los dientes, que mostraba al escupir, parecían brillar con luz propia.

—¿Para cuándo quieres que lo dejemos? —decía—. ¿Para el año próximo?

Su lugarteniente, al lado, jugaba con la navaja en torno al tronco de una encina. Le habían dicho que, para matar un árbol, bastaba practicar una incisión alrededor de su corteza y, desde hacía unas semanas se dedicaba a exterminar el bosque en masa.

—Yo creo que sería preferible esperar a que se larguen los guripas. Si lo descubrieran...

El *Arquero* sonrió desdeñosamente.

—¿Y qué, si lo descubren?

—Siempre hay almas caritativas que informan de todo.

—Que se atrevan —dijo el *Arquero*—. Que se atrevan.

En aquel momento se habían dado cuenta de su presencia y el lugarteniente le espetó lleno de furia:

—¿Qué? ¿Se te ha perdido algo? ¿O es que acaso tenemos monos en la cara?

Y él tuvo miedo porque comprendió que, si decía algo, sería inmediatamente eliminado. «Que se las arreglen como puedan —pensó—: al fin y al cabo no es asunto mío.» Fingiendo ignorancia, se alejó con las manos hundidas en los bolsillos. La palabra muerte corría ya de boca en boca y el dedo del *Arquero* señalaba a Abel.

—¿Por qué causa? —dijo Santos—. ¿Acaso os había hecho alguna pasada?

Emilio movió negativamente la cabeza.

—No, ninguna; pero el *Arquero* decía que él pertenecía al otro bando y que era preciso matarle si queríamos ser libres.

Por la expresión de su semblante, supuso que su padre no había comprendido y se apresuró a añadir:

—Su familia era propietaria desde hacía muchos años y él tenía dinero en la época en que nosotros pasábamos hambre... Además, todos le echaban la culpa de lo sucedido con Pablo... Ayer tarde se celebró una reunión secreta de los jefes y en ella quedó decidido que Abel debía morir...

...La junta se había celebrado en las cocheras, a la luz oscilante de un candelabro: media docena de muchachos, con las insignias de su jerarquía tatuadas en el rostro, se reunieron en torno a una caja de madera, para decidir la suerte del faccioso. Durante todo el día la radio del Gobierno había lanzado sus consignas desesperadas: RESISTID. HACED DE CADA CASA UNA TRINCHERA, CADA CAMINO UNA ZANJA. Los aviones nacionales surcaban la bahía como dueños y señores, y corría el rumor de que las avanzadillas habían llegado hasta Palamós.

La emisora gerundense estaba jalonada de silencios preñados de amenazas, y las voces, a medida que se precipitaba el final, se hacían cada vez más apremiantes: COMBATID. TOMAOS LA JUSTICIA POR LA MANO. QUE EL ENEMIGO NO ENCUENTRE SINO RUINAS Y CADÁVERES. Luego se había oído el ruido de las sirenas y la emisora dejó de funcionar. Aviones, bombardeos. Su imaginación se había poblado de imágenes sangrantes: manos rojas, abiertas como crisantemos; ojos inmóviles; banderillas de fuego en todos los cadáveres.

El *Arquero* había decidido liquidar personalmente al niño y delegó en su lugarteniente la tarea de acabar con Quintana.

—Mañana a primera hora —anunció—, los guripas se largarán de la escuela y nos convertiremos en los únicos dueños de la casa. Aun suponiendo que entren los facciosos, no debemos dar cuenta a nadie y, tapando la boca a estos dos pájaros, eliminaremos los únicos testigos.

—¿Y luego? —había dicho uno de los niños, a quien el miedo de su propia pregunta formaba un nudo en la garganta—. ¿Qué haremos luego?

—Viviremos —repuso el *Arquero*— como nos dé la real gana. La escuela será nuestra y haremos de ella la primera Ciudad de los Muchachos.

Las llamas se inscribían en sus ojos en miniatura y acentuaban, por contraste, la dureza granítica de sus rasgos.

—Seremos libres y no nos someteremos jamás.

El ansia de gritar había escalado como un oleaje el pecho de los presentes y, durante unos minutos, ni el propio *Arquero* logró imponer la calma. Cuando fue posible, siguiendo la indicación del secretario, escribió su sentencia con lápiz. Ocho rectángulos de papel pautado con el aviso: «La ejecución será a las diez». Seguidamente levantaron la sesión tras estrecharse las manos.

—Durante toda la noche —dijo Emilio— nos quedamos en la terraza de *El Paraíso,* montando guardia. El *Arquero* nos había señalado la ventana de su dormitorio, cuya luz permaneció siempre encendida. El resto de la casa estaba a oscuras y no parecía que nadie la habitara. Por turnos de hora y media velamos al pie de la ventana, aguardando la llegada del día y, aunque Abel no se asomó una sola vez, creo que ya sabía que le estábamos esperando.

»Lo cierto es que, al salir el sol, cuando el *Arquero* subió a buscarle, lo encontró vestido encima de la cama. Abel se lavó delante de él las manos y la cara y bajó por el cable del pararrayos sin oponer resistencia. Tampoco demostró ningún asombro cuando nos descubrió junto al garaje; sólo el *Arcángel* parecía ligeramente inquieto y, al darle la mano, dejó un mensaje en ella.

—¿Decía por casualidad *Dios nunca muere?* —preguntó Quintana—. Elósegui dice que, cuando encontró el cadáver del niño, había un papel, con esta frase, en su mano.

—Sí —dijo Emilio—. Si no decía eso, al menos era algo por el estilo. Abel lo leyó disimuladamente y lo mantuvo apretado en la palma. Yo estaba a su lado y me había dado cuenta, pero no quise decir nada, para no complicar al *Arcángel*. Debían de ser entonces más de las ocho y media y, en fila india, nos dirigimos al colegio. En el vestíbulo nos aguardaban los restantes: el camión con los últimos soldados había partido hacía media hora y nosotros éramos, al fin, los amos de la escuela.

...Entonces decidieron ir con Abel al bosque, en tanto que los otros se hacían cargo de Quintana. Pero ya las avanzadillas nacionales habían llegado junto al valle y las primeras ráfagas de metralla batían la carretera. Mientras deliberaban, Abel permanecía en un rincón, oprimiendo entre las manos el mensaje del *Arcángel*. Tenía el rostro muy blanco y la mirada vuelta hacia dentro.

Solemnemente lo llevaron a la ladera del monte y allí el *Arquero* le leyó la sentencia condenatoria. Él mismo, con la carabina de caza que el propio Abel le había entregado, le disparó en la sien a una distancia de tres metros. Abel se derrumbó como un fantoche. Y mientras todos huían llenos de pánico, el *Arcángel*, convertido su sueño en realidad, le extendió las piernas y los brazos y, al igual que los niños del relato, deshojó un ramo de flores en su pecho.

—Fue él —concluyó Emilio en un susurro— quien descubrió allí a Elósegui, y el que intentó matarle luego con una bomba de mano.

La presencia de los oficiales les intimidaba y se retiraron a la vecina habitación; era una pieza inhóspita con una sola mesa y dos sillas sin respaldo, y se sentaron el uno frente al otro, como dos viejos amigos. La palmatoria iluminaba sus rostros lo suficiente para poder intercambiar las miradas. Fuera, a través de las ventanas sin visillos, las mimosas eran como sombras exangües y los plátanos recién podados alzaban sus ramas al cielo en actitud de plegaria.

—Entonces —decía Begoña— no terminaste los estudios.

—No —repuso Martín—. Apenas había aprobado media docena de asignaturas cuando estalló la guerra. Ya sabes. La vida era tan fácil antes...

—¿Y ahora? —preguntó ella—. ¿Qué piensas hacer ahora?

Martín contemplaba la llama que ardía en el cabo de la vela.

—No tengo la menor idea, palabra. A mi edad resultaría difícil estudiar otra vez leyes. Además, nunca me ha gustado esa carrera...

Al otro lado de la mesa, Begoña le contemplaba con los mismos ojos de hacía siete años: Martín era el niño crecido de siempre a quien había que arrancar las palabras con sacacorchos.

—Pues algo habrás de hacer, *Bichito* —murmuró.

Él encendió la colilla que tenía entre los labios y exhaló una bocanada de humo.

—Sí, ya lo sé —dijo—. Estoy como siempre, en pañales. Pronto cumpliré veintiséis años y no sé en qué demonios ocuparme. Como no me reenganche en el ejército... Tal vez llegara a sargento con los años...

Hablaba con voz grave, sin pizca de ironía, y Begoña creyó que el tiempo retrocedía más de un lustro: el prado estaba florido en primavera y el sol arrancaba reflejos de las aguas del arroyo. Martín y ella iban allí, de paseo, algunas tardes y se tendían perezosamente en la hierba de la orilla. Bajo las ramas en flor de los manzanos habían aprendido a conocer la maravilla de sus cuerpos, galopados por sangre tumultuosa, como embriagada también de primavera. El aire estaba maduro de polen, de vuelos atareados de insectos, de árboles ricos en promesas, de flores que se deshojaban, mecidas por el viento sobre sus pechos abiertos como surcos. Ella tenía entonces veintidós años: la fecha de la muerte de su padre y del comienzo de su libertad. Martín únicamente diecinueve y en junio concluía el bachillerato. Pero lo había preferido a todos los empleados de Ministerio que, sombrero en mano, rondaban en torno a ella igual que moscones. Ella no poseía entonces el conocimiento de los hombres que le brindó la guerra y cometió el error imperdonable de enamorarse. Martín no quiso ni oírla: «Si para casarme he de trabajar —le explicó un día—, prefiero no casarme». Martín había nacido el mes de agosto, durante las vacaciones escolares, y «como era plena canícula —decía—, aborrecí el trabajo para siempre». Ahora, a pesar de todas las pruebas, su carácter seguía siendo el mismo. Estaba delante de ella, y era como si una esponja hubiese borrado los años.

Al buscar la cajetilla de cigarros, había sacado, sin advertirlo, una flor seca: la rosa que Dora, la maestra, había cortado un día; estaba arrugada y negra, y Elósegui la contempló con nostalgia.

—Seguro que es algún recuerdo —dijo Begoña con sorna—. Alguna bella campesina que te ama...

Martín se encogió de hombros: la flor, reseca, no servía siquiera para ponerla en un libro de estampas.

—¡Bah! —dijo—. No tiene ningún valor.

Y la arrojó al suelo.

Luego alzó la vista hacia Begoña y le cogió suavemente la mano.

—¿No es gracioso que nos hayamos encontrado? Hay que ver lo pequeño que es el mundo.

Convenientemente escoltado, el cadáver del niño fue conducido a *El Paraíso* a la caída de la tarde. Filomena y Águeda habían adornado el túmulo con colgaduras y flores y el salón revivió por un momento las jornadas de su antiguo esplendor. Los candelabros de plata proyectaban sus reflejos fantasmales sobre las paredes cargadas de recuerdos: cortinajes de seda con borlas de raso; espejos empañados y acuosos; innumerables retratos de caballeros adustos vestidos de negro y encantadoras damas presentidas a través de un remolino de gasas. En medio de tanta gloria muerta, los soldados permanecían erguidos y solemnes. El cadáver debía ser trasladado al cementerio el día siguiente y el capellán había prometido su asistencia.

Mientras un soldado subía al piso alto a prodigar a doña Estanislaa palabras de consuelo, los otros tres recorrieron los vestíbulos y salitas, espiados por la mirada de docenas de retratos. Por orden del teniente, habían traído a *El Paraíso* un lote de víveres: tarros de café, bolsas de azúcar y latas de conservas. Entre rosario y rosario, las dos mujeres, medio desfallecidas a causa del hambre de las últimas semanas, hacían breves visitas a la cocina, donde despachaban apresuradamente una rebanada de pan untada con *foie-gras* o apuraban una taza de legítimo café. Con la boca todavía llena y los ojos empañados de lágrimas, regresaban en seguida junto al túmulo a suplicar por el alma del niño. También los soldados habían traído consigo unas botellas de vino y, sentados en los escalones de la entrada, se las pasaban de mano en mano: la jornada había sido dura y bebían para reconfortarse.

Arriba, en su dormitorio, doña Estanislaa estaba tendida sobre el lecho, oliendo un frasquito de colonia. El soldado que la acompañaba tenía diecinueve años escasos y hacía tan sólo unas semanas que había ingresado en el ejército. Su cara, redonda, bermeja, sin bozo, reflejaba un asombro ingenuo ante la dueña de la casa. Era la primera vez que veía una verdadera dama y se esforzaba en no dejar traslucir su falta de modales. Todo en aquel lugar evidenciaba una categoría, una clase a la que nunca podría tener acceso. Charlar con una señora de aquella alcurnia equivalía a una especie de milagro.

Cuando Águeda le comunicó la noticia de la muerte del niño, doña Estanislaa no había manifestado ninguna sorpresa. Contempló el cadáver, tiesa, erguida, y aceptó amablemente que el soldado la acompañara hasta su habitación.

—Una —dijo— se hace la ilusión de haber encontrado un ser maduro que la comprenda y que la apoye, pero acaba por darse cuenta de que se debate siempre sola. Yo, que tanto he amado a lo largo de mi vida, me considero mucho más rica que el resto de los seres, y si me interrogan acerca del amor, diré que, como Proteo, se reviste de máscaras cambiantes. Más que a los hombres, he amado a las flores y a los pájaros, y una vez llegué incluso a prendarme de un árbol. Era un almendro que crecía al pie de la terraza y que constituía, por sí solo, el símbolo de mi destino.

»Yo trataba entonces de negar mi suerte. Me había ocurrido algo horrible. Todo se me había venido abajo con la rapidez de un relámpago. Era una sucia tarde de septiembre, lo recuerdo bien, y alguien me había vestido de negro, como para unos funerales. Me contemplé en el espejo y apenas pude retener un gemido. Me vi yerma, vacía por dentro, sin porvenir posible. Y una idea espantosa brotó en mi cerebro: era una mujer acabada.

»Lo decía mi rostro con claridad, pero yo no quería aceptarlo. Deseaba evadirme e hice lo imposible para dejar de ser lo que era. Me imaginaba flor, abeja, árbol. Quería eludir el tiempo y lo conseguí a fuerza de paciencia. Vivía en el ático, rodeada de palomas, atrapada en una jaula gigantesca. Sostenía con ellas largas conversaciones, salpicadas de besos y caricias, de las que sólo conservo un recuerdo fragmentario: aleteos, murmullos fugaces que resuenan de noche en mis oídos como un eco, como un viento lejano. Era paloma ya. A veces sentía dolor en las alas, comía con el pico, notaba la caída de una pluma. Durante largas horas, adormilada, seguía sus piruetas y arrullos. Se posaban en mis hombros. Me besaban. ¡Oh!, mi marido decía que yo estaba loca; hacía gestiones para que me encerraran. Pero, ¿qué otra cosa podía hacer?

»Todo se había puesto a vivir en torno de mí. Los objetos me hacían guiños, cambiaban de aspecto a mi espalda... Veía de nuevo a mis hijos y los asediaba bajo sus disfraces. Un día los descubrí sobre la hierba y creí que me traspasaban el cuerpo a alfilerazos. Eran ellos, rosados y juguetones, como en la época en que los criaba, y me pedían que fuese a su encuentro. Cada mañana acudía a la terraza con la esperanza de sorprenderlos. En primavera resultaba muy difícil. Los campos estaban llenos de amapolas y retama, y era entre esas flores donde solían ocultarse. El viento despeinaba las ramas de los pinos y la hierba de los prados; el mundo era inocente y azul, y únicamente yo buscaba. Tanteaba una a una todas las flores antes de decidirme a abandonarlas. Les decía: «David, ¿estás aquí? Romano, ¿estás aquí?». Oía sus risas, livianas, fugitivas, y hasta a veces el eco de sus pasos. Hablaba con ellos, aunque rarísimas veces consiguiese verlos. Durante el invierno asomaban en la flor del almendro y entonces podía localizarlos sin fatiga. Sentada en la sala, con la ventana abierta, tocaba el piano para ellos.

»Transcurrió esa temporada en medio de gran calma; días ligeros como plumas, como copos de nieve, alargándose a partir del nuevo año, febrero, marzo, y la primavera otra vez. Algo en el aire anunciaba la proximidad de la catástrofe y el corazón palpitaba como un pájaro en lo hondo de mi pecho. Impotente, me esmeraba en la ejecución de mis cuidados. Regaba con leche al almendro, velaba por la pureza de su blanco. Una vez tuve un sueño oscuro que nunca he podido recordar. Me desperté con la garganta seca y, como una sonámbula, corrí la cortinilla de la ventana: el día era gris, plomizo. Los pájaros volaban a ras de tierra y un silencio cómplice paralizaba árboles y plantas. Recuerdo que bajé las escaleras tambaleándome. Debían de haberme dado un soporífero, pues la cabeza me pesaba. Un deseo inmenso de protección me guiaba hacia el almendro. Al llegar a la terraza, aun antes de verlo, comprendí que había ocurrido algo. Piedad, piedad. Todo estaba destruido: las flores, sus gargantas, segadas por el tallo. Los niños, esta vez, habían muerto. Contemplé los pétalos esparcidos, el tronco inmóvil, las mariposas alocadas. Mi cuerpo estaba vacío a fuerza de atención. Se negaba a creer lo que veía. Le oí gritar: «David, Romano». Buscaba entre los pétalos, con las rodillas hincadas en el suelo, un débil testimonio de su vida.

»¡Oh, nadie sabía lo que significaba para mí aquel árbol! Cuando estaba a solas y *él* no me veía, permanecía horas enteras abrazada a su tronco. Cada uno de sus temblores me producía placer y, al igual que con las palomas, había aprendido el lenguaje del viento sobre sus ramas. Él, que me había privado de amor a lo largo de mi vida, ¿por qué tenía que asesinarlo?

»Pues hay asesinos de flores y asesinos de árboles. Yo he visto pájaros cogidos en el abrazo de una trampa. Hay hombres que estrangulan a un niño en una carretera y otros que cortan un árbol a hachazos. Los asesinos no conocen la piedad, querido joven: trabajan en la sombra, con el tiempo por toda compañía, eternos solitarios. Pero yo, que los conozco, se lo digo: desconfíe. Tenga siempre guardadas las espaldas. Vivimos sobre una cuerda floja y el golpe puede venirnos cuando menos lo esperemos...

La luz de la luna, que se colaba por la ventana, confería a su rostro un brillo autónomo y el soldadito creyó vivir el más extraordinario de sus sueños: doña Estanislaa se había incorporado y le tomó la mano con afecto.

—Usted, que es sensible y joven —murmuró—, puede comprender qué significa esto: haber tenido dos hijos, bellos como ángeles, y que la muerte los haya arrebatado. También Abel era como ellos y llevaba en la frente la marca del destino. Era un ser extraordinariamente formado para sus pocos años y me quería con verdadero delirio. —Sonrió—. ¡Oh!, tengo centenares de recuerdos suyos: regalos, versos, cartas... Todas las noches, desde su llegada, venía a darme un beso antes de acostarse y me decía una y otra vez que deseaba permanecer siempre conmigo. Y aunque yo le contestaba: «Eres muy joven todavía y te queda mucho por correr; es injusto que un ser de tus años se amarre a uno desengañado de la vida como yo», él no me hacía ningún caso y sabía destruir con su lógica incisiva todos mis razonamientos...

Se había dejado caer otra vez sobre los edredones y aspiró ávidamente el perfume del pomo. Fuera, el viento soplaba fuerte en torno a las paredes de la casa y traía a sus oídos el crujido familiar de los postigos. La luna inundaba de gris la terraza cubierta de hierbajos y los eucaliptos recortaban en el cielo sus harapientas cortezas. Lejos, muy lejos las campanas repicaban. A júbilo. A alegría.

Doña Estanislaa se volvió para mirarle:

—Mire usted: una vez, hace ya varios años...

Barcelona, primavera-verano de 1954.

Tras la retirada de las tropas republicanas, un grupo de ni[...]
queda dueño de una pequeña aldea del Pirineo catalán. P[...]
los niños, esta situación se convierte, con el pueblo vací[...]
todo el terreno libre para sus fechorías, en una formida[...]
ocasión para dar rienda suelta a sus instintos. Si hasta ent[...]
ces fueron testigos de la crueldad de la guerra, ahora pod[...]
protagonizar un juego que, dominado por la brutalidad y [...]
salvajismo, se le parece hasta en los menores detalles. A [...]
sar de la cruda y objetiva presentación de los hechos, J[...]
Goytisolo lleva a cabo una mágica transmutación de la re[...]
dad. Así, todo lo que en esta novela hay de palpable o iden[...]
cable, social, geográfica o históricamente se diluye tras u[...]
finísima neblina poética y *Duelo en El Paraíso* se transfor[...]
de una cruda historia de la Guerra Civil, en una metáfora [...]
alcance universal. Impregnada de una rara poesía, *Duelo e[...]
Paraíso* es una turbadora meditación sobre la infancia, orig[...]
de las más oscuras motivaciones de la condición humana.

Cubierta: Emil Nolde, *Fila de niños* (fragmento)

Juan Goytisolo nació en Barcelona en 1931. Cursó estud[...]
en las Universidades de Barcelona y Madrid y desde 1956 re[...]
de en París. Considerado como uno de los más brillantes [...]
critores de su generación, se dio a conocer como narrad[...]
con *Juego de manos* (Destino, 1954), novela a la que sigu[...]
ron *Duelo en El Paraíso* (1955), *El circo* (1957), *Fiestas* (195[...]
La resaca (1961), editadas también en Destino. De su restan[...]
producción destacan: *Señas de identidad* (1966), *Reivindi[...]
ción del conde don Julián* (1970), *Juan sin Tierra* (1975), *Pai[...]
jes después de la batalla* (1982), *Coto vedado* (1985), *En [...]
reinos de Taifa* (1986), *Makbara* (1988), *Las virtudes del pája[...]
solitario* (1990) y *La cuarentena* (1991). En 1985 un jurado [...]
ternacional le otorgó en Bruselas el premio Europalia po[...]
conjunto de su obra.

ISBN 84-233-0996-[...]

9 788423 30996[...]